Harlan Coben

De vreemde

ISBN 978-90-225-6517-9
ISBN 978-94-023-0303-2 (e-boek)
NUR 330

Oorspronkelijke titel: *The Stranger*
Vertaling: Martin Jansen in de Wal
Omslagontwerp: Wil Immink Design
Omslagbeeld: Mark Owen/Trevillion Images
Zetwerk: Mat-Zet bv, Soest

Ter nagedachtenis aan mijn dierbare neef
Stephen Reiter

En opgedragen aan zijn kinderen
David, Samantha en Jason

Och arme, hoed u voor de komst van de Vreemde
Van hem die weet wat hij u komt vragen
Er is er slechts één die de weg naar uw deur kent
Het leven kunt U ontvluchten, maar niet de Dood.

- T.S. ELIOT

I

De vreemde zette Adams leven niet in één keer op zijn kop. Tenminste, dat zou Adam Price zichzelf later voorhouden, hoewel het niet waar was. Op de een of andere manier had Adam meteen geweten, vanaf de allereerste zin, dat zijn vertrouwde leven als tevreden, getrouwde vader van twee in een leuk huis in een kleine stad voorgoed voorbij was. De zin was op zichzelf niet zo bijzonder, maar er zat iets in de toon waarop hij werd uitgesproken, de overtuiging en de bezorgdheid die erin doorklonken, wat Adam deed vermoeden dat niets ooit nog hetzelfde zou zijn.

'Je had niet bij haar hoeven blijven,' zei de vreemde.

Ze waren in de American Legion Hall in Cedarfield, New Jersey. Cedarfield was een stadje waar het wemelt van de rijke effectenmakelaars, bankiers en andere financiële 'groten der aarde'. Ze dronken graag een biertje in de American Legion Hall omdat het er zo aangenaam kneuterig was, hun manier om te doen alsof ze heel gewoon waren, ouwe jongens onder elkaar, hoewel het tegendeel waar was.

Adam stond aan de kleverige bar. Achter hem hing een dartbord aan de muur. De neonreclame prees Miller Light aan, maar Adam had een flesje Budweiser in zijn hand. Hij draaide zich om naar de man die zonet naast hem was komen staan, en hoewel Adam al wist wat het antwoord zou zijn vroeg hij: 'Heb je het tegen mij?'

De man was jonger dan de meeste vaders, slanker, mager bijna, met grote, doordringende blauwe ogen. Zijn armen waren bleek en pezig, en onder de korte mouw van zijn shirt was een stukje van een tatoeage te zien. Hij had een honkbalpet op maar zag er niet bepaald vrijgevochten uit, meer als iemand die altijd met z'n werk bezig was, een of andere gespecialiseerde technicus die te weinig buitenkwam.

De doordringende blauwe ogen keken Adam zo serieus aan dat hij zijn blik het liefst had afgewend. 'Ze had je verteld dat ze zwanger was, hè?'

Adam voelde dat zijn hand zich vaster om de hals van het flesje sloot.

'Daarom ben je bij haar gebleven. Corinne had je verteld dat ze zwanger was.'

Op dat moment kreeg Adam het gevoel dat er in zijn borst een schakelaar werd omgezet, alsof iemand in een film door de infrarode lichtstraal van een bom was gelopen en daarmee de tijdklok in werking had gezet. *Tik, tik, tik, tik.*

'Ken ik jou?' vroeg Adam.

'Ze had je verteld dat ze zwanger was,' herhaalde de vreemde. 'Corinne, bedoel ik. Dat ze zwanger was en dat ze toen een miskraam heeft gehad.'

De American Legion Hall was volgestroomd met buurtvaders die gekleed gingen in witte honkbalshirts met mouwen tot op de elleboog, een wijde cargobroek, of zo'n spijkerbroek waarin ze geen kont hadden. De meesten droegen een honkbalpet. Vanavond was de selectie van het lacrosse-A-team uit de jongens van groep zes, zeven en acht. Als je ooit de behoefte zou hebben om het gedrag van de maatschappelijke bovenlaag in zijn natuurlijke habitat te observeren, bedacht Adam, moest je kijken naar ouders die hun kinderen in het eerste probeerden te krijgen. Eigenlijk had hier een filmploeg van Discovery Channel moeten zijn.

'Je voelde je verplicht bij haar te blijven, waar of niet?' zei de man.

'Ik weet niet wie je verdomme...'

'Ze heeft tegen je gelogen, Adam.' De jongere man zei het met zo veel overtuiging, niet alleen alsof hij het absoluut zeker wist, maar alsof Adams belangen hem echt aan het hart gingen. 'Corinne heeft het allemaal verzonnen. Ze was helemaal niet zwanger.'

De woorden troffen Adam als mokerslagen, verdoofden hem en zogen zijn weerstand op, totdat hij aangeslagen, in verwarring en afgemat klaar was voor de acht tellen van de scheidsrechter. Hij had willen terugvechten, had de man bij zijn shirt willen pakken en hem dwars door de zaal willen gooien omdat hij zijn vrouw had beledigd. Maar dat deed hij niet, om twee redenen. Ten eerste omdat hij zoals gezegd aangeslagen, in verwarring en afgemat was.

En ten tweede omdat hij iets hoorde in de manier van praten van de man, de zelfverzekerdheid en die verdomde overtuiging in zijn stem, waardoor het Adam beter leek om te luisteren naar wat hij te vertellen had.

'Wie ben je?' vroeg Adam.

'Maakt dat iets uit?'

'Ja.'

'Ik ben de vreemde,' zei de man. 'De vreemde die iets belangrijks weet. Ze heeft tegen je gelogen. Corinne. Ze was niet zwanger. Dat heeft ze alleen gezegd om je terug te krijgen.'

Adam schudde zijn hoofd. Hij hield vol, probeerde kalm en rationeel te blijven. 'Ik heb de zwangerschapstest gezien.'

'Die was nep.'

'Ik heb de echo gezien.'

'Ook nep.' Hij stak zijn hand op voordat Adam meer kon zeggen. 'En ja, de buik was ook nep. Of moet ik "buiken" zeggen? Toen Corinne begon uit te dijen, heb je haar niet meer naakt gezien, hè? Hoe heeft ze dat gedaan, was ze 's avonds zogenaamd misselijk, zodat er van seks geen sprake kon zijn? Want zo gaat het meestal. En toen zij die miskraam kreeg, keek jij terug op het gebeuren en kwam je tot de conclusie dat de zwangerschap vanaf het eerste begin problematisch was geweest.'

Aan de andere kant van de zaal riep een donderende stem: 'Oké, jongens, haal nog een biertje en laten we beginnen.'

Het was de stem van Tripp Evans, de voorzitter van de lacrossebond, een voormalige reclameman van Madison Avenue en een sympathieke kerel. De andere vaders liepen naar het rek met aluminium klapstoeltjes, van het soort dat werd gebruikt voor de schoolconcerten van hun kinderen, en zetten die midden in de zaal in een kring. Tripp Evans keek naar Adam, zag zijn bleke gezicht en fronste vragend zijn wenkbrauwen. Adam schudde zijn hoofd en richtte zijn aandacht weer op de vreemde.

'Wie ben je, verdomme?'

'Zie me als je redder in de nood. Of als de vriend die je zonet uit de gevangenis heeft bevrijd.'

'Je kletst uit je nek.'

Alle andere gesprekken waren min of meer verstomd. Als er nog werd gepraat, was het op gedempte toon. Het enige wat je nog hoorde was het schrapende geluid van de stoelpoten op de houten vloer. De vaders zetten hun gezicht op ernstig voor de selectie. Adam vond het maar niks. Hij zou hier niet eens moeten zijn… dit was Corinnes taak. Zij was de penningmeester van de lacrossebond, maar haar school had de datum van hun lerarencongres in Atlantic City veranderd, dus hoewel dit voor het lacrosse in Cedarfield de belangrijkste dag van het jaar was – en voor Corinne de hoofdreden om zo actief te zijn in de bond – moest Adam vanavond voor haar invallen.

'Je zou me dankbaar moeten zijn,' zei de man.

'Waar heb je het over?'

Voor het eerst glimlachte de man. Het was een vriendelijke glimlach, moest Adam toegeven, de glimlach van iemand die het goed bedoelde.

'Je bent bevrijd,' zei de vreemde.

'Je liegt.'

'Je weet wel beter, is het niet, Adam?'

Aan de andere kant van de zaal riep Tripp Evans: 'Adam, kom je?'

Adam draaide zich om. Iedereen zat al, behalve hij en de vreemde.

'Ik moet nu gaan,' fluisterde de vreemde. 'Maar als je bewijs wilt, check dan je Visa-card. Zoek naar een betaling aan Novelty Funsy.'

'Wacht…'

'Nog één ding.' De man boog zich naar hem toe. 'Als ik jou was zou ik het DNA van je jongens ook laten testen.'

Tik, tik, tik… boem! 'Wat?'

'Daar heb ik geen bewijs voor, maar als een vrouw er niet voor terugdeinst om over iets als dit te liegen, nou, dan lijkt het me niet onmogelijk dat het niet de eerste keer is.'

En toen, terwijl het Adam weer duizelde na deze laatste verdachtmaking, haastte de vreemde zich de deur uit.

2

Zodra Adam de macht over zijn benen had teruggevonden, ging hij de man achterna.

Te laat.

De vreemde stapte in aan de passagierskant van een grijze Honda Accord. De auto kwam in beweging. Adam rende hem achterna om hem beter te kunnen zien, of een glimp van de nummerplaat op te vangen, maar het enige wat hij kon onderscheiden was dat die van de staat New Jersey was. Toen de auto aan het eind van de oprit afsloeg, zag hij nog iets.

Er zat een vrouw achter het stuur.

Een jonge vrouw met lang blond haar. Toen het licht van de straatlantaarn op haar gezicht viel, zag hij dat ze naar hem keek. Even kruisten hun blikken elkaar. Ze had een zorgelijke uitdrukking op haar gezicht, alsof ze medelijden met hem had.

Ze gaf gas en de auto verdween uit het zicht. Iemand riep zijn naam. Adam draaide zich om en ging weer naar binnen.

Ze begonnen met de selectie van het thuisteam.

Adam probeerde zijn hoofd erbij te houden, maar het was alsof alle geluiden tot hem kwamen door het auditieve equivalent van een beslagen douchedeur. Corinne had het Adam gemakkelijk gemaakt. Ze had alle jongens aangekruist die een try-out voor het team van groep acht hadden gedaan, dus hij hoefde alleen maar te kiezen uit wie er nog over waren. Waar het echt om ging – de ware reden van zijn komst – was dat hij ervoor zorgde dat Ryan in het *all-star*-competitieteam terechtkwam. Hun oudste zoon, Thomas, die nu in het tweede jaar van *high school* zat, had het all-star-team niet gehaald toen hij Ryans leeftijd had, omdat – tenminste, dat meende Corinne, en Adam had de neiging het met haar eens te zijn – zijn ouders te weinig betrokkenheid hadden getoond. Te veel vaders waren hier vanavond niet zozeer uit liefde voor de sport, als wel om de belangen van hun kind te behartigen.

Dat gold ook voor Adam. Sneu, maar waar.

Adam probeerde te vergeten wat hij zonet had gehoord – wie was die gast trouwens? – maar dat lukte hem niet. Er kwam een waas voor zijn ogen toen hij naar Corinnes 'scoutingrapport' keek. Zijn vrouw was zo ordelijk, obsessief bijna, en ze had de namen van de jongens in volgorde van de beste tot de slechtste onder elkaar geschreven. Als een van de jongens werd geselecteerd, streepte Adam gelaten zijn naam door. Hij keek naar het keurige schuine handschrift, de volmaakte letters zoals de juf ze vroeger in groep drie als voorbeeld op het bord schreef. Zo was Corinne. Zij was dat meisje dat de klas binnenkwam en klaagde dat ze het proefwerk zou verprutsen, maar vervolgens als eerste klaar was en er een negen voor kreeg. Ze was intelligent, gedreven, mooi en...

Een leugenaar?

'Dan gaan we nu door met de competitieteams, jongens,' zei Tripp.

Het geschraap van stoelpoten over de vloer echode weer door de zaal. Nog steeds aangeslagen nam Adam plaats in de kring van de vier mannen die het A- en B-competitieteam zouden samenstellen. Hier draaide het allemaal om. De thuisteams zouden in de stad blijven. De beste spelers stroomden door naar het A- en B-team, die door heel New Jersey trokken om tegen andere teams te spelen.

Novelty Funsy. Waarom kwam die naam hem bekend voor?

De hoofdcoach van het team heette Bob Baime, maar Adam zag hem altijd als Gaston, de tekenfilmfiguur uit Disneys *Beauty and the Beast*. Bob was een grote kerel met een glimlach zo breed dat die wel onecht moest zijn. Hij was luidruchtig en trots, dom en achterbaks, en als hij voorbij kwam lopen, met zijn borst vooruit en zwaaiend met zijn armen, was het alsof je de soundtrack van de film op de achtergrond hoorde: 'Niemand is zo stoer/ vecht/schiet als Gaston...'

Zet het uit je hoofd, zei Adam tegen zichzelf. Die vreemde speelde gewoon een spelletje met je…

De selectie van de teams hoefde niet lang te duren. Elke speler kreeg een score van een tot tien in diverse categorieën: sticktechniek, snelheid, kracht, passes en dat soort dingen. De scores werden bij elkaar opgeteld en door het aantal gedeeld, zodat je een gemiddelde kreeg. In theorie zou je gewoon je lijstje kunnen inleveren, waarna de achttien beste spelers in team A kwamen, de volgende achttien spelers in team B, en de rest zou het niet halen. Doodsimpel. Ware het niet dat iedereen ervan verzekerd wilde zijn dat hún zoon in het team kwam dat zij coachten.

Oké, best, zo gezegd, zo gedaan.

Eerst werden alle lijstjes afgewerkt. Alles verliep soepel totdat ze bij de laatste keus voor het B-team kwamen.

'Jimmy Hoch hoort in dat team,' verkondigde Gaston. Bob Baime praatte meestal niet gewoon, hij verkondigde.

Een van zijn assistent-coaches – een grijze muis van wie Adam de naam niet kende – zei: 'Maar Jack en Logan hebben allebei hoger gescoord dan hij.'

'Ja, dat is waar,' verkondigde Gaston. 'Maar ik ken deze jongen. Jimmy Hoch. Hij is een betere speler dan die andere twee. Hij heeft alleen een slechte try-out gehad.' Hij kuchte in zijn vuist en ging verder. 'Jimmy heeft een moeilijk jaar achter de rug. Zijn ouders zijn gescheiden. Ik vind dat we hem een kans moeten geven en hem in het team moeten zetten. Dus als niemand daar problemen mee heeft…'

Hij wilde Jimmy's naam al opschrijven.

Adam hoorde zichzelf zeggen: 'Ja, ik.'

Alle ogen werden op hem gericht.

Gaston priemde zijn kin – met kuiltje – Adams kant op. 'Sorry?'

'Ik heb er problemen mee,' zei Adam. 'Jack en Logan hebben hoger gescoord. Wie van die twee heeft de hoogste score?'

'Logan,' zei een van de assistent-coaches.

Adam nam de lijst door en keek naar de scores. 'Precies, dus dan hoort Logan in het team te zitten. Hij heeft een betere evaluatie en een hogere score.'

De assistent-coaches hapten niet naar adem, maar het scheelde niet veel. Gaston was het niet gewend tegengesproken te worden. Hij boog zich naar voren en ontblootte zijn grote tanden. 'Ik bedoel het niet vervelend, maar jij komt hier alleen maar invallen voor je vrouw.'

Hij sprak het woord 'vrouw' uit met een lichte stembuiging, alsof invallen voor een vrouw betekende dat je geen echte kerel was.

'Je bent niet eens assistent-coach,' voegde Gaston eraan toe.

'Helemaal waar,' zei Adam. 'Maar ik kan wel rekenen, Bob. Logan heeft een totaalscore van zes komma zeven. Die van Jimmy is maar zes komma vier. Welke rekenmethode je er ook op loslaat, zes komma zeven is meer dan zes komma vier. Ik kan wel een grafiekje voor je tekenen, als je wilt?'

Het sarcasme ontging Gaston volledig. 'Maar ik heb net al gezegd dat er sprake is van bijzondere omstandigheden.'

'De echtscheiding?'

'Precies.'

Adam keek de assistent-coaches aan, maar die zagen allemaal opeens iets op de vloer liggen wat ze buitengewoon fascinerend vonden. 'Goed dan, en hoe is de thuissituatie van Jack en Logan?'

'Ik weet dat hun ouders nog bij elkaar zijn.'

'Dus vanaf nu is dat de doorslaggevende factor?' vroeg Adam. 'Jij hebt een prima huwelijk, nietwaar, Gas...' Hij had hem bijna Gaston genoemd. 'Nietwaar, Bob?'

'Wat?'

'Jij en Melanie. Jullie zijn het gelukkigste stel van de wereld, toch?'

Melanie was een kleine, opgewekte blondine die voortdurend met haar ogen knipperde alsof ze net een klap in haar gezicht had gekregen. Gaston hield ervan om haar in het openbaar in haar bil te knijpen, niet zozeer ten teken van genegenheid of zelfs lust, maar om iedereen te laten zien dat ze van hem was. Gaston leunde achterover en probeerde zijn woorden zorgvuldig af te wegen. 'We hebben een goed huwelijk, ja, maar...'

'Nou, moeten we dan niet minstens een halve punt van je zoons score aftrekken? Dan zakt Bob junior naar, eens even kijken, zes komma drie. Het B-team. Ik bedoel, als we Jimmy's score willen verhogen omdat zijn ouders problemen hebben, moeten we die van jouw zoon dan niet verlagen omdat jullie zo godvergeten gelukkig zijn?'

Een van de andere assistent-coaches vroeg: 'Voel je je wel goed, Adam?'

Met een ruk draaide Adam zijn hoofd in de richting van de stem. 'Ja, ik voel me prima.'

Gaston had zijn handen tot vuisten gebald.

Corinne heeft het allemaal verzonnen. Ze was helemaal niet zwanger.

Adam keek de grotere man aan en hield zijn blik vast. Kom maar op, stoere jongen, dacht Adam. Uitgerekend vanavond. Gaston was zo'n spierbonk van wie je wist dat het allemaal show was. Over Gastons schouder zag Adam dat Tripp Evans met een verbaasd gezicht hun kant op keek.

'Je bent hier niet in de rechtszaal,' zei Gaston, en hij liet zijn tanden weer zien. 'Je gaat je boekje te buiten.'

Adam was al vier maanden niet in een rechtszaal geweest, maar hij vond het niet nodig hem te corrigeren. Hij hield de lijsten in de lucht. 'Deze evaluaties zijn hier met een reden, Bob.'

'Net als wij,' zei Gaston, en hij haalde zijn hand door zijn zwarte manen. 'Als coaches. Als degenen die deze jongens jarenlang hebben zien spelen. Wij nemen de uiteindelijke beslissing. Ik, als hoofdcoach, neem de eindbeslissing. Jimmy heeft de juiste mentaliteit. Dat telt ook mee. We zijn geen computers. We gebruiken alle middelen die ons ter beschikking staan om de spelers uit te kiezen die het meest recht hebben op een plek.' Hij hield zijn kolenschoppen van handen op, probeerde Adam weer aan zijn kant te krijgen. 'En kom op nou, we hebben het over de laatste speler van het B-team. Zo veel stelt het nu ook weer niet voor.'

'Voor Logan wel, durf ik te wedden.'

'Ik ben de hoofdcoach. De eindbeslissing is aan mij.'

Het gezelschap begon op te breken. Een paar jongens stonden op en liepen weg. Adam wilde nog iets zeggen, maar wat had het voor zin? Hij zou dit meningsverschil niet winnen, en waarom was hij er eigenlijk over begonnen? Hij wist verdomme niet eens wie Logan was. Hij had het gedaan als afleiding voor de puinhoop die de vreemde van zijn gedachten had gemaakt. Dat was het enige. Dat wist hij best. Hij kwam overeind van zijn stoel.

'Wat ben jij van plan?' vroeg Gaston, met zijn kin zo ver vooruit dat hij Adam leek uit te nodigen er een dreun op te geven.

'Ryan zit in het A-team, hè?'

'Ja.'

Daarvoor was Adam gekomen, om – zo nodig – te pleiten voor zijn zoon. Dat was gebeurd. De rest was bijzaak. 'Prettige avond nog, jongens.'

Adam liep terug naar de bar. Hij knikte naar Len Gilman, de politiebaas van Cedarfield, die graag zelf achter de bar stond om te voorkomen dat mensen dronken in hun auto stapten. Len knikte terug en zette een flesje Bud voor Adam neer. Met iets te veel agressie draaide Adam de dop eraf. Tripp Evans kwam naast hem staan. Ook hij kreeg een Bud van Len. Tripp hield het flesje op en tikte het tegen dat van Adam. De twee mannen dronken in stilte terwijl de bijeenkomst werd opgebroken. Een paar mannen riepen een afscheidsgroet. In een theatrale beweging stond Gaston op – hij hield van theatraal – en wierp Adam een boze blik toe. Adam stak zijn flesje naar hem op in een proostgebaar. Gaston beende de deur uit.

'Nieuwe vriend gemaakt?' vroeg Tripp.

'Ik ben een echte mensenvriend,' zei Adam.

'Je weet dat hij vicevoorzitter van de bond is, hè?'

'Ik zal voor hem knielen als ik hem de volgende keer zie,' zei Adam.

'Ik ben de voorzitter.'

'In dat geval kan ik beter een paar kniebeschermers kopen.'

Tripp knikte, vond het wel een leuk antwoord. 'Het zit Bob de laatste tijd niet mee.'

'Bob is een klojo.'

'Eh… ja. Weet je waarom ik aanblijf als voorzitter?'

'Om mooie meiden te scoren?'

'Ja, dat ook. En omdat, als ik me terugtrek, Bob mijn opvolger zal zijn.'

'Brrrr.' Adam liet zijn flesje zakken. 'Ik kan beter gaan.'

'Hij zit zonder werk.'

'Wie?'

'Bob. Hij is meer dan een jaar geleden zijn baan kwijtgeraakt.'

'Heel vervelend voor hem,' zei Adam. 'Maar het is geen excuus.'

'Dat zeg ik ook niet. Ik wil alleen dat je het weet.'

'Staat genoteerd.'

'En sinds kort,' vervolgde Tripp Evans, 'krijgt Bob hulp van zo'n headhunter bij het zoeken naar werk... een dure, heel belangrijke headhunter.'

Adam zette zijn flesje neer. 'En?'

'En nu probeert die headhunter een nieuwe baan voor Bob te vinden.'

'Ja, dat zei je al.'

'En die headhunter heet Jim Hoch.'

Adam keek op. 'Jimmy Hochs vader?'

Tripp zei niets.

'En daarom wil hij die jongen in het team?'

'Dacht je dat het Bob iets kan schelen dat zijn ouders gescheiden zijn?'

Adam schudde zijn hoofd. 'En jij laat dit passeren?'

Tripp haalde zijn schouders op. 'Niks hier is honderd procent zuiver. Als je een ouder bij de sportclub van zijn kind betrekt, nou, je weet hoe het gaat, dan wordt hij een soort moederleeuw die haar jong beschermt. Soms kiest hij iemand omdat het zijn buurjongen is. Of omdat het een knul is met een lekkere moeder die zich uitdagend kleedt als ze bij de wedstrijd komt kijken...'

'Spreek je uit eigen ervaring?'

'Ik beken. En soms kiest hij een jongen omdat zijn vader hem aan een nieuwe baan kan helpen. In feite een betere reden dan al die andere.'

'Voor een ex-reclameman ben je knap cynisch.'

Tripp glimlachte. 'Ja, dat weet ik. Maar het is zoals we altijd zeggen: hoe ver ga je om je gezin te beschermen? Jij doet geen vlieg kwaad, ik doe geen vlieg kwaad, maar als iemand je gezin bedreigt, als je je kind uit de klauwen van het kwaad moet redden...'

'Zijn we tot moord in staat?'

'Kijk om je heen, vriend.' Tripp spreidde zijn armen. 'Dit stadje, de scholen, de sportclubs, de jongens, de gezinnen... soms, als ik erover nadenk, kan ik amper geloven hoe goed we het allemaal hebben. We leven in een droom, besef je dat?'

Adam deed dat. Min of meer. Hij had zich van onderbetaalde pro-Deoadvocaat opgewerkt tot goedbetaalde onteigeningsjurist om die droom te kunnen bekostigen. Hij vroeg zich af of het het allemaal waard was geweest. 'En als Logan daarvoor de prijs moet betalen?'

'Sinds wanneer is het leven eerlijk? Luister, ik had ooit een grote autofabrikant als cliënt. Ja, je weet wie ik bedoel. En ja, je hebt onlangs in de krant gelezen dat ze een probleem met hun stuurkolommen stil hebben gehouden. Talloze mensen zijn gewond geraakt en zelfs om het leven gekomen. Toch waren die autojongens heel aardige, normale mensen. Hoe kan het dan dat ze dit hebben laten gebeuren? Dat ze een of andere kostenbesparende truc hebben bedacht en mensen zich te pletter hebben laten rijden.'

Adam wist welke kant het gesprek op zou gaan, maar bij Tripp vond hij dat niet erg, want Adam praatte altijd graag met hem. 'Omdat het corrupte schoften zijn?'

Tripp fronste zijn wenkbrauwen. 'Dat is niet waar, en dat weet je. Net als de mensen die in sigarettenfabrieken werken. Zijn dat ook allemaal slechteriken? En hoe zit het met al die schijnheiligen die kerkschandalen in de doofpot hebben gestopt, of, weet ik veel, mensen die rivieren vervuilen? Zijn dat allemaal corrupte schoften, Adam?'

Dit was Tripp ten voeten uit: de stadsfilosoof. 'Zeg jij het me maar.'

'Je moet het in perspectief zien, Adam.' Tripp keek hem glimlachend aan. Hij zette zijn pet af, haalde zijn hand door zijn dunnende haar en zette de pet weer op. 'Wij mensen kunnen niet objectief zijn. We zijn altijd bevooroordeeld. We beschermen altijd onze eigen belangen.'

'Eén ding springt naar voren uit al deze voorbeelden,' zei Adam.

'En dat is?'

'Geld.'

'De wortel van alle kwaad, vriend.'

Adam dacht aan de vreemde. Hij dacht aan zijn twee zoons, die nu thuis zouden zijn, bezig met hun huiswerk of een computer-spelletje. Hij dacht aan zijn vrouw op een of ander lerarencongres in Atlantic City.

'Niet van alle kwaad,' zei hij.

3

Het parkeerterrein van de American Legion Hall was in duister gehuld. Het enige licht dat door het zwarte gordijn drong waren de flitsen van de interieurverlichting van auto's en het veel zwakkere schijnsel van smartphones die op berichten werden gecontroleerd. Adam stapte in de auto. Even verroerde hij zich niet. Hij zat daar alleen maar. Autoportieren werden met een klap gesloten. Motors werden gestart. Adam deed niets.

Je had niet bij haar hoeven blijven...

Hij voelde zijn telefoon trillen in zijn broekzak. Dat moest een sms van Corinne zijn. Ze zou willen weten of Ryan geselecteerd was. Adam haalde het toestel tevoorschijn en keek op het schermpje. Yep, van Corinne.

Hoe is het vanavond gegaan?

Zoals hij had verwacht.

Adam zat naar het bericht te staren alsof het een verborgen boodschap bevatte en hij schrok op toen er opeens op het zijraampje werd geklopt. Gastons hoofd, zo groot als een pompoen, vulde het hele oppervlak van het raampje. Hij grijnsde naar Adam en maakte een draaiende beweging met zijn hand. Adam stak de sleutel in het contactslot en drukte op de knop om het raampje te laten zakken.

'Hé, man,' zei Gaston. 'Zand erover, oké? Gewoon een verschil van mening, meer niet.'

'Oké.'

Gaston stak zijn hand door het raampje naar binnen. Adam schudde hem de hand.

'Veel succes dit seizoen,' zei Gaston.

'Ja. En jij veel succes met je banenjacht.'

Gaston verstrakte, heel even. De twee mannen verroerden zich niet, Gaston met zijn grote hoofd bij het raampje en Adam, die hem bleef aankijken, achter het stuur. Uiteindelijk trok Gaston zijn grote hand terug en liep weg.

De botterik.

Adams telefoon zoemde weer. Opnieuw Corinne.

Hallo?!?

Adam zag haar voor zich, starend naar het schermpje, wachtend op antwoord. Spelletjes spelen was niets voor hem, dus hij zag geen reden om haar geen antwoord te geven.

Ryan zit in A.

Haar reactie kwam meteen.

Yeah! Bel je over een half uur.

Hij borg de telefoon op, startte de auto en reed naar huis. De afstand was exact 4,3 kilometer; Corinne had het opgemeten met de kilometerteller van haar auto toen ze voor het eerst ging joggen. Hij reed langs de nieuwe Dunkin' Donuts/Baskin-Robbins-winkelcombinatie aan South Maple en sloeg bij het Sunoco-tankstation links af. Het was al laat toen hij thuiskwam, maar zoals meestal brandden in huis alle lichten nog. Er werd tegenwoordig veel schooltijd besteed aan het besparen en hergebruiken van energie, maar zijn twee jongens hadden nog steeds niet geleerd het licht uit te doen als ze een kamer uit liepen.

Hij hoorde het geblaf van Jersey, hun bordercollie, toen hij naar de deur liep. En toen hij die met zijn sleutel had geopend, werd hij door Jersey verwelkomd alsof hij na een jarenlange krijgsgevangenschap van de oorlog was teruggekeerd. Adam zag dat de waterbak van de hond leeg was.

'Hallo?'

Geen antwoord. Ryan lag waarschijnlijk al in bed. Thomas zou de laatste hand aan zijn huiswerk leggen of beweren dat hij dat deed. Hij was nooit computerspelletjes aan het spelen of op zijn laptop aan het klooien... Adam slaagde er op de een of andere manier altijd in om thuis te komen als hij net op het punt stond dat te gaan doen.

Hij vulde Jerseys bak met water.

'Hallo?'

Thomas verscheen boven aan de trap. 'Hé.'

'Heb je Jersey al uitgelaten?'

'Nog niet.'

Tienertaal voor: nee.

'Ga dat dan doen. Nu.'

'Ik moet nog heel even iets aan mijn huiswerk doen.'

Tienertaal voor: nee.

Adam stond op het punt om te zeggen: 'Ga Jersey uitlaten. Nu.' – dit was het bijna dagelijkse tiener-ouderritueel – maar hij deed het niet en staarde omhoog naar de jongen. Hij voelde de tranen achter zijn ogen, maar hij wist ze daar te houden. Thomas leek zo veel op Adam. Iedereen zei dat. Hij had dezelfde manier van lopen, dezelfde lach en dezelfde tweede teen die langer was dan de grote.

Onmogelijk. Absoluut uitgesloten dat hij Adams kind niet was. Ook al had de vreemde gezegd dat hij...

Wat? Neem je die vreemde serieus?

Hij dacht terug aan alle keren dat Corinne en hij de jongens hadden gewaarschuwd voor 'vreemden', het 'vreemde gevaar', zoals ze dat noemden, de lessen over niet te behulpzaam zijn wanneer een onbekende je iets vroeg, over de aandacht van anderen trekken als je door een onbekende werd benaderd, over een 'codewoord' dat ze met elkaar moesten afspreken voor het geval dat er gevaar dreigde. Thomas had het meteen begrepen. Ryan was van nature goedgeloviger. Corinne was altijd argwanend tegenover mannen die bij sportvelden met pupillen rondhingen, de gepensioneerden met de bijna ziekelijke behoefte om de kinderen op het veld te coachen, terwijl hun eigen kinderen allang volwassen waren, of erger nog, die zelf helemaal geen kinderen hadden.

Adam was op dit punt altijd wat relaxter geweest, of misschien zat het bij hem wel dieper. Misschien lag het aan het feit dat hij helemaal niemand vertrouwde als het om zijn kinderen ging, niet alleen degenen die argwaan wekten.

Dat maakte het een stuk eenvoudiger, nietwaar?

Thomas zag iets in de blik van zijn vader. Hij trok een gezicht en kwam – zoals tieners eigen is – half lopend, half struikelend de trap af stormen, alsof hij door een onzichtbare hand vooruit werd geduwd en zijn benen hun best moesten doen om zijn bovenlijf bij te houden.

'Ik ga Jersey wel eerst uitlaten,' zei Thomas.

Hij stormde langs zijn vader en pakte Jerseys riem. Jersey zat al klaar bij de deur. Zoals alle honden was Jersey altijd klaar om uitgelaten te worden. Ze toonde haar intense verlangen om naar buiten te gaan door met haar voorpoten tegen de deur aan te gaan staan, zodat je die niet kon openen om haar naar buiten te laten. Honden...

'Waar is Ryan?' vroeg Adam.

'In bed.'

Adam keek op het klokje van de magnetron. Kwart over tien. Tien uur was Ryans bedtijd, hoewel hij het licht tot half elf aan mocht laten om te lezen. Net als Corinne was Ryan iemand die zich strikt aan de regels hield. Ze hoefden hem nooit te vertellen dat het kwart voor tien was of dat soort dingen. En als Ryans wekker 's morgens afging, stond hij op, douchte, kleedde zich aan, maakte zijn eigen ontbijt en liep naar school. Thomas was heel anders. Adam had wel eens overwogen zo'n stroomstok voor vee te kopen, om zijn oudste zoon 's morgens in beweging te krijgen.

Novelty Funsy...

Adam hoorde de hordeur dichtslaan toen Thomas en Jersey naar buiten waren gegaan. Hij liep de trap op en ging bij Ryan kijken. Hij was in slaap gevallen met het licht aan en met Rick Riordans laatste boek opengeslagen op zijn borst. Adam liep op zijn tenen naar binnen, pakte het boek, deed de bladwijzer tussen de bladzijden en legde het op het nachtkastje. Hij wilde de lamp uitdoen toen Ryan zich verroerde.

'Pap?'

'Ja?'

'Zit ik in het A?'

'Dat hoor je morgen via de mail, makker.'

Een smoes. Adam werd niet verondersteld het nu al officieel te weten. De coaches mochten het hun kinderen niet vertellen voordat de officiële e-mail de volgende ochtend was verstuurd, zodat ze het allemaal tegelijk zouden weten.

'Oké.'

Ryan sloot zijn ogen en sliep al weer voordat zijn hoofd het kussen raakte. Adam bleef even naar hem kijken. Wat uiterlijk betreft had Ryan meer weg van zijn moeder. Adam had daar tot vanavond nooit enige betekenis aan gehecht – had het zelfs als een pluspunt gezien – maar nu, vanavond, zette het hem aan het denken. Stompzinnig, maar ja. De bel is geluid en dat kun je niet ongedaan maken. Het knagende gevoel achter in zijn hoofd wilde hem niet met rust laten, maar ook daarvoor gold: wat deed je er verdomme aan? Laten we de zaak strikt theoretisch bekijken. Hij keek naar Ryan en werd overspoeld door het intense gevoel dat hij wel vaker ervoer als hij naar zijn jongens keek... deels pure blijdschap, deels angst voor wat ze allemaal kon overkomen in deze nietsontziende wereld, deels wensen en verwachtingen, allemaal samengebald tot het enige ter wereld wat echt puur voelde. Klef, oké, maar toch was het zo. Puurheid. Dat is wat je voelt als je naar je eigen kind kijkt, een puurheid die alleen kan voortkomen uit ware, onvoorwaardelijke liefde.

Hij hield zo verdomde veel van Ryan.

En als hij ontdekte dat Ryan niet van hem was, zou hij al die gevoelens dan kwijtraken? Zou het allemaal in rook opgaan? Zou het hem ook maar iets uitmaken?

Hij schudde zijn hoofd en draaide zich om. Genoeg gefilosofeer over het vaderschap voor vanavond. Tot nu toe was er niets veranderd. Een of andere gek had hem een partij onzin over een nepzwangerschap aangepraat. Dat was alles. Adam had lang genoeg in de advocatuur gezeten om te weten dat je niets zomaar voor waar kon aannemen. Je gaat ermee aan de slag. Je trekt het na. Mensen liegen. Je doet onderzoek omdat maar al te vaak blijkt dat de dingen die je in eerdere instantie hebt aangenomen pure lariekoek zijn.

Ja, Adams gevoel vertelde hem dat de woorden van de vreemde mogelijk een kern van waarheid bevatten, maar dat was nu juist het probleem. Want als je te veel naar je gevoel luistert, wordt de kans dat je wordt bedonderd alleen maar groter.

Dus doe je werk. Trek het na.

Maar hoe?

Doodsimpel. Begin met Novelty Funsy.

Ze hadden een pc waarvan ze alle vier gebruikmaakten. Die had eerst in de woonkamer gestaan. Dat was Corinnes idee geweest. Geen stiekem gesurf op het net – lees: porno kijken – in hun gezin. Adam en Corinne kenden de gevaren, was de theorie, en stelden zich op als volwassen, verantwoordelijke ouders. Maar Adam was algauw tot het besef gekomen dat deze aanpak zowel belerend als pure nonsens was. De jongens konden alles, ook porno, opzoeken op hun telefoons. Ze konden dat bij een vriend thuis doen. Of ze konden het doen met een van de laptops of tablets die overal in huis rondzwierven.

Het was ook een luie vorm van ouderschap. Je moest ze leren het juiste te doen omdat het het juiste was, niet omdat pa en ma over je schouder meekeken. Natuurlijk, alle ouders geloofden dat in beginsel, totdat ze erachter kwamen dat er praktische redenen waren om opvoedkundige concessies te doen.

Het andere probleem was meer voor de hand liggend: als je de computer wilde gebruiken waarvoor die was bedoeld, voor studie en huiswerk, werd je afgeleid door het geluid van de tv en het rumoer in de keuken. Dus had Adam de computer verplaatst naar het kleine kamertje op de eerste verdieping, dat ze heel genereus 'de werkkamer' hadden gedoopt, maar dat algauw een ruimte met te veel functies voor te veel mensen was geworden. Corinnes proefwerken lagen in een stapel op de hoek van het bureau, klaar om nagekeken te worden. Het huiswerk van de jongens zwierf overal rond en in de printer zat altijd wel een kladversie van een of ander opstel, als een gewonde soldaat achtergelaten op het slagveld. De rekeningen lagen in een stapeltje op de stoel te wachten totdat Adam ze online zou betalen.

De internetbrowser was geopend en toonde de website van een museum. Een van de jongens had zeker iets over de oude Grieken willen weten. Adam opende de geschiedenis van de browser om te zien welke websites er waren bezocht, hoewel de jongens inmiddels veel te uitgekookt waren om dat soort incriminerende informatie achter te laten. Maar je kon nooit weten. Thomas had een keer per ongeluk zijn Facebook-pagina geopend en ingelogd op de computer achtergelaten. Adam had er een tijdlang naar zitten staren, zich tot het uiterste verzettend tegen het verlangen de pagina aan te klikken en de berichten van zijn zoon te lezen.

Hij had die strijd verloren.

Na een paar berichten was Adam gestopt. Zijn zoon was niet in gevaar – daar ging het om – maar hij hield er het nare gevoel aan over dat hij de privacy van zijn zoon had geschonden. Hij had dingen gelezen die hij niet hoorde te weten. Niets heftigs. Niets wereldschokkends. Maar wel dingen waarover een vader misschien eens met zijn zoon moest praten. Maar wat moest hij nu doen met die informatie? Als hij Thomas ermee confronteerde, zou hij moeten toegeven dat hij zijn privéberichten had gelezen. Was het dat waard? Hij had overwogen het aan Corinne te vertellen, maar toen hij het even had laten bezinken, was hij tot het besef gekomen dat de communicatie die hij had gelezen in feite helemaal niet zo abnormaal was, dat hij in zijn tienertijd zelf ook dingen had gedaan waarvan hij absoluut niet gewild zou hebben dat zijn ouders ervan hadden geweten, dat hij er gewoon overheen was gegroeid en dat hij het heel gênant zou hebben gevonden als zijn ouders hem hadden bespioneerd en hem ermee hadden geconfronteerd.

Dus had Adam het laten rusten.

Het ouderschap. Het viel nog niet mee.

Je zit tijd te rekken, Adam.

Ja, dat wist hij. Dus terug naar waar hij mee bezig was.

Vanavond waren er geen spectaculaire dingen in de recente geschiedenis te vinden. Een van de jongens – waarschijnlijk Ryan – had inderdaad naar informatie over de oude Grieken gezocht, waarschijnlijk voor school, of hij was aangestoken door het boek van Riordan. Hij vond links naar Zeus, Hades, Hera en Icarus, dus het ging om de Griekse mythologie. Adam klikte terug naar de geschiedenis van de vorige dag. Hij vond een zoekopdracht voor de route naar het Borgata Hotel & Casino in Atlantic City. Niet zo vreemd. Daar logeerde Corinne. Ze had ook gezocht naar het programma van het congres en erop geklikt.

Dat was het zo'n beetje.

Genoeg tijdgerekt.

Hij logde in op zijn online bankrekening. Corinne en hij hadden twee creditcards. Officieus was de ene voor 'privé' en de andere voor 'zaken'. Dat hadden ze gedaan voor hun eigen boekhouding. De zakencard gebruikten ze voor alles wat met hun werk te maken had, bijvoorbeeld voor een lerarencongres in Atlantic City. Voor al het andere gebruikten ze de privécard.

Eerst opende hij het overzicht van de privécard. Die had een zoekfunctie. Hij typte 'novelty' in het kadertje. Geen hits. Oké, best. Hij logde weer uit en deed hetzelfde met de zakencard.

En daar stond het.

Iets meer dan twee jaar geleden, een betaling van $387,83 aan een bedrijf dat Novelty Funsy heette. Adam hoorde het zachte geruis van de computer.

Hoe kon dit? Hoe was het mogelijk dat de vreemde hiervan wist?

Geen idee.

Maar Adam had de afschrijving destijds toch ook gezien? Ja, dat wist hij zeker. Hij dacht diep na en zocht in de flinterdunne restanten van zijn geheugen. Hij had hier op deze stoel gezeten en de maandafschriften van Visa gecontroleerd. Hij had Corinne naar de betaling gevraagd. Ze had er heel luchtig over gedaan. Ze had iets gezegd over versieringen voor haar leslokaal. En hij had iets over het bedrag gezegd, meende hij. Dat hij het nogal hoog vond. Corinne had gezegd dat de school het haar zou terugbetalen.

Novelty Funsy. Dat klonk niet als iets illegaals, toch?

Adam opende een nieuw venster en googelde Novelty Funsy. Google spuugde terug:

Geen resultaten voor 'Novelty Funsy'
Bedoelde u: 'Novelty Fancy'?

Hé, dat was vreemd. Alles staat op Google. Adam leunde achterover en dacht na over wat hij kon doen. Waarom leverde Novelty Funsy geen enkel resultaat op? Het bedrijf bestond. Dat kon hij op zijn creditcardafrekening zien. Hij nam aan dat ze decoraties verkochten, of – wat? – feestartikelen?

Adam beet op zijn onderlip. Hij begreep het niet. Een onbekende komt naast hem staan en zegt dat zijn vrouw tegen hem heeft gelogen – en niet zo'n beetje ook blijkbaar – over het feit dat ze zwanger zou zijn. Wie was die gast? En waarom zou hij dat doen?

Oké, dat waren twee vragen voor later. Hij moest zich nu bezighouden met die ene belangrijke vraag: was het waar?

Adam zou het liefst 'nee' antwoorden en de rest vergeten. Wat voor problemen ze ook hadden gehad en welke littekens ze in hun achttien jaar huwelijk ook hadden opgelopen, hij vertrouwde Corinne. Veel dingen waren in de loop der jaren gesleten, verbrokkeld en vergaan, of – optimistischer gezien – veranderd, maar dat ene wat altijd blijft en zelfs sterker wordt, is de onderlinge band, want je bent een team, jij en je partner. Je staat aan dezelfde kant, je zit in hetzelfde schuitje en je steunt elkaar. Jouw overwinningen zijn de hare. Hetzelfde geldt voor je fouten.

Adam vertrouwde Corinne, ook als zijn leven ervan afhing. Maar toch...

In zijn werk was hij het talloze keren tegengekomen. Simpel gezegd: mensen bedotten je. Corinne en hij mochten dan een hecht team zijn, ze waren ook twee individuen. Het zou leuk zijn als hij haar onvoorwaardelijk kon vertrouwen en kon vergeten dat de vreemde hem ooit had aangesproken – Adam had de neiging dat te doen – maar dat zou toch net iets te veel lijken op het spreekwoordelijke je kop in het zand steken. De stem van de twijfel achter in zijn hoofd zou misschien ooit zwijgen, maar nooit helemaal weggaan.

Niet totdat hij het zeker wist.

De vreemde had beweerd dat het bewijs werd geleverd door

deze ogenschijnlijk onschuldige creditcardbetaling. Dus was hij het aan zichzelf verplicht, en ja, ook aan Corinne – zij zou toch ook geen stemmetjes in haar hoofd willen? – dat hij dit tot op de bodem uitzocht. Dus belde Adam het gratis nummer van de Visa-klantenservice. Een opgenomen stem vroeg hem het nummer van zijn creditcard in te toetsen, evenals de verloopdatum en de cvc-code op de achterkant. Vervolgens probeerde de stem hem opgenomen informatie te geven, totdat die hem uiteindelijk vroeg of hij een serviceafgevaardigde wilde spreken. Een afgevaardigde. Alsof hij het Congres belde. 'Ja, graag,' zei Adam, en hij hoorde het toestel aan de andere kant overgaan.

Toen de afgevaardigde aan de lijn kwam, moest hij haar opnieuw alle informatie geven – waarom doen ze dat toch altijd? – plus de laatste vier cijfers van zijn sofinummer en zijn huisadres.

'Waarmee kan ik u vandaag helpen, meneer Price?'

'Er staat een betaling op mijn Visa-afrekening aan een bedrijf dat Novelty Funsy heet.'

Ze vroeg of hij 'funsy' voor haar wilde spellen. 'Hebt u voor mij het bedrag en de datum van de transactie?'

Adam gaf haar de informatie. Hij had enige weerstand verwacht toen hij de datum noemde, want de betaling was van meer dan twee jaar geleden, maar de afgevaardigde scheen dat niet erg te vinden.

'Welke informatie wilt u hebben, meneer Price?'

'Ik kan me niet herinneren dat ik iets heb gekocht bij een bedrijf dat Novelty Funsy heet.'

'Hmm,' zei de afgevaardigde.

'Hmm?'

'Tja, sommige bedrijven factureren onder een andere naam. Om, u weet wel, discreet te zijn. Zoals wanneer u in een hotel een film bestelt en ze zeggen dat de titel van de film niet op uw rekening zal komen.'

Ze had het over porno of iets anders met seks. 'Dat is hier niet het geval.'

'Nou, laten we dan maar eens kijken.' Hij hoorde het tikken van haar toetsenbord over de telefoonlijn. 'Novelty Funsy staat geregistreerd als webshop. Dat houdt meestal in dat het gaat om een bedrijf dat veel waarde hecht aan privacy. Hebt u daar iets aan?'

Ja en nee. 'Is het mogelijk om ze om een gespecificeerde factuur te vragen?'

'Jazeker. Maar dat kan een paar uur duren.'

'Dat is niet erg.'

'We hebben een e-mailadres van u.' Ze las het voor. 'Zullen we het daarnaartoe sturen?'

'Dat zou geweldig zijn.'

De afgevaardigde vroeg of ze hem nog met iets anders kon helpen. Nee, bedankt, zei Adam. Ze wenste hem nog een prettige avond. Adam legde de telefoon neer en staarde naar het beeldscherm met het afschrift. Novelty Funsy. Nu hij erover nadacht, zou het best eens een discrete naam van een seksshop kunnen zijn.

'Pa?'

Het was Thomas. Adam sloot het venster met het afschrift minstens even snel als zijn zoons zouden hebben gedaan als ze porno hadden zitten kijken.

'Hé,' zei Adam, een en al achteloosheid. 'Wat is er?'

Als Thomas het gedrag van zijn vader vreemd vond, liet hij dat niet merken. Tieners waren nu eenmaal verre van opmerkzaam en vooral in zichzelf geïnteresseerd. Op een moment als dit kwam dat Adam goed uit. Wat Thomas' vader op internet deed, interesseerde hem niet in het minst.

'Kunnen we even naar Justins huis rijden?'

'Nu?'

'Hij heeft mijn sportbroek.'

'Wat voor sportbroek?'

'Mijn trainingsbroek. Die moet ik morgen aan op de training.'

'Kun je geen andere aantrekken?'

Thomas keek zijn vader aan alsof er een hoorn uit zijn voorhoofd groeide. 'De coach zegt dat we op de training onze trainingsbroek moeten dragen.'

'Kan Justin hem morgen niet meenemen naar school?'

'Hij zou hem vandaag al meenemen, maar hij vergeet het steeds.'

'Hoe heb je dat vandaag dan gedaan?'

'Kevin had een extra broek bij zich. Van zijn broer. Maar die was me veel te groot.'

'Kun je Justin niet bellen en zeggen dat hij hem nu in zijn rugzak moet stoppen?'

'Ja, dat kan, maar dat doet hij toch niet. Het is maar vier straten hiervandaan. En ik kan nog wel een extra rijles gebruiken.'

Thomas had sinds een week zijn voorlopige rijbewijs, voor ouders het equivalent van een stresstest zonder medische begeleiding. 'Oké, ik kom er zo aan.' Adam wiste de geschiedenis van de browser en liep de trap af. Jersey dacht dat ze weer naar buiten mocht en keek hen aan met een blik van 'Het is toch niet te geloven dat ik niet mee mag' toen ze langs haar heen de deur uit liepen. Thomas ving de sleutels op en ging achter het stuur van de auto zitten.

Adam wist zich al redelijk te ontspannen als hij op de passagiersstoel zat. Corinne niet, die was daar te veel een controlefreak voor. Die bleef maar aanwijzingen en waarschuwingen roepen. En ze zat voortdurend op het rempedaal van de denkbeeldige dubbele besturing te trappen, zo hard dat ze bijna door de vloer heen ging. Terwijl Thomas de straat uit reed, nam Adam zijn zoon van opzij op. Hij had wat acne op zijn wangen, en donshaartjes op zijn bovenlip en bij zijn oor, geen bakkebaarden à la Abe Lincoln, maar zijn zoon moest zich al wel scheren. Niet elke dag. Hooguit eens per week, maar toch. Thomas had een korte cargobroek aan. Hij had haar op zijn benen. En hij had prachtige blauwe ogen. Iedereen maakte er opmerkingen over. Ze hadden een schitterende lichtblauwe tint.   •

Thomas reed de oprit op, stuurde iets te veel naar rechts en stopte.

'Ben zo terug,' zei hij.

'Oké.'

Thomas zette de auto op de handrem en rende naar de voordeur. Justins moeder, Kristin Hoy, deed open – Adam zag haar grote bos lichtblond haar – en dat verbaasde hem enigszins. Kristin gaf les op dezelfde school als Corinne. De twee vrouwen waren redelijk goed bevriend geraakt. Adam had aangenomen dat zij ook in Atlantic City zat, maar toen herinnerde hij zich dat het congres voor geschiedenis- en taaldocenten was. Kristin gaf wiskunde.

Kristin glimlachte en zwaaide naar hem. Adam zwaaide terug. Thomas rende het huis in en Kristin kwam naar de auto lopen. Hoe politiek incorrect het ook klonk, Kristin was een echte milf. Adam had dat wel eens door Thomas' vrienden horen zeggen, hoewel hij het zelf ook had kunnen verzinnen. Op dit moment kwam ze heupwiegend op hem toelopen in een strak wit topje en een spijkerbroek zo strak dat die met blauwe verf op haar huid gespoten leek. Ze deed aan een of andere vorm van bodybuilding. Adam wist niet precies welke vorm. Er stonden een paar letters achter haar naam en ze had de titel 'pro' verdiend, wat dat ook mocht betekenen. Adam was nooit erg gecharmeerd geweest van overdadig gespierde vrouwen die met halters in de weer waren, en op sommige van haar wedstrijdfoto's zag Kristin er inderdaad wat opgepompt uit. Haar haar was een tikje te blond, haar tanden een tikje te wit en haar teint een tikje te oranje, maar voor de rest zag ze er verdomd goed uit.

'Hé, Adam.'

Adam wist niet of hij uit de auto moest stappen of niet. Hij koos ervoor te blijven zitten. 'Hé, Kristin.'

'Corinne nog niet terug?'

'Nee.'

'Ze komt morgen terug, hè?'

'Ja.'

'Oké. Ik zal haar bellen. We moeten trainen. Over twee weken is de regionale finale.'

Op haar Facebook-pagina noemde ze zichzelf een 'fitness model' en een 'WBFF Pro'. Corinne benijdde haar om haar lichaam. Sinds kort trainden ze samen. Net als met de meeste dingen die goed of slecht voor je zijn, breekt er een moment aan dat een onschuldige gewoonte iets obsessiefs krijgt.

Thomas kwam naar buiten met zijn trainingsbroek.

'Dag, Thomas.'

'Dag, mevrouw Hoy.'

'Nou, veel plezier nog vanavond, jongens. Maar niet te veel, nu mama er niet is.'

Heupwiegend liep ze weg.

Thomas zei: 'Ze is een raar mens.'

'Dat is niet erg aardig van je.'

'Dan moet je eens in haar keuken gaan kijken.'

'Hoezo? Wat is er mis met haar keuken?'

'De deur van de koelkast zit vol foto's van haar in bikini,' zei Thomas. 'Is dat raar of niet?'

Adam kon er weinig tegen inbrengen. Toen Thomas achteruitreed, verscheen er een glimlachje om zijn mond.

'Wat is er?' vroeg Adam.

'Kyle noemt haar een Gigi,' zei Thomas.

'Wie?'

'Mevrouw Hoy.'

Adam vroeg zich af of dit een nieuwe term voor 'milf' was. 'Wat is een "gigi"?'

'Zo noem je iemand die niet bepaald knap is maar wel een mooi lichaam heeft.'

'Ik kan je niet volgen,' zei Adam.

'Afkorting van "lili-gigi",' zei Thomas. 'Lekker lijf, geen gezicht.'

Adam deed zijn best niet te glimlachen terwijl hij afkeurend zijn hoofd schudde. Hij wilde zijn zoon net bestraffend toespreken – al had hij geen idee hoe hij dat moest doen zonder in lachen uit te barsten – toen zijn mobiele telefoon ging. Hij keek op het schermpje.

Het was Corinne.

Hij drukte op de negeerknop. Hij moest zijn aandacht nu bij de rijles van zijn zoon houden. Dat zou Corinne wel begrijpen. Hij wilde het toestel in zijn zak steken toen het opnieuw trilde. Zo snel kon Corinne geen bericht hebben ingesproken, bedacht hij, en hij had gelijk, want het was een e-mail van Visa. Hij opende de e-mail en zag een paar links waarmee hij de gespecificeerde facturen kon openen, maar dat was niet wat Adams aandacht trok.

'Pa? Alles oké met je?'

'Hou je blik op de weg, Thomas.'

Hij zou het straks thuis woord voor woord doornemen, maar op dit moment zei de openingszin al meer dan genoeg.

Novelty Funsy is de factuurnaam van de volgende webshop: fake-een-zwangerschap.com

4

Toen ze thuis waren gekomen en Adam in hun 'werkkamer' zat, klikte hij op de link van de e-mail en verscheen
de website op het scherm.

Fake-een-zwangerschap.com.

Adam probeerde zich te beheersen. Hij wist dat je op internet
werkelijk alles kon vinden, voor elke voorkeur en afwijking, ook
dingen die verder gingen dan je wildste fantasieën, maar dat er
een hele website was gewijd aan het faken van een zwangerschap
was zo'n moment waarop je als weldenkend mens alle moed verloor, het liefst huilend in een hoekje wilde gaan zitten en moest
toegeven dat onze ergste, allerlaagste instincten de strijd hadden
gewonnen.

Onder de grote roze letters van de naam van de website stond
in iets kleinere letters: LEUKSTE GRAPPEN OOIT!

Grappen?

Hij klikte op de link 'door jou aangeschafte producten'. Het
eerste artikel was de 'Nieuw! Nepzwangerschapstest!' Adam
schudde zijn hoofd. Door de normale prijs van $34,95 stond een
rode streep. Erachter stond de aanbiedingsprijs van $19,99 en
daaronder, in zwarte cursieve letters: *Je bespaart $15!*

Nou, geweldig, bedankt voor de korting. Ik hoop van harte dat
mijn vrouw niet te veel heeft betaald.

Het artikel kon binnen vierentwintig uur en in discrete verpakking worden geleverd. En daaronder stond een korte beschrij-
ving.

**Te gebruiken op dezelfde manier als een echte zwanger-
schapstest!**

Urineer op het staafje en bekijk het resultaat!
De uitslag is altijd positief!

Adams mond was kurkdroog geworden.

Jaag je vriendje, je schoonouders, je neef of je leraar de
stuipen op het lijf!

Je neef of je leraar? Zou iemand zijn neef of leraar verdomme
echt... Adam weigerde erover na te denken.

Onder aan de pagina, in kleinere letters, stond een waarschuwing.

Let op: dit product biedt de mogelijkheid tot onverant-
woord gebruik. door het bijgaande formulier te lezen en
te ondertekenen verklaart u dat u het product niet zult gebruiken voor doeleinden die als onwettig, immoreel, frau-
duleus of kwetsend voor anderen kunnen worden gezien.

Adam kon zijn ogen niet geloven. Hij klikte op de afbeelding van
het product en zoomde in op de verpakking. De test bestond uit
een wit staafje met een rood kruisje dat aangaf of je zwanger was.
Adam zocht zijn geheugen af. Was dit de test die Corinne had gebruikt? Hij kon het zich niet herinneren. Had hij wel de moeite
genomen ernaar te kijken? Hij wist het echt niet meer. Al die dingen zagen er toch hetzelfde uit?

Maar hij herinnerde zich nu wel dat Corinne de test had gedaan toen hij thuis was.

Dat was nieuw voor haar. Met Thomas en Ryan had ze hem bij
de voordeur opgewacht, met een brede glimlach, om hem het
goede nieuws te vertellen. Maar deze laatste keer had ze gewild
dat hij erbij was. Dat herinnerde hij zich. Hij had in bed gelegen,
zappend langs de tv-kanalen. Zij was naar de badkamer gegaan.
Adam had gedacht dat ze minstens een paar minuten op de uitslag
zou moeten wachten, maar dat was niet zo. Ze was vrijwel meteen
met het staafje in haar hand de badkamer uit komen rennen.

'Adam, kijk! Ik ben zwanger!'

Had het staafje eruitgezien zoals dit?

Hij wist het echt niet.

Adam klikte op de tweede link en begroef zijn hoofd in zijn handen.

Nepsiliconenbuiken!

Leverbaar in diverse maten: eerste trimester (1 tot 12 weken), tweede trimester (13 tot 27 weken) en derde trimester (28 tot 40 weken). Er waren ook extragrote maten, voor tweelingen, drielingen en zelfs vierlingen. Er stond een foto bij van een knappe vrouw die met een liefdevolle blik naar haar 'zwangere' buik keek. Ze had een witte trouwjurk aan en een boeketje lelies in haar hand.

De verkoopkreet erboven luidde:

Niets zet je meer in het zonnetje dan zwanger zijn!

En daaronder, iets minder subtiel:

En het levert je mooie cadeaus op!

De buiken waren gemaakt van 'medische kwaliteit silicone', dat op de site werd beschreven als 'de nieuwste vinding' en 'niet te onderscheiden van echte huid'. Onder aan de pagina stonden videobeoordelingen van 'echte Fake-een-zwangerschap-klanten'. Adam klikte er een aan. Een aantrekkelijke brunette keek glimlachend in de camera en zei: 'Hallo. Ik ben dol op mijn siliconenbuik. Hij voelt zo natuurlijk aan!' Vervolgens vertelde ze dat hij binnen twee werkdagen was bezorgd – minder snel dan de zwangerschapstest, maar je had hem ook niet meteen nodig, of wel soms? –, dat zij en haar man van plan waren een kind te adopteren en niet wilden dat hun vrienden het wisten. Een tweede vrouw – nogal mager en met rood haar – legde uit dat zij en haar man gebruikmaakten van een draagmoeder en niet wilden dat hun vrienden dat wisten. Adam hoopte voor haar dat hun vrienden niet zo pervers waren dat ze dit soort websites bezochten en haar herkenden. De laatste beoordeling was van een vrouw die de buik gebruikte om de 'leukste grap aller tijden' met haar vrienden uit te halen.

Dat moest een bijzondere vriendenkring zijn.

Adam ging terug naar de pagina met het winkelmandje. Het laatste artikel was... o man... een nep-echo.

In 2d of 3d. maak je keuze!

De echo's kostten $29,99. Te bestellen in drie uitvoeringen: glanzend, mat en transparant. Er waren vakjes waarin je de naam van een arts, een ziekenhuis of kliniek en een datum kon invullen. Je kon het geslacht van de foetus kiezen of dat onbenoemd laten – jongetje: 80% zekerheid – plus de leeftijd, of het een tweeling was, en ga zo maar door. Voor $4,99 extra kon je de echo laten voorzien van 'een hologram dat je nep-echografie een authentieker uiterlijk gaf'.

Hij voelde zich misselijk worden. Had Corinne ook het hologram erbij genomen? Adam kon het zich niet herinneren.

Opnieuw probeerde de website de indruk te wekken dat mensen deze dingen kochten om er grappen en grollen mee uit te halen. **Perfect voor vrijgezellenparty's!** Ja, een echte dijenkletser. **Ook voor verjaardagen en kerstgrappen!** Kerstgrappen? Een nepzwangerschapstest met een rood lintje eromheen onder de boom voor pa en ma? Nou, een gegarandeerde hit.

Natuurlijk dienden deze opmerkingen over grappen alleen om de webshop tegen rechtszaken te beschermen. Ze wisten heus wel dat mensen deze dingen gebruikten om anderen te bedriegen.

Goed zo, Adam. Doe maar verontwaardigd. Blijf maar negeren wat er echt aan de hand is.

Het verdoofde gevoel was weer terug. Vanavond kon hij niets meer doen. Hij kon beter naar bed gaan. Gaan liggen en erover nadenken. Doe geen ondoordachte dingen. Daarvoor staat er veel te veel op het spel. Blijf kalm. Stop het weg, desnoods.

Op weg naar de slaapkamer kwam hij langs de slaapkamers van zijn beide zoons. Die kamers, en het hele huis, leken opeens zo kwetsbaar, gemaakt van eierschalen die hij, als hij niet heel zorgvuldig omging met wat de vreemde hem had verteld, zou verpulveren onder zijn voeten.

Hij ging de slaapkamer van hem en Corinne binnen. Op Corinnes nachtkastje lag een boek, een of andere literaire debuutroman van een Pakistaanse vrouwelijke auteur. Ernaast lag het laatste nummer van *Real Simple*, met omgevouwen bladzijden om potentiële koopjes aan te geven. Met haar extra leesbril erbovenop. De glazen waren vrij zwak en Corinne droeg hem liever niet in het openbaar. De wekkerradio diende tevens als oplader voor haar iPhone. Adam en Corinne hadden ongeveer dezelfde muzieksmaak. Springsteen was bij beiden favoriet. Ze hadden hem al tien keer live gezien. Adam kwam dan altijd op een punt dat hij zo in de muziek opging dat hij niet meer wist wat hij deed. Corinne bleef altijd beheerst en geconcentreerd. Ze bewoog wel mee met de muziek, maar haar blik bleef op het podium gericht.

Terwijl Adam als een idioot in het rond danste.

Hij ging de badkamer in en poetste zijn tanden. Corinne had onlangs een nieuwe, supergeavanceerde elektrische tandenborstel gekocht, die eruitzag alsof hij door de NASA was ontwikkeld. Adam deed het nog steeds op de ouderwetse manier. Hij zag een doosje van L'Oréal staan en meende nog iets van de chemische geur van de haarverf te ruiken. Corinne had zeker het grijs weggewerkt voordat ze naar Atlantic City ging. Het grijs leek zich aan te dienen in de vorm van één lange haar per keer. In het begin had Corinne ze uit haar hoofd getrokken en aandachtig bestudeerd. Dan fronste ze haar wenkbrauwen, hield de haar op en zei: 'Hij heeft de structuur en de kleur van staalwol.'

Adams telefoon ging. Hij keek op het schermpje maar wist al wie het was. Hij spuugde de tandpasta uit, spoelde snel zijn mond en nam het gesprek aan.

'Hi,' zei hij.

'Adam?'

Het was natuurlijk Corinne.

'Yep.'

'Ik had je al eerder gebeld,' zei ze. Hij hoorde een vleugje paniek in haar stem. 'Waarom antwoordde je niet?'

'Ik zat in de auto en Thomas reed. Ik moest mijn hoofd erbij houden.'

'O.'

Hij hoorde muziek en gelach op de achtergrond. Ze zat zeker nog in de bar van het hotel met haar collega's.

'Hoe is het vanavond gegaan?' vroeg ze.

'Goed. Hij zit in het team.'

'Hoe ging het met Bob?'

'Hoezo "Hoe ging het met Bob"? Bob gedroeg zich als een klojo, zoals altijd.'

'Je moet aardig tegen hem zijn, Adam.'

'Nee, dat moet ik niet.'

'Hij wil Ryan op het middenveld zetten zodat hij geen concurrentie voor Bob junior is. Geef hem geen excuus dat te doen.'

'Corinne?'

'Ja?'

'Het is al laat en ik heb morgen veel te doen. Kunnen we het hier morgen over hebben?'

Op de achtergrond barstte iemand – een man – in een snuivend gelach uit.

'Alles oké met je?' vroeg ze.

'Ja, best,' zei hij, en hij beëindigde het gesprek.

Hij spoelde de laatste restjes tandpasta uit zijn mond en waste zijn gezicht. Twee jaar geleden, toen Thomas veertien en Ryan tien was, was Corinne zwanger geraakt. Dat was een grote verrassing geweest. Adam had in de loop der jaren last gekregen van lui zaad, dus hun geboortebeperking had vooral bestaan uit de methode van 'laten we er maar het beste van hopen'. Wat van allebei natuurlijk nogal onverantwoordelijk was. Corinne en hij hadden het er toentertijd nooit over gehad dat ze geen derde kind wilden. Maar het was wel – in elk geval tot dat moment – een soort stilzwijgende overeenkomst tussen hen geweest.

Adam bekeek zichzelf in de spiegel. Het stemmetje achter in zijn hoofd begon zich weer te roeren. Zo geruisloos mogelijk liep hij de gang in. In de werkkamer opende hij de browser van de pc en ging op zoek naar een DNA-test. Walgreens had er een. Hij stond op het punt hem te bestellen toen hij zich bedacht. Stel dat iemand anders het pakketje openmaakte. Hij zou morgen wel langs Walgreens rijden.

Adam liep terug naar de slaapkamer en ging op de rand van het bed zitten. Corinnes geur, na al die jaren nog steeds een krachtig feromoon, hing in de kamer, of misschien draaide zijn verbeelding overuren.

De stem van de vreemde liet zich weer horen.

Je had niet bij haar hoeven blijven.

Adam legde zijn hoofd op het kussen, keek naar het plafond en liet zich meevoeren door de zachte geluidjes van het verder doodstille huis.

5

Om zeven uur werd Adam wakker. Ryan stond te wachten in de deuropening van de slaapkamer. 'Pap...?'

'Ja?'

'Kun je kijken of de e-mail van coach Baime met de selectie er al is?'

'Niet nodig. Je zit in het A-team.'

Ryan maakte geen luchtsprong van blijdschap. Zo was hij niet. Hij knikte en probeerde zijn grijns te verbergen. 'Mag ik na school naar Max?'

'Wat gaan jullie doen op een prachtige dag als deze?'

'In het donker zitten en gamen,' zei Ryan.

Adam fronste zijn wenkbrauwen, maar hij wist dat Ryan hem voor de gek hield.

'Jack en Colin komen ook. We gaan lacrossen.'

'Oké.' Adam zwaaide zijn benen uit bed. 'Heb je al ontbeten?'

'Nog niet.'

'Zal ik "papa's eieren" voor je maken?'

'Als jij belooft dat je ze nooit meer zo noemt.'

Adam glimlachte. 'Afgesproken.'

Even dacht Adam helemaal niet meer aan de afgelopen avond en de vreemde, aan Novelty Funsy en FAKE-EEN-ZWANGERSCHAP.COM. Het leek wel een droom, zoals meestal het geval is met dit soort dingen, waardoor je je afvroeg of je het je nu allemaal had verbeeld of niet. Hij wist natuurlijk wel beter. Ontkenningsgedrag. Hij had de afgelopen nacht zelfs redelijk goed geslapen. Als hij had gedroomd, wist hij nu niet meer wat. Adam sliep bijna altijd goed. Corinne was degene die piekerend en malend wakker lag. Adam was op een zeker moment tot het besef gekomen dat het zinloos was om je druk te maken over dingen waarop je geen vat had, dat je die beter kon loslaten. Het had hem een gezonde levenshouding geleken, dit vermogen om de dingen een plek te geven. Nu vroeg hij zich af of het niet hetzelfde was als je kop in het zand steken.

Hij ging naar beneden en begon aan het ontbijt. 'Papa's eieren' waren roerei met melk, mosterd en Parmezaanse kaas. Toen Ryan zes was, was hij er dol op geweest, maar zoals het meestal met kinderen gaat, kwam er een moment dat hij er opeens niets meer aan vond en had hij gezworen dat hij ze nooit meer zou eten. Maar onlangs had Ryans nieuwe coach tegen hem gezegd dat hij de dag altijd moest beginnen met een eiwitrijk ontbijt, dus hadden papa's eieren, als de remake van een oude musical, opnieuw een plek op het ontbijtmenu verworven.

Adam keek toe terwijl zijn zoon op het bord aanviel alsof het hem had beledigd, en hij probeerde het beeld voor zich te zien van de zes jaar oude Ryan die in deze zelfde kamer hetzelfde ontbijt at. Maar het beeld wilde maar niet komen.

Thomas had al een lift, dus reden Adam en Ryan samen naar school, in een vertrouwd stilzwijgen, als vader en zoon. Ze kwamen langs een Baby Gap en een Tiger Schulman's-karateschool. Er was een Subway geopend op die 'dode' plek in de hoek, dat ene winkelpand waar geen enkele zaak het leek te redden. Het was al een broodjeszaak geweest, een juwelier, een betere matrassenzaak en een Blimpie, wat Adam altijd al een soort Subway had gevonden.

'Dag, pap. Bedankt.'

Zonder een kus op Adams wang stapte Ryan uit de auto. Wanneer was hij daarmee opgehouden? Adam kon het zich niet herinneren.

Hij reed langzaam door Oak Street, langs de 7-Eleven, tot hij Walgreens zag. Hij slaakte een zucht. Hij reed het parkeerterrein op en bleef een paar minuten in de auto zitten. Er kwam een oude man voorbij, met het zakje met zijn medicijnen bengelend aan zijn verweerde hand, die op de handgreep van zijn rollator rustte. De man wierp Adam een boze blik toe, of misschien keek hij wel altijd zo.

Adam stapte uit en liep de winkel in. Hij pakte een klein winkelmandje. Ze hadden tandpasta nodig en desinfecterende zeep, maar dat was alleen voor de show. Hij dacht aan zijn pubertijd, toen hij met een soortgelijk mandje vol toiletartikelen bij de kassa stond, om te camoufleren dat het hem alleen ging om condooms, die vervolgens zo lang ongebruikt in zijn portemonnee bleven zitten dat de barsten van ouderdom erin kwamen.

De DNA-tests stonden in het schap bij de balie van de apotheek. Adam liep er zo achteloos mogelijk naartoe. Hij keek naar links. Hij keek naar rechts. Hij pakte de doos van de plank en las wat er op de achterkant stond.

DERTIG PROCENT VAN DE 'VADERS' DIE DEZE TEST DOEN KOMT TOT DE ONTDEKKING DAT HET KIND DAT ZE GROOTBRENGEN NIET VAN HEN IS.

Hij liet de doos weer op de plank vallen en haastte zich weg, bijna bang dat de doos hem zou terugroepen. Nee. Dit wilde hij niet. Of niet vandaag in elk geval.

Hij liep met zijn andere aankopen naar de kassa, deed er nog een pakje kauwgom bij en rekende af. Hij nam de Route 17, passeerde nog een paar matrassenreuzen – wat was dat toch met Noord-New Jersey en matrassenwinkels? – en stopte bij de sport-school. Hij kleedde zich om en begon met zijn haltertraining. Gedurende zijn volwassen leven had Adam zich aan een heel scala van fitness- en trainingsprogramma's gewaagd. Maar voor yoga was hij niet lenig genoeg, pilates begreep hij niet, voor bootcamp kon je net zo goed in het leger gaan, van zumba zei de naam al voldoende, tijdens aquajoggen was hij bijna verdronken en van spinnen kreeg hij pijn in zijn achterste. Dus was hij uiteindelijk steeds weer op doodgewone haltertraining uitgekomen. Er waren dagen dat hij het heerlijk vond om zijn spieren te pijnigen en dat hij zich niet kon voorstellen dat hij het níét dagelijks zou doen. Maar er waren ook dagen dat elke beweging hem moeite kostte en dat het enige wat hij wilde optillen de pindakaas-proteïne-shake van na de training was.

Hij begon aan zijn oefeningen, probeerde in gedachten te houden dat je een spier moest 'aanspreken' en dat je de beweging aan het eind even moest vasthouden. Daarin, had hij geleerd, bevond zich de sleutel van het resultaat. Niet als een wilde curlen, maar de halter omhoogbrengen, die op het hoogste punt een seconde vasthouden door de biceps aan te spannen en dan pas weer laten zakken. Adam douchte, trok zijn werkkleding aan en reed naar zijn kantoor op Midland Avenue in Paramus. Het kantoorgebouw telde vier verdiepingen, bestond voornamelijk uit glas en kende een architectuur die alleen opviel door de stereotiepe kantoorgebouwstijl, waardoor het zich op geen enkel punt onderscheidde van welk ander kantoorgebouw ook. Je zou het nooit voor iets anders aanzien.

'Yo, Adam, heb je even?'

Het was Andy Gribbel, Adams beste researcher. Toen Andy bij hem kwam werken, noemde iedereen hem 'the Dude', vanwege zijn kwajongensachtige Jeff Bridges-uiterlijk. Hij was ouder dan de meeste andere researchers – ook ouder dan Adam – en hij had best zijn rechtenstudie kunnen afmaken en zelf advocaat kunnen worden, maar zoals Gribbel het ooit verwoordde: 'Da's mijn stiel niet, man.'

Ja, echt, zo had hij het gezegd.

'Wat is er?' vroeg Adam.

'De oude Rinsky.'

Adams vakgebied was de onteigeningsadvocatuur, waarin hij vaak te maken had met de overheid die een stuk land wilde onteigenen om er een school te bouwen of een weg aan te leggen. In dit geval probeerde de gemeente Kasselton Rinsky's huis in te pikken om het gebied op te waarderen. Kortom, de stad had die wijk heel hoffelijk als 'saneerbaar' aangemerkt – of als 'gribus', in gewone taal – en de mensen die de lakens uitdeelden hadden een projectontwikkelaar gevonden die bereid was de hele boel plat te gooien en er fonkelnieuwe huizen, winkels en restaurants neer te zetten.

'Wat is er met hem?'

'We gaan hem thuis opzoeken.'

'O, oké.'

'Moet ik, eh... zwaar geschut meebrengen?'

Een deel van Adams strategie. 'Nog niet,' zei hij. 'Verder nog iets?'

Gribbel leunde achterover en legde zijn laarzen op zijn bureau. 'Ik heb vanavond een optreden. Kom je kijken?'

Adam schudde zijn hoofd. Andy Gribbel speelde in een seventiescoverband die in de beste tenten van Noord-New Jersey optrad. 'Ik kan niet.'

'We zullen geen Eagles spelen, ik beloof het.'

'Jullie spelen nooit Eagles.'

'Omdat ik geen fan ben,' zei Gribbel. 'Maar we spelen wel voor het eerst "Please Come to Boston". Ken je dat nummer?'

'Natuurlijk.'

'Wat vind je ervan?'

'Ik ben er geen fan van,' zei Adam.

'O nee? Een echte tearjerker, man. Daar hou jij van.'

'Het is geen tearjerker,' zei Adam.

Gribbel begon te zingen. *'Hey, rambling boy, why don't you settle down?'*

'Waarschijnlijk omdat zijn vriendin zo'n irritant nest is,' zei Adam. 'Die gast blijft haar maar vragen of ze met hem in een andere stad wil gaan wonen. En zij zegt elke keer nee, alsmaar weer, en begint te zeuren dat hij in Tennessee moet blijven.'

'Omdat zij de grootste fan is van *"the man from Tennessee"*.'

'Misschien heeft die gast geen behoefte aan een fan en wil hij gewoon een levenspartner, iemand om van te houden.'

Gribbel streek met zijn hand over zijn baard. 'Ik begrijp wat je bedoelt.'

'Maar het enige wat hij zegt is *"Please come to Boston for the springtime"*. Alleen voor het voorjaar. Hij vraagt haar niet Tennessee voor altijd te verlaten. En wat is haar antwoord? *"She said no, boy."* Wat is dat nou voor een houding? Geen discussie, ze luistert niet naar wat hij te vertellen heeft... het enige wat ze zegt is nee. En als hij dan voorzichtig een paar andere steden voorstelt, Denver en zelfs L.A., krijgt hij dezelfde reactie. Nee, nee, nee. Ik bedoel, sla je vleugels uit, mens. Durf een beetje te leven.'

Gribbel glimlachte. 'Je bent niet goed snik, man.'

'En,' vervolgde Adam, want hij begon op stoom te komen, 'dan beweert ze ook nog dat er in al die grote steden – Boston, Denver en Los Angeles – niemand is zoals zij. Is ze niet een beetje te vol van zichzelf?'

'Adam?'

'Ja?'

'Misschien zoek je er te veel achter, broeder.'

Adam knikte. 'Misschien wel.'

'Dat doe je bij veel dingen, Adam.'

'Ook dat is waar.'

'Daarom ben je de beste advocaat die ik ken.'

'Dank je,' zei Adam. 'En nee, je mag niet vroeger naar huis vanwege je optreden.'

'Ah, kom op nou. Doe niet zo flauw.'

'Sorry.'

'Adam?'

'Ja?'

'Die gast in dat liedje, die Rambling Boy die wil dat ze met hem meegaat naar Boston...'

'Ja, wat is er met hem?'

'We moeten ook eerlijk tegenover dat meisje zijn.'

'Hoe bedoel je?'

'Nou, hij zegt tegen haar dat ze haar schilderijen op de stoep kan uitstallen om ze te verkopen, voor de deur van het café waar hij een baan hoopt te vinden.' Gribbel spreidde zijn armen. 'Ik bedoel, een echte financiële planning kunnen we dat niet noemen, of wel soms?'

'Touché,' zei Adam met een half glimlachje. 'Zo te horen kunnen ze beter uit elkaar gaan.'

'Nee. Die twee hebben iets goeds samen. Dat kun je horen in zijn stem.'

Adam haalde zijn schouders op en liep zijn kantoor in. Hun gekibbel was een welkome afleiding geweest. Nu was hij weer alleen met zijn eigen gedachten. Op dit moment geen aangename situatie. Hij belde een paar mensen, ontving twee cliënten en pleegde overleg met de assistenten, om er zeker van te zijn dat de juiste procedures werden gevolgd. Het leven gaat gewoon door, wat een schande is. Adam had dat ontdekt toen hij negen was en zijn vader opeens aan een hartaanval overleed. Hij zat achter in een grote zwarte auto, naast zijn moeder, keek uit het raampje en zag dat iedereen gewoon doorging met zijn leven. Kinderen gingen gewoon naar school. Hun ouders gingen naar hun werk. Auto's claxonneerden en de zon scheen. Zijn vader was er niet meer. Maar verder was er niets veranderd.

Vandaag werd hij wederom herinnerd aan iets wat hij allang wist: de wereld geeft geen donder om jou en je probleempjes. Dat dringt nooit echt tot ons door, is het wel? Ons leven ligt in gruizelementen... moet de rest van de wereld daar dan geen aandacht aan schenken? Welnee. Voor de buitenwereld zag Adam er hetzelfde uit, hij gedroeg zich hetzelfde, dus hij zou zich ook wel hetzelfde voelen. We worden boos op iemand die ons in het verkeer snijdt, die te lang staat te treuzelen bij de counter van Starbucks, of die anders reageert dan we hadden gewild, maar we hebben geen idee wat er achter hun façade schuilgaat, dat ze misschien tot aan hun kruin in de shit zitten. Misschien is hun leven wel definitief naar de knoppen. Misschien lijden ze onvoorstelbaar veel verdriet of hangt hun geestelijke gezondheid aan een zijden draadje.

Maar wat kan ons dat schelen? We zien het niet eens. Wij gaan door met ons eigen leven.

Op weg naar huis zocht hij tussen de radiozenders en koos uiteindelijk voor een sportzender met twee sprekers die het niet met elkaar eens waren. De wereld was verdeeld en voortdurend in strijd met alles en iedereen, dus het was best leuk wanneer mensen elkaar in de haren vlogen over iets onschuldigs als profbasketbal.

Toen Adam hun straat in reed, zag hij tot zijn verbazing dat Corinnes Honda Odyssey al op de oprit stond. De kleur heette officieel Dark Cherry Pearl, had de autodealer met een stalen gezicht gezegd. Op de vijfde deur zat een magnetisch ovaal plaatje met de naam van hun stadje erop, als het voorstedelijke equivalent van een *tribal tattoo*, dat tegenwoordig blijkbaar nodig was om je aanwezigheid in de buurt te rechtvaardigen. Eronder waren twee stickers geplakt: een ronde met twee gekruiste lacrossesticks en de naam Panther Lacrosse, de club van de stad, en een vierkante met een grote groene w, van de Willard Middle School, waar Ryan op zat.

Corinne was eerder uit Atlantic City teruggekomen dan hij had verwacht.

Dat stuurde zijn planning enigszins in de war. Hij had de aanstaande confrontatie al de hele dag in zijn hoofd gerepeteerd. De afgelopen paar uur had hij aan niets anders gedacht. Hij had allerlei benaderingen geprobeerd, maar geen ervan leek te voldoen. Hij wist dat planning geen enkele zin had. Als hij haar confronteerde met wat de vreemde hem had verteld – waarvan hij inmiddels geloofde dat het waar was – zou hij de spreekwoordelijke pin uit de spreekwoordelijke handgranaat trekken. Hij had geen idee hoe ze erop zou reageren.

Zou ze het ontkennen?

Misschien wel. Het was nog steeds mogelijk dat er voor alles een onschuldige verklaring was. Adam deed zijn uiterste best die mogelijkheid open te houden, hoewel het meer aanvoelde als valse hoop dan als de overtuiging dat hij niet te snel moest oordelen. Hij parkeerde zijn auto naast die van haar op de oprit. Ze hadden een garage voor twee auto's, maar die stond vol met oude meubels, sportattributen en andere overtollige consumptiegoederen. Dus lieten Corinne en hij hun auto altijd op de oprit staan.

Adam stapte uit en liep het tuinpad op. Er zaten te veel bruine plekken in het gazon. Corinne zou ze zien en zich erover beklagen. Ze vond het moeilijk om gewoon van het leven te genieten en de boel soms de boel te laten. Ze hield van orde en netheid. Adam zag zichzelf meer als het laisserfairetype, hoewel anderen die houding als luiheid zouden kunnen zien. Hun buren, de Bauers, hadden een voortuin die zo in elke tuincatalogus kon. Corinne had ongewild de neiging hun tuin daarmee te vergelijken. Adam kon het geen barst schelen hoe hun tuin eruitzag.

De voordeur ging open. Thomas kwam naar buiten met zijn lacrossetas over zijn schouder. Hij had zijn uit-tenue aan. Hij glimlachte naar zijn vader en zijn gebitsbeschermer viel bijna uit zijn mond. Een vertrouwde warmte gloeide op in Adams borstkas.

'Hoi, pa.'

'Hoi. Wat ga je doen?'

'Ik moet spelen, weet je nog?'

Adam was het inderdaad vergeten, wat begrijpelijk was, maar het verklaarde wel waarom Corinne vroeger naar huis was gekomen. 'O ja. Tegen wie spelen jullie?'

'Glen Rock. Ma brengt me. Kom jij straks ook?'

'Natuurlijk.'

Corinne verscheen in de deuropening en Adams moed zonk hem in de schoenen. Ze was nog steeds een heel mooie vrouw. Het had Adam moeite gekost om zijn twee jongens op jongere leeftijd voor zich te zien, maar bij Corinne gebeurde ongeveer het tegenovergestelde. Als hij naar haar keek, zag hij nog steeds de drieëntwintigjarige schoonheid op wie hij verliefd was geworden. Oké, als hij echt goed keek, zag hij de lijntjes rond haar ogen, en de wat zachtere vormen die bij het verstrijken der jaren horen. Misschien was het liefde, of misschien kwam het doordat hij haar elke dag zag en de veranderingen heel geleidelijk plaatsvonden, maar in zijn ogen was ze nooit een dag ouder geworden.

Corinnes haar was nog vochtig van de douche die ze had genomen. 'Hi, schat.'

Adam verroerde zich niet. 'Hi.'

Ze kwam naar hem toe en kuste hem op zijn wang. Haar haar rook heerlijk naar lelies. 'Heb jij tijd om Ryan op te halen?'

'Waar?'

'Hij is aan het spelen bij Mike.'

Thomas kromp ineen. 'Zo moet je dat niet noemen, ma.'

'Wat?'

'"Spelen". Ryan zit al in groep acht. Bij vriendjes spelen doe je als je zes bent.'

Corinne slaakte een zucht maar glimlachte tegelijkertijd. 'Oké, wat je wilt. Hij heeft een volwassen onderonsje met Mike, zo goed?' Ze keek Adam aan. 'Kun jij hem daar ophalen voordat je naar de wedstrijd komt?'

Adam voelde dat hij knikte, al kon hij zich niet herinneren dat hij zijn hoofd de opdracht had gegeven dat te doen. 'Natuurlijk. We zien jullie straks bij de wedstrijd. Hoe was het in Atlantic City?'

'Leuk.'

'Eh... jongens?' zei Thomas. 'Kunnen jullie daar straks niet over praten? De coach wordt woedend als we niet minstens een uur voor de wedstrijd aanwezig zijn.'

'Best,' zei Adam. Vervolgens wendde hij zich tot Corinne en hij probeerde de toon van zijn stem luchtig te houden. 'Na de wedstrijd praten we.'

Maar Corinne aarzelde een halve seconde, wat lang genoeg was. 'Oké... geen probleem.'

Hij bleef op het stoepje staan en keek ze na toen ze naar de auto liepen. Corinne richtte de afstandsbediening en de achterklep opende zich als een reusachtige, gapende mond. Thomas gooide zijn sporttas achterin en stapte voor in de Honda. De bagage werd ingeslikt en de mond ging weer dicht. Corinne zwaaide naar hem. Adam zwaaide terug.

Corinne en hij hadden elkaar ontmoet in Atlanta, tijdens een vijf weken durende cursus voor LitWorld, een liefdadigheidsinstelling die docenten naar de derde wereld stuurde om kinderen te leren lezen. Dit was voor de tijd dat praktisch elke scholier naar Zambia afreisde om hutjes te bouwen, zodat ze dat in hun aanmelding voor de universiteit konden zetten. Ten eerste waren alle vrijwilligers van LitWorld al afgestudeerd. De cursisten waren bezield, misschien een beetje te, maar ze hadden hun hart op de juiste plek.

Corinne en hij hadden elkaar niet ontmoet op de campus van Emory University, waar de cursus werd gegeven, maar in een nabijgelegen bar waar cursisten boven de eenentwintig 's avonds wat konden drinken, elkaar in alle rust konden versieren en naar slechte countrymuziek konden luisteren. Zij was daar met een groepje vrouwelijke cursisten, hij met een groepje mannelijke. Adam was op zoek geweest naar een vlam voor één nacht. Corinne was naar meer op zoek geweest. De twee groepen waren langzaam tot elkaar gekomen. De jongens hadden om de meisjes heen gedraaid alsof ze in een of andere clichéscène uit een slechte dansfilm zaten. Adam had Corinne gevraagd of ze iets van hem wilde drinken. Ze had toegestemd, maar had er meteen bij gezegd dat hij zich verder maar niets in zijn hoofd moest halen. Hij had toch een drankje voor haar besteld, en het haar aangeboden met de onovertroffen briljante opmerking dat de avond nog jong was.

De drankjes werden gebracht en ze raakten aan de praat. Dat ging goed. Later die avond, vlak voor sluitingstijd, had Corinne hem verteld dat ze haar vader op jonge leeftijd had verloren, waarop Adam haar het verhaal had verteld over de dood van zijn eigen vader en dat de rest van de wereld zich daar geen barst van had aangetrokken, iets waarover hij nog nooit met iemand had gepraat.

Ze hadden zich met elkaar verbonden gevoeld door deze tragische gebeurtenissen op jonge leeftijd. En zo was het begonnen.

Toen ze net getrouwd waren, woonden ze in een eenvoudige flat aan de Interstate 78. Hij probeerde mensen te helpen als pro-Deoadvocaat. Zij gaf les op een school in een van de slechtste buurten van Newark, New Jersey. Toen Thomas werd geboren, was het tijd geworden om naar een beter huis te verkassen. Zo scheen het te horen. Het maakte Adam niet veel uit waar ze woonden. Het had hem ook niet kunnen schelen of het huis van hun keuze nieuwbouw of meer klassiek was, zoals dat waarin ze nu woonden. Hij wilde gewoon dat Corinne gelukkig was, niet omdat hij zo'n onbaatzuchtig mens was, maar omdat zijn woonomgeving hem gewoon weinig uitmaakte. Dus was het Corinne geweest die om de voor de hand liggende redenen voor dit stadje had gekozen.

Misschien had hij op dat punt moeten zeggen dat hij het er niet mee eens was, maar als jonge, plooibare man had hij geen reden kunnen bedenken waarom hij dat zou doen. Hij had haar dit specifieke huis laten uitkiezen omdat zij het wilde. Zij had gekozen voor Cedarfield, het huis, de garage, de twee auto's en de twee kinderen.

En wat had Adam gewild?

Dat wist hij niet, maar hij wist wel dat er aan dit huis en deze buurt een flink prijskaartje hing. Adam gaf zijn baan als pro-Deoadvocaat op en koos voor het veel hogere salaris van advocatenkantoor Bachmann, Simpson & Feagles. Het was niet echt het werk dat hij wilde, maar wel de geplaveide weg waar mannen in zijn situatie meestal voor kozen: een veilige plek om je kinderen groot te brengen, een mooi huis met vier slaapkamers, een garage voor twee auto's, een basketbalring op de oprit en een gasbarbecue op de overdekte veranda die op de achtertuin uitkeek.

Leuk toch?

We leven in een droom, zoals Tripp Evans het wijsgerig had gezegd. De Amerikaanse droom. Corinne zou het met hem eens zijn.

Je had niet bij haar hoeven blijven...

Maar zo simpel was het natuurlijk niet. Die droom is gemaakt van kwetsbaar maar onvervangbaar materiaal. Daar maak je niet zomaar een eind aan. Hoe ondankbaar, egoïstisch en gestoord zou je zijn als je niet besefte hoe goed je het had.

Hij opende de deur en ging de keuken binnen. De keukentafel was een ravage, een Amerikaans tableau van huiswerk in de vroege ochtend gedaan. Thomas' wiskundeboek lag geopend op tafel bij een opgave waarin hij de waarde van x moest berekenen in: $x^2 + 20x = 28$. In de vouw van het boek lag een geel HB-potlood. Talloze losse blaadjes ruitjespapier bedekten de rest van de tafel. Er waren er een paar op de grond gevallen.

Adam bukte zich, raapte ze op en legde ze weer op tafel. Hij bleef enige tijd naar de som in het boek staren.

Pas op je tellen, zei Adam tegen zichzelf. Het is niet alleen jouw en Corinnes droom die hier op het spel staat.

6

Thomas' wedstrijd was net begonnen toen Adam en Ryan bij het sportveld aankwamen.

Met een zacht 'Ik zie je straks, pa,' maakte Ryan zich uit de voeten en ging hij op zoek naar zijn leeftijdsgenoten, want stel dat hij met een van zijn ouders werd gezien! Adam liep door naar de linkerkant van het veld, dat van het bezoekende team, waar de andere ouders uit Cedarfield zouden staan.

Er was geen stalen tribune, maar sommige ouders hadden klapstoeltjes meegebracht, zodat ze de wedstrijd zittend konden volgen. Corinne had vier campingstoelen achter in de Honda liggen, alle vier met bekerhouders in beide armleuningen – had je er echt twee per stoel nodig? – en een hoge rugleuning met een zonnedakje erop. Maar meestal bleef ze gewoon staan, zoals nu. Kristin Hoy stond naast haar, gekleed in een mouwloos topje en een short zo klein dat ze deed denken aan een jong meisje dat probeerde haar vader te pesten.

Adam knikte naar een paar ouders terwijl hij naar zijn vrouw toe liep. Tripp Evans stond bij de hoek met enkele andere vaders, allemaal met de armen over elkaar en een zonnebril op, waardoor ze meer op agenten van de geheime dienst dan op toeschouwers leken. Aan de rechterkant stond Gaston, die naar hem grijnsde, met zijn neef Daz – ja, zo werd hij door iedereen genoemd –, de grote baas van CBW Inc., een vooraanstaand particulier onderzoeksbureau, gespecialiseerd in antecedentenonderzoek van werknemers. Neef Daz had ook de achtergrond van alle clubcoaches gecheckt, om er zeker van te zijn dat niemand een strafblad had of andere nare dingen had gedaan. Gaston had erop gestaan dat de lacrossebond het peperdure CBW Inc. in de arm nam voor deze ogenschijnlijk simpele taak, die voor veel minder geld op internet kon worden gedaan, want hé, waar had je anders familie voor?

Corinne zag Adam aankomen en deed een stapje bij Kristin vandaan. Toen Adam bij haar was, fluisterde ze half in paniek: 'Thomas staat niet in de basis.'

'De coach rouleert de linies altijd,' zei Adam. 'Ik zou me er geen zorgen over maken.'

Maar zij wel, en dat deed ze ook. 'Pete Baime staat op zijn plaats.' De zoon van Gaston. Vandaar die grijns. 'Pete is amper hersteld van zijn hersenschudding. Hoe kan hij nu al fit genoeg zijn om te spelen?'

'Zie ik eruit als zijn huisarts, Corinne?'

'Kom op, Tony!' riep een vrouw. 'Loop je vrij!'

Niemand hoefde Adam te vertellen dat de roepende vrouw Tony's moeder was. Dat moest wel. Als een ouder iets naar zijn eigen kind roept, kun je dat altijd horen. Het is die unieke mengeling van teleurstelling en vermoeidheid die doorklinkt in je stem. Geen enkele ouder gelooft van zichzelf dat hij of zij zo klinkt. Maar elke ouder doet dat. We horen het allemaal. En we denken allemaal dat alleen andere ouders zo klinken en wijzelf om de een of andere mysterieuze reden niet.

Een oud Kroatisch gezegde dat Adam op de universiteit had gehoord was hier van toepassing: de gebochelde ziet alleen de bochel van anderen, niet die van hemzelf.

Er gingen drie minuten voorbij. Thomas was nog niet gewisseld. Adam keek opzij naar Corinne. Haar kaakspieren stonden strak. Ze staarde naar de overkant van het veld, naar de coach bij de zijlijn, alsof ze hem met haar blik kon dwingen Thomas in het veld te brengen.

'Het komt wel goed,' zei Adam.

'Hij speelt altijd in deze fase van de wedstrijd. Wat zou er gebeurd zijn?'

'Ik heb geen idee.'

'Pete hoort niet te spelen.'

Adam nam niet de moeite hierop te reageren. Pete ving de bal en wierp die met een bijna achteloze beweging naar een van zijn teamgenoten. Aan de andere kant van het veld riep Gaston: 'Wauw! Knap gespeeld, Pete!' en hij gaf neef Daz een high five.

'Wat voor soort volwassen man noemt zichzelf nou Daz?' mompelde Adam.

'Wat?'

'Niks.'

Corinne beet op haar onderlip. 'We waren een paar minuten te laat. Dat zal het zijn. Ik bedoel, we waren hier vijfenvijftig minuten voor aanvang van de wedstrijd, en de coach had een uur gezegd.'

'Ik denk niet dat het dat is.'

'We hadden eerder van huis moeten gaan.'

Adam had bijna gezegd dat ze wel belangrijkere dingen hadden om zich zorgen over te maken, maar misschien kwam de afleiding van de wedstrijd hem op dit moment wel goed uit. Het andere team scoorde. De ouders kreunden en analyseerden luidkeels wat de verdediging fout had gedaan.

Thomas kwam het veld op.

Adam kon de opluchting bijna in golven van zijn vrouw af zien komen. Corinnes gezicht ontspande zich. Ze glimlachte naar hem en vroeg: 'Hoe was het op je werk?'

'Wil je dat nu ineens weten?'

'Sorry. Je weet hoe ik ben.'

'Ja.'

'Daarom hou je toch van me, onder andere?'

'Ja, onder andere.'

'Daarom,' zei ze, 'en vanwege mijn kontje.'

'Nu komen we ergens.'

'Ik heb nog steeds een lekker kontje, hè?'

'Eersteklas, A-kwaliteit, honderd procent kersverse ossenhaas zonder vulmiddelen.'

'Nou,' zei ze met die sluwe glimlach die hij jammer genoeg niet zo vaak van haar zag, 'één vulmiddel mag er wel in.'

God, wat hield hij van die zeldzame momenten dat ze zichzelf liet gaan en een beetje ondeugend durfde te zijn. Even was hij die vreemde totaal vergeten. Even maar. Meteen daarna vroeg hij zich af: waarom nu? Ze maakte dit soort opmerkingen hoogstens twee, drie keer per jaar. Waarom juist nu?

Hij keek haar van opzij aan. Corinne droeg de diamanten oor-knopjes die hij voor haar had gekocht bij die juwelier in 47th Street. Adam had ze haar gegeven toen ze hun vijftiende trouw-dag vierden in Bamboo House, een Chinees restaurant. Oor-spronkelijk was hij van plan geweest ze in een gelukskoekje te laten verstoppen – Corinne vond het prachtig die open te maken, maar niet om ze op te eten – maar dat idee was niet uit-voerbaar geweest. Uiteindelijk had de ober ze gewoon op een bord gelegd en dat met zo'n glimmend stalen cloche erop voor haar neergezet. Niet bijster origineel, maar Corinne had het ge-weldig gevonden. Met tranen in haar ogen had ze haar armen om zijn hals geslagen en zich zo stevig tegen hem aan gedrukt dat Adam zich afvroeg of iemand ter wereld ooit zo hardhandig was omhelsd.

Nu deed ze ze alleen uit voor het slapengaan en als ze ging zwemmen, omdat ze bang was dat het chloor de zetting zou aan-tasten. Al haar andere oorbellen waren onaangeraakt in haar sie-radenkistje in de kast blijven liggen, alsof iets anders dragen dan haar diamanten oorknopjes een daad van hoogverraad was. Ze betekenden veel voor haar. Ze stonden voor liefde, trouw en toe-wijding, en zeg nu zelf, zou zo'n vrouw een zwangerschap faken?

Corinnes blik was op het veld gericht. De bal was in de aanvals-linie, waar Thomas speelde. Adam kon haar zien verstrakken elke keer als de bal in de buurt van haar zoon kwam.

Toen liet Thomas een geweldige actie zien waarbij hij de bal uit de pocket van een verdediger sloeg, de bal oppikte en naar het doel rende.

We doen alsof het niet zo is, maar we zien alleen ons eigen kind. Toen Adam nog niet zo lang vader was, vond hij deze over-dadige gerichtheid van ouders een beetje gênant. Je gaat naar een sportwedstrijd of een schoolconcert of -toneelstuk en je kijkt naar alles en iedereen, maar het enige wat je ziet is je eigen kind. Al het andere wordt achtergrondruis, aankleding. Je staart naar je kind alsof er een spotlight op hem gericht staat, alleen op jouw kind, alsof de rest van het podium of het sportveld in een halfduister is gehuld, en je voelt die warmte, dezelfde warmte die Adam in zijn borst voelde wanneer zijn zoon naar hem glimlachte. Maar Adam wist ook dat in een omgeving vol andere kinderen en hun ouders, al die ouders precies hetzelfde voelden als hij, dat ze ieder hun eigen spotlight op hun kind hadden gericht, dat dit op de een of andere manier een geruststellend idee was en dat het zo hoorde te zijn.

Maar vandaag voelde dit kindercentrisme lang niet zo verwarmend als anders. Vandaag voelde deze geconcentreerde blik meer als een obsessie dan als iets wat hij uit liefde voor zijn kind deed, een eenzijdige blik en de eenzijdige manier van denken die ongezond, onrealistisch en zelfs schadelijk was.

Thomas brak door de verdediging en passte naar Paul Williams. Terry Zobel stond vrij om te scoren, maar voordat hij aangespeeld kon worden blies de scheidsrechter op zijn fluit en stak hij de gele vlag omhoog. Freddie Friednash, een middenvelder van Thomas' team, werd een minuut van het veld gestuurd wegens ruw spel. De vaders in de hoek riepen om de beurt: 'Dat meen je toch niet, hè, scheids?' 'Foute beslissing!' 'Mankeer je iets aan je ogen?' 'Wat een gelul!' 'Je moet wel voor beide teams fluiten, scheids!'

De coaches hoorden het en begonnen mee te doen. Zelfs Freddie, die al op weg was naar de zijlijn, minderde vaart en keek hoofdschuddend om naar de scheidsrechter. Meer ouders sloten zich aan bij de klaagzang... een glasheldere demonstratie van kuddegedrag.

'Zag jij een overtreding?' vroeg Corinne.

'Ik keek niet die kant op.'

Becky Evans, Tripps vrouw, kwam naar ze toe en zei: 'Hallo, Adam. Hallo, Corinne.'

De vrije bal werd door de tegenpartij naar de andere helft van het veld gespeeld, ver weg van Thomas, dus ze draaiden zich naar haar om en glimlachten terug. Becky Evans, moeder van vijf kinderen, was een bijna onnatuurlijk opgewekte vrouw die altijd voor iedereen een glimlach en een vriendelijk woord overhad. Adam stond doorgaans argwanend tegenover dat soort mensen. Dan ging hij op zoek naar zo'n onbewaakt moment waarop de glimlach haperde of helemaal verdween, en negen van de tien keer lukte het hem dan ook. Maar niet bij Becky. Je zag haar constant in de weer met haar kinderen, die ze rondreed in haar Dodge Durango, met haar glimlach paraat en de achterbanken vol kinderen met hun school- of sportspullen, en hoewel dit soort taken haar als moeder toch zouden moeten vermoeien, scheen Becky Evans er juist kracht en energie uit te putten.

Corinne zei: 'Hallo, Becky.'

'Prima weer voor de wedstrijd, vinden jullie niet?'

'Absoluut,' zei Adam, omdat je zo hoorde te reageren.

Er werd weer gefloten… een nieuwe overtreding van het bezoekende team. De vaders raakten weer door het dolle heen en er werd zelfs luidkeels gevloekt. Adam bezag hun gedrag met gefronste wenkbrauwen, maar hij zei er niets van. Maakte dat hem tot een deel van het probleem? Tot zijn verbazing zag hij dat het opstootje werd aangevoerd door de brildragende Cal Gottesman. Cal, wiens zoon Eric een zich snel ontwikkelende verdediger was, werkte als verzekeringsagent in Parsippany. Adam had hem altijd gezien als een milde, goedmoedige man, hoewel hij soms wat belerend en saai kon zijn, maar het was hem ook opgevallen dat Cal zich de laatste tijd steeds merkwaardiger begon te gedragen, een verandering die synchroon liep met het betere spel van zijn zoon. Eric was in het afgelopen jaar vijftien centimeter gegroeid en had een vaste plek verworven in de verdediging. Hij kreeg al beurzen aangeboden van diverse universiteiten en Cal, die altijd zo kalm en bescheiden langs de lijn had gestaan, werd daar de laatste tijd ijsberend en in zichzelf pratend gezien.

Becky kwam dichter bij ze staan. 'Hebben jullie het gehoord van Richard Fee?'

Richard Fee was de keeper van het team.

'Hij is benaderd door Boston College.'

'Maar hij is pas eerstejaars,' zei Corinne.

'Ja, dat weet ik. Ik bedoel, het lijkt wel of ze die jongens proberen te rekruteren als ze amper zindelijk zijn.'

'Ik vind het belachelijk,' beaamde Corinne. 'Hoe weten ze nou wat voor student hij zal zijn? Hij zit net op de middelbare school.'

Becky en Corinne vervolgden hun verhaal, maar Adam hoorde ze al niet meer. Dat schenen ze niet erg te vinden, wat hij opvatte als een teken dat hij niet langer verplicht was om bij ze te blijven staan. Hij gaf Becky een snelle kus op de wang en liep van de twee vrouwen weg. Becky en Corinne kenden elkaar al sinds hun kindertijd. Ze waren allebei in Cedarfield geboren. Becky had de stad nooit verlaten.

Corinne wel.

Adam slenterde naar een plek halverwege de moeders en de vaders in de hoek om wat ruimte voor zichzelf te creëren. Hij keek naar het groepje vaders. Tripp Evans zag het en knikte naar hem alsof hij het begreep. Tripp zou waarschijnlijk ook liever weglopen van de groep, maar hij was iemand die mensen naar zich toe trok. Een plaatselijke beroemdheid. Hij moest het zelf maar oplossen, vond Adam.

Toen de toeter het einde van het eerste *quarter* aangaf, keek Adam van een afstand naar zijn vrouw. Ze was nog steeds geanimeerd met Becky aan het praten. Hij bleef even naar haar kijken, voelde zich angstig en verloren. Hij kende Corinne zo goed. Hij wist alles van haar. En juist daarom, omdat hij haar zo goed kende, wist hij dat er iets van waarheid school in wat de vreemde hem had verteld.

Waartoe zijn we bereid om ons gezin te beschermen?

De toeter klonk weer en de spelers kwamen het veld op. Alle ouders keken om te zien of hun kind nog in het team zat. Thomas wel. Becky bleef maar praten. Corinne zei weinig, knikte af en toe, maar haar blik bleef op Thomas gericht. Daar was Corinne goed in, focussen. Aanvankelijk had Adam die eigenschap van zijn vrouw prachtig gevonden. Corinne wist wat ze met haar leven wilde en ze kon zich als een laserstraal concentreren op de doelen die ze wilde bereiken. Toen ze elkaar net hadden leren kennen, had Adam hooguit wat vage toekomstplannen gehad – iets met werken voor de minderbedeelden en de vertrapten – maar hij had geen vastomlijnde ideeën gehad over waar hij wilde wonen, wat voor leven hij wilde en hoe dat leven, al dan niet met een gezin, vormgegeven moest worden. Voor hem was dat allemaal veel te vaag en te groots, maar toen was er opeens die indrukwekkende, mooie, intelligente vrouw die – in tegenstelling tot hem – precies wist wat ze allebei moesten doen.

Toen hij zich daaraan had overgegeven, had hij zich bevrijd gevoeld.

Op dat moment, terwijl hij nadacht over de beslissingen – of het gebrek daaraan – die hem tot dit punt in zijn leven hadden gebracht, pikte Thomas de bal achter het doel van de tegenstander op, maakte een schijnbeweging naar het middenveld, zwenkte naar rechts, maakte een halve draai en schoot de bal met een prachtig laag schot in de uiterste hoek van het doel.

Doelpunt.

De vaders en moeders juichten. Thomas' teamgenoten kwamen naar hem toe, omhelsden hem of gaven hem een vriendschappelijke tik op zijn helm. Zijn zoon bleef er kalm onder, gaf gehoor aan het aloude advies van 'doe alsof het de gewoonste zaak van de wereld is'. Maar zelfs van een afstand en ondanks het gezichtsmasker en de gebitsbeschermer van zijn zoon wist Adam dat Thomas, zijn oudste kind, glimlachte, dat hij gelukkig was, en dat het Adams voornaamste taak als vader was om ervoor te zorgen dat die jongen en zijn broertje bleven glimlachen en dat ze zich veilig en gelukkig voelden.

Wat was hij bereid daarvoor te doen of te laten?

Alles.

Maar het ging niet alleen om wat je voor je kinderen doet of laat, of wel soms? Het leven draaide ook om geluk, om willekeur en om chaos. Hij zou alles doen wat nodig was om zijn kinderen te beschermen, maar hij wist ook – was daar absoluut zeker van – dat het niet voldoende zou zijn, dat geluk, willekeur en chaos wellicht heel andere plannen hadden en dat je goede bedoelingen zouden verwaaien als stof in een lentebries.

7

Thomas scoorde zijn tweede doelpunt, het winnende, met nog maar twintig seconden op de klok.

Dit was het hypocriete van Adams cynisme over de overdreven intense sportbeleving, want toen Thomas dit laatste doelpunt scoorde, sprong Adam op, sloeg met zijn vuist in de lucht en riep: 'Yes!' Hij voelde pure blijdschap door zijn aderen stromen, of hij nu wilde of niet. Zijn beter gezinde engelen zouden zeggen dat dit niets met Adam zelf te maken had, dat zijn blijdschap voortkwam uit de wetenschap dat zijn zoon nog veel blijer was dan hij, en dat het voor ouders heel natuurlijk en gezond was dat zij de vreugde van hun kinderen meebeleefden. Adam hield zichzelf voor dat hij niet zo'n vader was die zijn levensvreugde uitsluitend uit zijn kinderen haalde, of die lacrosse zag als een manier om bij een betere universiteit binnen te komen. Hij genoot van lacrosse om één enkele reden: omdat zijn zoons het zo graag speelden.

Maar we maken onszelf van alles wijs, nietwaar? De Kroatische gebochelde, weet je nog?

Na de wedstrijd reed Ryan met Corinne mee naar huis. Zij ging alvast aan het eten beginnen. Adam zou Thomas opwachten op het parkeerterrein van Cedarfield High. Het zou natuurlijk gemakkelijker zijn geweest als ze meteen na de wedstrijd met de auto naar huis waren gereden, maar het was de regel dat het hele team om verzekeringsredenen met de schoolbus terugging. Dus waren Adam en de andere ouders achter de bus aan gereden, terug naar Cedarfield, waar ze moesten wachten tot hun zoons naar huis mochten. Adam stapte uit de auto en liep naar de achteringang van de school.

'Hé, Adam.'

Cal Gottesman kwam zijn kant op lopen. Adam zei hem gedag en de twee vaders schudden elkaar de hand.

'Mooie overwinning,' zei Cal.

'Zeg dat wel.'

'Thomas speelde een dijk van een wedstrijd.'

'Eric ook.'

Cals bril leek nooit helemaal goed te passen. Het ding zakte voortdurend langs zijn neus omlaag, wat hem dwong de bril met het topje van zijn wijsvinger weer omhoog te duwen, waarna hij weer meteen begon af te zakken. 'Je, eh… maakte een wat afwezige indruk.'

'Sorry?'

'Bij de wedstrijd,' zei Cal. Hij had zo'n stem die alles wat hij zei een zeurende ondertoon gaf. 'Je keek, ik weet het niet, alsof je je zorgen om iets maakte.'

'O ja?'

'Ja.' Hij duwde zijn bril weer omhoog. 'En je keek ook nogal – hoe zal ik het zeggen? – afkeurend onze kant op.'

'Ik heb geen idee waar je…'

'Toen ik de scheidsrechter corrigeerde.'

Corrigeerde, dacht Adam. Maar hij was niet van plan erop in te gaan. 'Ik stond niet eens op te letten.'

'Dat had je beter wel kunnen doen. De scheids wilde Thomas een overtreding aansmeren toen hij de bal achter het doel oppikte.'

Adam trok een gezicht. 'Ik kan je niet volgen.'

'Ik zet de scheidsrechters onder druk,' zei Cal op samenzweerderstoon. 'Doelbewust. Dat zou je op prijs moeten stellen. Daar heeft je zoon vanavond van kunnen profiteren.'

'Juist,' zei Adam, maar hij dacht: wie denkt die gast wel dat hij is dat hij me zo toespreekt? Dus hij voegde eraan toe: 'En waarom hebben we aan het begin van het seizoen die fairplay-intentieverklaring getekend?'

'Welke verklaring?'

'Die waarin we beloven dat we ons verbaal niet zullen misdragen tegen spelers, coaches en scheidsrechters,' zei Adam. 'Die verklaring.'

'Doe niet zo naïef,' zei Cal. 'Weet je wie Moskowitz is?'

'Die op Spenser Place woont? Die beurshandelaar?'

'Nee, nee,' zei Cal op geïrriteerde, scherpere toon. 'Professor Tobias Moskowitz van de universiteit van Chicago.'

'Eh... nee.'

'Zevenenvijftig procent.'

'Wat?'

'Onderzoek toont aan dat het thuisspelende team in zevenenvijftig procent van de gevallen de wedstrijd wint... wat het zogenaamde thuisvoordeel wordt genoemd.'

'Ja, en?'

'Dat thuisvoordeel bestaat dus echt. Het is iets van alle sporten, van alle tijden en van alle plaatsen ter wereld.Professor Moskowitz heeft vastgesteld dat het een opvallende constante is.'

Opnieuw zei Adam: 'Ja, en?'

'Nou, je hebt vast wel eens horen praten over de bekende redenen die dit fenomeen zouden verklaren. Vermoeidheid van de reis... het uitspelende team moet met de bus of het vliegtuig naar de tegenstander. Of misschien heb je horen zeggen dat de vertrouwdheid met het speelveld een rol speelt. Of dat sommige teams beter gewend zijn aan warm of koud weer...'

'We wonen praktisch naast elkaar,' zei Adam.

'Helemaal waar, en dat bekrachtigt mijn hypothese.'

Jeetje, Adam had hier nu echt geen zin in. Waar bleef Thomas, verdorie?

'Dus,' vervolgde Cal, 'wat denk je dat Moskowitz heeft ontdekt?'

'Sorry?'

'Wat denk je dat het thuisvoordeel verklaart, Adam?'

'Geen idee,' zei Adam. 'Steun van de supporters misschien?'

Dat antwoord beviel Cal Gottesman. 'Ja. En nee.'

Adam onderdrukte een zucht.

'Professor Moskowitz en andere wetenschappers hebben serieus onderzoek gedaan naar het thuisvoordeel. Ze beweren niet dat vermoeidheid van de reis geen meespelende factor is, maar er bestaat nauwelijks concreet bewijs voor deze theorie, alleen wat anekdotes. Nee, er is gebleken dat er voor het thuisvoordeel maar één reden is die wordt ondersteund door harde, betrouwbare gegevens.' Hij stak zijn wijsvinger op voor het geval dat Adam niet wist wat 'één' betekende. Daarna, misschien bang dat hij toch nog niet helemaal duidelijk was geweest, zei hij: 'Eén reden.'

'En die is?'

Cal trok zijn vinger terug en balde zijn hand tot een vuist. 'Het fluitgedrag van de scheidsrechter. Dat en niks anders. Voor het uitteam wordt vaker gefloten.'

'Wou je zeggen dat de scheidsrechter de uitslag beïnvloedt?'

'Nee, nee. Kijk, dat vormt nu juist de sleutel van het onderzoek. Scheidsrechters bevoordelen het thuisteam namelijk niet opzettelijk. Ze doen het niet doelbewust. Ze weten niet eens dat ze het doen. Het heeft allemaal te maken met sociaal aanpassingsgedrag.' Cal had zijn wetenschapspet opgezet en leek niet van plan die weer af te zetten. 'Waar het op neerkomt is dat we allemaal aardig gevonden willen worden. Net als iedereen zijn scheidsrechters sociale wezens die reageren op de emoties van de massa. Om de zoveel tijd neemt een scheidsrechter onbewust een beslissing om die massa gunstig te stemmen. Ben je wel eens bij een basketbalwedstrijd gaan kijken? De coaches bewerken de scheidsrechters doorlopend, omdat zij beter dan iedereen weten hoe de menselijke natuur in elkaar zit. Kun je me volgen?'

Adam wachtte even en knikte. 'Ja.'

'Nou, Adam, dat is het.' Cal spreidde zijn armen. 'Dat is het hele thuisvoordeel in een notendop... de menselijke behoefte om zich aan te passen aan de massa en aardig gevonden te worden.'

'Dus als jij tegen de scheids staat te schreeuwen...'

'Alleen bij uitwedstrijden,' onderbrak Cal hem. 'Ik bedoel, thuis zijn we al in het voordeel en dat moeten we zo houden. Maar als we uit spelen, ja, wetenschappelijk gezien moet je de scheids dan uitkafferen om de zaak in evenwicht te houden. Sterker nog, als je je mond houdt, benadeel je je team.'

Adam wendde zijn blik af.

'Wat is er?'

'Niks.'

'Nee, zeg het maar. Jij bent advocaat, toch? Jij zit in de business waarin twee partijen elkaar bestrijden.'

'Dat klopt.'

'En je doet alles wat je kunt om de rechter of de jury te beïnvloeden.'

'Ja.'

'Dus?'

'Dus niks. Ik begrijp wat je bedoelt.'

'Maar je bent het er niet mee eens.'

'Daar wil ik nu liever niet op ingaan.'

'Maar de feiten zijn tamelijk duidelijk.'

'Dat zal best.'

'Wat is je probleem dan?'

Adam aarzelde even en dacht toen: waarom niet? 'Het is maar een spel, Cal. Thuisvoordeel vormt een deel van dat spel. Daarom spelen we de ene helft van de wedstrijden thuis en de andere helft uit. Zo houdt alles elkaar in evenwicht. Wat jij doet – maar hé, dat is alleen maar mijn mening – is onbehoorlijk gedrag rechtvaardigen. Laat de wedstrijd gewoon de wedstrijd zijn, met onterechte beslissingen en al het andere. Dat is een beter voorbeeld voor de jongens dan scheidsrechters uitkafferen. En als we daardoor misschien een of twee wedstrijden per seizoen extra verliezen, wat ik betwijfel, is dat slechts een klein offer voor het behouden van onze waardigheid en ons fatsoen, denk je ook niet?'

Cal Gottesman wilde net in de tegenaanval gaan toen Thomas de kleedkamer uit kwam. Adam stak zijn hand op en zei: 'Niet persoonlijk bedoeld, Cal. Gewoon mijn mening hierover. En als je me nu wilt excuseren?'

Adam haastte zich terug naar de auto terwijl zijn zoon het veld overstak. Een mooie overwinning doet zeker iets met je manier van lopen. Thomas liep meer rechtop en in elke stap die hij deed zat een net zichtbaar hupje. Hij had een vage glimlach om zijn mond. Thomas zou al die blijdschap pas uiten als hij in de auto zat, wist Adam. Hij zwaaide naar een paar vrienden, als een volleerd politicus. Ryan was aan de stille kant, maar Thomas had het in zich om burgemeester van de stad te worden.

Thomas gooide zijn sporttas op de achterbank. De stank van zijn doorgezwete beschermers walmde onmiddellijk door de auto. Adam deed de raampjes open. Dat hielp wel iets, maar na een wedstrijd bij warm weer nooit genoeg.

Thomas wachtte totdat ze de straat uit waren gereden voordat zijn gezicht begon te stralen. 'Heb je dat eerste doelpunt gezien?'

Adam grinnikte. 'Wreed.'

'Ja. Pas mijn tweede met links.'

'Een mooie actie. Trouwens, het winnende doelpunt mocht er ook zijn.'

Zo praatten ze nog een tijdje door. Je zou kunnen denken dat Thomas graag opschepte, maar het tegendeel was waar. Tegenover zijn teamgenoten en coaches was Thomas bescheiden en zeker niet egoïstisch. Wanneer hij had gescoord, schoof hij de eer altijd door naar een ander – degene die hem de pass had gegeven, of die de bal op de tegenpartij had veroverd – en hij voelde zich opgelaten en onzeker wanneer hij op het sportveld in het middelpunt van de belangstelling kwam te staan.

Maar thuis, bij zijn familie, durfde Thomas zich wel te laten gaan. Hij hield ervan om de wedstrijd tot in detail te bespreken, niet alleen zijn eigen doelpunten maar het wedstrijdverloop als geheel, wat de andere jongens hadden gezegd en wie er goed had gespeeld en wie niet. Thuis was de veilige haven waar hij dat kon doen… in vertrouwelijke kring, zogezegd. En hoe klef het misschien ook klonk, een gezin hoorde dat ook te zijn. Thuis hoefde hij niet bang te zijn dat ze hem een opschepper, een leugenaar of wat dan ook zouden noemen. Hier kon hij vrijuit spreken.

'Hij is thuis!' riep Corinne toen Thomas binnenkwam. Hij liet zijn sporttas van zijn schouder glijden en liet hem achter in de bijkeuken. Thomas vond het goed dat zijn moeder hem omhelsde.

'Knappe wedstrijd, schat.'

'Dank je.'

Ryan stootte zijn vuist tegen die van Thomas bij wijze van felicitatie.

'Wat eten we?' vroeg Thomas.

'Er liggen gemarineerde steaks op de grill.'

'O yeah.'

De steaks waren Thomas' lievelingsgerecht. Adam wilde de stemming niet bederven, dus hij gaf zijn vrouw een plichtmatige kus. Ze wasten allemaal hun handen. Ryan had de tafel gedekt, wat inhield dat Thomas moest afruimen. Naast elk bord stond een glas water en Corinne had voor Adam en zichzelf een glas wijn ingeschonken. Ze zette het eten op het keukeneiland. Iedereen pakte zijn bord en bediende zichzelf.

Het was een gewone maar diep gekoesterde familiemaaltijd en toch had Adam het gevoel dat er een tikkende tijdbom onder de tafel lag. Het was nu alleen nog een kwestie van tijd. Op een zeker moment zouden ze klaar zijn met eten en zouden de jongens hun huiswerk gaan doen, of tv-kijken, een videogame spelen of iets op de computer gaan doen. Moest hij wachten tot ze naar bed waren? Waarschijnlijk wel. Het enige probleem was dat Corinne en hij de laatste tijd meestal eerder in bed lagen dan Thomas. Dus hij moest Thomas naar zijn kamer zien te krijgen en de deur dichtdoen voordat hij zijn vrouw kon confronteren met wat hem was verteld.

Tik, tik, tik…

Thomas was bijna de hele maaltijd aan het woord. Ryan luisterde vol bewondering toe. Corinne vertelde over een van de docenten in Atlantic City die dronken was geworden en had overgegeven in het casino. De jongens vonden het prachtig.

'Heb je nog wat gewonnen?' vroeg Thomas.

'Ik gok nooit,' zei Corinne, zoals altijd de moeder, 'en dat zouden jullie ook niet moeten doen.'

De twee jongens rolden met hun ogen.

'Ik meen het. Het is een vreselijke gewoonte.'

Nu keken de jongens haar hoofdschuddend aan.

'Wat is er?'

'Je kunt soms zo overdreven braaf zijn,' zei Thomas.

'Niet waar.'

'Altijd die levenslessen,' voegde Ryan er lachend aan toe. 'Hou daar toch mee op.'

Corinne keek Adam aan in de hoop dat hij haar te hulp zou schieten. 'Hoor je hoe je zoons tegen me praten?'

Adam haalde zijn schouders op en zei niets. Ze begonnen over iets anders. Het drong niet tot Adam door waarover. Hij kon zijn hoofd er niet bij houden. Het was alsof hij naar een filmmontage van zijn eigen leven keek… het gelukkige gezin dat hij en Corinne hadden gesticht, zat aan tafel te eten, te genieten van het samenzijn. Hij kon de cameraman bijna langzaam om de tafel zien lopen om ieders gezicht, schouders en rug goed in beeld te krijgen. Het was zo alledaags, zo doodgewoon, zo volmaakt.

Tik, tik, tik...

Een half uur later was de keuken opgeruimd. De jongens waren naar boven. Zodra ze de trap op waren gelopen verdween de glimlach van Corinnes gezicht. Ze keek Adam aan.

'Wat is er met je?'

Het was verbazingwekkend als je erover nadacht. Hij woonde al achttien jaar samen met Corinne. Hij had haar in alle mogelijke stemmingen meegemaakt, kende al haar emoties. Hij wist wanneer hij naar haar toe moest gaan en wanneer hij uit haar buurt moest blijven, wanneer ze behoefte had aan een knuffel of een opbeurend woord. Hij kende haar zo goed dat hij haar zinnen kon afmaken en dat hij soms zelf wist wat ze dacht. Hij wist alles van haar.

Hij had nooit voor grote verrassingen gestaan, meende hij. Hij kende haar zelfs zo goed dat hij wist dat de vreemde mogelijk de waarheid sprak.

Toch had hij dit niet zien aankomen. Hij had nooit beseft dat Corinne hem ook door en door kende, dat ze al die tijd had geweten dat er iets was wat hem heel erg van streek had gemaakt, ondanks zijn pogingen het voor haar te verbergen, en niet zomaar iets, maar iets heel ernstigs, wat hun hele leven zou kunnen veranderen.

Corinne stond tegenover hem en wachtte op de dreun die hij zou uitdelen. Dus deed hij dat.

'Heb jij twee jaar geleden gedaan alsof je zwanger was?'

8

De vreemde zat aan een hoektafeltje in The Red Lobster in Beachwood, Ohio, niet zo ver van Cleveland. Hij speelde met zijn Red Lobster Cocktail Speciaal, een Mango Mai Tai. De saus van zijn scampi met knoflookgarnalen was al zo ver gestold dat die deed denken aan tegellijm. De ober had al twee keer geprobeerd het kommetje mee te nemen, maar beide keren had de vreemde hem weggewuifd. Ingrid zat tegenover hem. Ze zuchtte en keek op haar horloge.

'Dit moet de langste lunch aller tijden zijn.'

De vreemde knikte. 'Al bijna twee uur.'

Ze keken naar een tafel met vier vrouwen die al aan hun derde Cocktail Speciaal bezig waren, en het was nog geen half drie in de middag. Twee van de vrouwen hadden de Crabfest genomen, diverse vissoorten en schaaldieren op een bord zo groot als een putdeksel. De derde vrouw had linguine Alfredo met garnalen besteld. De romige saus tekende lichte plekjes in de beide hoeken van haar met roze lipstick bewerkte mond.

De vierde vrouw, van wie ze wisten dat ze Heidi Dann heette, was de reden dat ze hier zaten. Heidi had de op houtskool gegrilde zalm gehad. Ze was negenenveertig jaar, groot en mollig, en ze had stroblond haar. Ze droeg een truitje met een tijgerprint en een vrij lage halslijn. Heidi had een luide, melodieuze lach. De vreemde had er de afgelopen twee uur naar zitten luisteren. Het geluid had iets fascinerends.

'Ik begin haar bijna aardig te vinden,' zei de vreemde.

'Ik ook.' Ingrid streek met beide handen haar blonde haar naar achteren, hield het samen in een soort paardenstaart en liet het weer los. Ze deed dat vaak. Ze had lang, steil haar dat voortdurend voor haar gezicht viel. 'Je hoort een zekere levenslust, vind je niet?'

Hij wist precies wat Ingrid bedoelde.

'Uiteindelijk doen we haar een plezier,' zei Ingrid.

Dat was de rechtvaardiging. De vreemde was het ermee eens. Als de fundering rot is, moet je het hele huis slopen. Je kunt het niet repareren met een laag verf of een paar nieuwe planken. Hij wist dat. Hij begreep het. Hij leefde ernaar.

Hij geloofde erin.

Maar dat betekende niet dat hij het leuk vond om degene te zijn die de explosieven plaatste. Zo keek hij er ook tegenaan. Hij was wel degene die het huis met de rotte fundering opblies, maar hij bleef nooit hangen om te zien of, en zo ja hoe, het huis daarna weer werd opgebouwd.

Hij bleef zelfs niet lang genoeg in de buurt om zich ervan te verzekeren dat er niemand meer in huis was wanneer het de lucht in vloog.

De serveerster kwam de dames de rekening brengen. Tassen werden tevoorschijn gehaald en er werd naar geld gezocht. De vrouw van de linguine deed het rekenwerk met grote precisie. De twee Crabfest-eters haalden de bankbiljetten een voor een uit hun portefeuille. Daarna haalden ze hun portemonnee met muntgeld tevoorschijn en keken ernaar alsof het verroeste kuis-heidsgordels waren.

Heidi gooide gewoon een paar briefjes van twintig op tafel.

De manier waarop ze dat deed, zowel met zorg als achteloos, ontroerde de vreemde. Hij nam aan dat de Danns genoeg geld hadden, alhoewel, hoe kon je dat tegenwoordig nog zeker weten? Heidi en haar man Marty waren twintig jaar getrouwd. Ze had-den drie kinderen. De oudste, hun dochter Kimberly, was eerste-jaars op de universiteit van New York in Manhattan. De twee jon-gens, Charlie en John, zaten nog op de middelbare school. Heidi werkte op de cosmetica-afdeling van Macy's in University Heights. Marty Dann was chef Verkoop en Marketing bij TTI Floor Care in Glenwillow. Bij TTI draaide alles om stofzuigers. Ze waren eigenaar van Hoover, Oreck en Royal, en van het merk dat Marty de afgelopen elf jaar onder zijn hoede had gehad: de Dirt

Devil. Hij was vaak op reis voor zijn werk, meestal naar Bentonville in Arkansas, want daar zat het hoofdkantoor van Walmart.

Ingrid zat de vreemde op te nemen. 'Ik kan deze wel alleen doen, als je dat wilt.'

Hij schudde zijn hoofd. Dit was zíjn werk. Ingrid was erbij omdat hij een vrouw moest benaderen en dat kon soms wat vreemd overkomen. Werd je door een echtpaar benaderd? Geen enkel probleem. Een man die een man benaderde, in een bar, bijvoorbeeld, of in de American Legion Hall? Ook geen enkel probleem. Maar een zevenentwintigjarige man die een negenenveertigjarige vrouw benaderde in The Red Lobster?

Dat zou riskant kunnen zijn.

Ingrid had al afgerekend, dus ze konden meteen weg als het nodig was. Heidi was alleen gekomen in haar grijze Nissan Sentra. Ingrid en hij hadden hun huurauto er twee plekken vandaan geparkeerd. Ze bleven naast de auto staan met de sleutel in de hand, zodat ze konden doen alsof ze op het punt stonden om in te stappen en weg te rijden.

Ze wilden niet de aandacht trekken.

Vijf minuten later kwamen de vier vrouwen het restaurant uit. Ze hoopten Heidi te onderscheppen als ze alleen was, maar dat konden ze onmogelijk voorzien. Misschien liep een van haar vriendinnen wel mee naar haar auto, in welk geval ze achter Heidi aan naar haar huis zouden moeten rijden en moesten proberen haar daar aan te spreken – nooit een goed idee om een slachtoffer op zijn eigen terrein te benaderen, want daar waren ze vaak defensiever – of ze zouden moeten wachten totdat ze weer de deur uit ging.

De vrouwen namen afscheid van elkaar met een omhelzing. Heidi was daar goed in, zag hij. Ze deed het alsof ze het meende. Als zij een vriendin omhelsde, kneep ze haar ogen dicht en deed haar vriendin dat ook. Zo'n soort omhelzing was het.

De overige drie vrouwen liepen de andere kant op. Perfect.

Heidi kwam naar haar auto toe lopen. Ze had een capribroek aan. Ze stond wat onvast op haar hoge hakken na al die cocktails, maar ze ging ermee om alsof ze het vaker had gedaan. Ze glimlachte. Ingrid knikte naar de vreemde om aan te geven dat dit het moment was. Ze deden allebei hun uiterste best er zo onschuldig mogelijk uit te zien.

'Heidi Dann?'

De vreemde plooide zijn gezicht in een vriendelijke of in het ergste geval een neutrale uitdrukking. Heidi draaide zich om en keek hem aan. Haar mondhoeken zakten alsof iemand er gewichten aan had gehangen.

Ze wist het.

Het verbaasde hem niet. Velen wisten het, op de een of andere manier, hoewel ze de neiging hadden het eerst te ontkennen wanneer de vreemde ze aansprak. Maar Heidi maakte een sterke, intelligente indruk op hem. Ze wist al wat hij ging zeggen en dat het alles zou veranderen.

'Ja.'

'Er bestaat een website die VINDJESNOEPJE.COM heet,' zei hij.

De vreemde had geleerd meteen recht op het doel af te gaan. Je vroeg het slachtoffer niet of ze tijd had om even te praten, of ze wilde gaan zitten of ergens een kop koffie wilde gaan drinken. Je gooide alles meteen op tafel.

'Wat?'

'Die doet zich voor als een moderne datingsite. Maar dat is het niet. Mannen, rijke mannen die ruim in de slappe was zitten, melden zich daar aan om er hun... tja, snoepjes te leren kennen. Ken je die website?'

Heidi bleef hem enige tijd aankijken. Toen ging haar blik naar Ingrid, die geruststellend naar haar glimlachte.

'Wie zijn jullie?'

'Dat doet er niet toe,' zei hij.

Sommige mensen verzetten zich ertegen. Anderen zijn verstandiger en zien in dat dit tijdverspilling is. Heidi behoorde tot de laatste groep. 'Nee, ik heb er nog nooit van gehoord. Het klinkt als zo'n site die door getrouwde mensen wordt gebruikt om vreemd te gaan.'

De vreemde maakte een beweging met zijn hoofd die het midden hield tussen ja en nee, en zei: 'Niet echt. Deze website biedt mensen de ruimte voor meer zakelijke transacties, als je begrijpt wat ik bedoel.'

'Nee, ik begrijp absoluut niet wat je bedoelt,' zei Heidi. 'Je zou de teksten eens moeten lezen als je in de gelegenheid bent. De mensen van de site menen dat elke relatie in feite een transactie is, en dat het belangrijk is dat je allebei weet wat je rol in die relatie is, dat je weet wat er van jou wordt verwacht en wat er van je liefje wordt verwacht.'

De kleur trok weg uit Heidi's gezicht. 'Je liefje?'

'Kijk, het werkt ongeveer zo,' vervolgde de vreemde. 'Stel, een man meldt zich aan. Hij neemt de lijst van vrouwen door, die meestal veel jonger zijn dan hij. Hij vindt er een die hem bevalt. Als zij op zijn verzoek ingaat, beginnen de onderhandelingen.'

'De onderhandelingen?'

'Hij is op zoek naar wat op de site zijn "snoepje" wordt genoemd. Naar een vrouw die wordt beschreven als iemand met wie hij uit eten kan gaan, of die hem begeleidt naar zakelijke conferenties, dat soort dingen.'

'Maar dat is niet wat er in werkelijkheid gebeurt,' zei Heidi.

'Nee,' zei de vreemde. 'Dat is niet wat er gebeurt.'

Heidi slaakte een diepe zucht en zette haar handen in haar zij. 'Ga door.'

'Dus ze beginnen hun onderhandelingen.'

'De rijke man en zijn snoepje.'

'Ja. De website maakt het meisje allerlei onzin wijs. Dat alles strak is gedefinieerd. Dat er geen spelletjes worden gespeeld. Dat het hier gaat om rijke, beschaafde mannen die je netjes zullen behandelen, die dure cadeautjes voor je kopen en die je meenemen naar exotische, overzeese oorden.'

Heidi schudde haar hoofd. 'En die meisjes trappen daarin?'

'Sommigen misschien wel. Maar dat zijn er vast niet zo veel. De meesten begrijpen wel hoe laat het is.'

Het was alsof Heidi de ontmoeting met hem had verwacht, alsof ze wist wat hij zou gaan zeggen. Ze was inmiddels gekalmeerd, hoewel ze er nog steeds wat aangeslagen uitzag. 'Dus ze onderhandelen met elkaar?' drong ze aan.

'Dat klopt. En uiteindelijk komen ze tot een overeenkomst. Die wordt tot in de details uitgeschreven in een online contract. In een van de gevallen, om een voorbeeld te noemen, gaat de jonge vrouw ermee akkoord dat ze de man vijf keer per maand zal ontmoeten. Ze spreken met elkaar af op welke dagen van de week dat zal gebeuren. Vervolgens biedt hij haar achthonderd dollar.'

'Per keer?'

'Nee, per maand.'

'Een schijntje.'

'Nou, dit is nog maar het begin. Zij doet een tegenbod: tweeduizend dollar. En zo gaat het een tijdje heen en weer.'

'Maar ze komen tot een akkoord?' vroeg Heidi.

Haar ogen hadden een vochtige glans gekregen.

De vreemde knikte. 'In dit geval komen ze uit op twaalfhonderd dollar per maand.'

'Dat is veertienduizendvierhonderd dollar per jaar,' zei Heidi met een bedroefde glimlach. 'Ik ben goed in hoofdrekenen.'

'Dat klopt.'

'En het meisje?' vroeg Heidi. 'Wat vertelt zij de man over zichzelf? Wacht, ik weet het al. Ze zegt dat ze een arme studente is en dat ze wat moet bijverdienen om haar studie te bekostigen.'

'Ja, in dit geval wel.'

'Hmm,' zei Heidi.

'En in dit geval,' vervolgde de vreemde, 'spreekt het meisje de waarheid.'

'Ze studeert echt?' Heidi schudde haar hoofd. 'Geweldig.'

'Maar in dit geval gaat het meisje nog een stap verder,' zei de vreemde. 'Want ze spreekt op andere dagen van de week af met nog een paar suikeroompjes.'

'Bah, wat banaal.'

'Dus die ene man ziet ze altijd op dinsdag. Op donderdag ziet ze nummer twee en de weekends houdt ze vrij voor nummer drie.'

'Dat tikt aan. Het geld, bedoel ik.'

'Zeg dat wel.'

'Om van geslachtsziekten nog maar te zwijgen,' zei Heidi.

'Daar kan ik niks over zeggen.'

'Waarom niet?'

'Omdat we niet weten of ze condooms of wat ook gebruikt. Omdat we haar medische gegevens niet hebben. We weten niet eens wat ze precies met al die mannen doet.'

'Een potje kaarten zal het niet zijn.'

'Dat denk ik ook niet.'

'Waarom vertel je me dit?'

De vreemde keek Ingrid aan. Voor het eerst nam Ingrid het woord. 'Omdat je het recht hebt om het te weten.'

'Dat is alles?'

'Alles wat we je kunnen vertellen, ja,' zei de vreemde.

'Twintig jaar.' Heidi schudde haar hoofd en drong haar tranen terug. 'De vuile schoft.'

'Sorry?'

'Marty. De smeerlap.'

'Eh, we hebben het niet over Marty,' zei de vreemde.

Voor het eerst leek Heidi nu compleet verbijsterd. 'Wat? Over wie dan?'

'We hebben het over je dochter Kimberly.'

9

Corinne incasseerde de dreun, wankelde achteruit maar bleef op de been.

'Waar heb je het in godsnaam over?'

'Kunnen we dit deel overslaan?' vroeg Adam.

'Welk deel?'

'Dat jij doet alsof je geen idee hebt waar ik het over heb. Ontkennen heeft geen zin, oké? Ik wéét dat je hebt gedaan alsof je zwanger was.'

Ze probeerde zich te herstellen, stukje bij beetje weer vat te krijgen op de situatie. 'Als je het weet, waarom vraag je het dan?'

'Hoe zit het met de jongens?'

Die vraag overviel haar. 'Wat is er met de jongens?'

'Zijn ze van mij?'

Corinnes ogen werden groot. 'Ben je gek geworden?'

'Je hebt gedaan alsof je zwanger was. Wie weet waartoe je nog meer in staat bent.'

Corinne keek hem aan en zei niets.

'Nou?'

'Jezus, Adam, kijk eens goed naar ze.'

Adam zei niets.

'Natuurlijk zijn ze van jou.'

'Er bestaan tests, weet je? DNA-tests. Die kun je gewoon kopen bij Walgreens.'

'Doe dat dan,' zei ze op scherpe toon. 'Die jongens zijn van jou en dat weet je zelf ook.'

Ze stonden aan weerskanten van het keukeneiland. Zelfs nu, verteerd door boosheid en verwarring als hij was, viel het hem op hoe mooi ze was. Hij had destijds niet kunnen geloven dat, van alle jongens die achter haar aan hadden gezeten, ze hém had uit-gekozen. Corinne was zo'n meisje met wie je wilde trouwen. Zo keek je naar vrouwen toen je jong was, hoe stompzinnig het ook is. Je verdeelde ze in twee groepen. De ene groep riep beelden op van wilde nachten vol lust en de benen in de lucht. Groep twee deed je denken aan wandelingen bij maanlicht, aan het altaar en eeuwige trouw. Corinne behoorde duidelijk tot groep twee.

Adams eigen moeder was excentriek geweest, zo erg dat het aan schizofrenie grensde. Vreemd genoeg was het juist dat ge-weest wat zijn vader in haar had aangetrokken. 'Haar kortslui-ting,' had pa hem wel eens verteld. Maar die kortsluiting, die soms grappig en onverwacht was, had zich in de loop der jaren ontwikkeld tot een echte gekte, met een onvoorspelbaarheid waar zijn vader langzaam maar zeker aan onderdoor was gegaan. Er waren hilarische momenten geweest, maar die hadden steeds va-ker moeten plaatsmaken voor ronduit pijnlijke situaties. Adam was niet van plan die fout te maken. Het leven bestaat uit een reeks acties en reacties. Adams reactie op de fout van zijn vader was dat hij was getrouwd met een vrouw die hij zag als evenwich-tig, consistent en beheerst, alsof mensen zo simpel in elkaar za-ten.

'Praat tegen me,' zei Adam.

'Hoe kom je erbij dat mijn zwangerschap niet echt was?'

'Door een creditcardbetaling aan Novelty Funsy,' zei hij. 'Jij zei dat het voor schoolversieringen was. Dat was niet waar. No-velty Funsy is de factuurnaam van fake-een-zwangerschap.com.'

Ze leek in verwarring gebracht. 'Ik begrijp het niet. Waarom ben je opeens afschriften van twee jaar geleden gaan bekijken?'

'Dat doet er niet toe.'

'Voor mij wel. Je doet dat niet zomaar, oude betalingen chec-ken.'

'Heb je het gedaan of niet, Corinne?'

Haar blik bleef op het granieten blad van het keukeneiland ge-richt. Het had Corinne een eeuwigheid gekost om de juiste tint graniet te vinden, wat uiteindelijk een kleur bleek te zijn die On-tario Bruin werd genoemd. Ze zag een minuscuul plekje op het graniet en begon er met haar nagel aan te krabben.

'Corinne?'

'Weet je nog dat ik op school met lunchtijd twee vrije lesuren had?'

De verandering van onderwerp bracht Adam even van de wijs. 'Ja, en?'

Het vuil liet los van het graniet. Corinne hield op met krabben. 'Het was de enige keer in mijn loopbaan als lerares dat ik zo veel vrije tijd had tussen mijn lessen. Ik had toestemming om de school te verlaten en in de stad te gaan lunchen.'

'Ja, dat weet ik nog.'

'Ik ging altijd naar dat cafeetje in Bookends. Ze hadden daar heerlijke paninibroodjes. Daar bestelde ik er een van, met een glas zelfgemaakte ijsthee of een kop koffie. Ik zat altijd aan een tafeltje in de hoek een boek te lezen.' Er verscheen een half glimlachje om haar mond. 'Ik genoot er elke dag van.'

Adam knikte. 'Mooi verhaal, Corinne.'

'Doe niet zo sarcastisch.'

'Nee, nee, ik meen het. Verdomd interessant, en zo relevant ook. Ik bedoel, ik vraag je waarom je hebt gedaan alsof je zwanger was en jij komt met een verhaal over broodjes. Wat had je erop, trouwens? Ik vind die met kalkoenfilet en emmentaler erg lekker.'

Ze sloot haar ogen. 'Jij gebruikt sarcasme altijd als verdedigingsmechanisme.'

'Ah, juist, en jij hebt nog altijd een goed gevoel voor timing. Zoals nu, Corinne. Ik bedoel, dit is het uitgelezen moment voor een psychoanalyse, nietwaar?'

Haar stem kreeg een smekende klank. 'Ik probeer je iets te vertellen, oké?'

Hij haalde zijn schouders op. 'Doe dat dan.'

Het duurde even voordat ze zich voldoende had hersteld om door te gaan. Toen ze dat deed, had haar stem een dromerige klank gekregen. 'Ik kwam dus bijna elke dag in dat cafeetje in Bookends en na een tijdje, je weet hoe het gaat, word je dan een soort vaste klant. Je kwam er elke keer dezelfde mensen tegen. Het werd een soort eigen wereldje. Zoals in *Cheers*. Je had Jerry, die werkloos was, en Eddie, van het verpleeghuis in Bergen Pine. Debbie bracht altijd haar laptop mee en zat daar te schrijven...'

'Corinne…'

Ze stak haar hand op. 'En je had Suzanne, die acht maanden zwanger was.'

Stilte.

Corinne keek achter zich. 'Waar is die fles wijn gebleven?'

'Wat heeft dat er nu mee te maken?'

'Ik wil gewoon nog een glas wijn.'

'In het kastje boven het aanrecht.'

Ze liep ernaartoe, opende het deurtje en haalde de fles eruit. Ze pakte haar glas en schonk het vol. 'Suzanne Hope was een jaar of vijfentwintig. Het was haar eerste kind. Je weet hoe jonge aanstaande moeders zijn… dolgelukkig, ze stralen van top tot teen, alsof ze de eerste mens op aarde zijn die een kind verwacht. Maar Suzanne was heel aardig. We praatten allemaal met haar over haar zwangerschap en het kind. Je weet hoe het gaat. Ze vertelde ons over de vitamines die ze slikte. Ze verzon namen voor het kind en legde die aan ons voor. Ze had niet willen weten of het een jongetje of een meisje zou worden. Ze wilde verrast worden. Iedereen mocht haar graag.'

Adam slikte weer een sarcastische opmerking in. In plaats daarvan zei hij: 'Ik dacht dat je daar kwam voor je rust, en om te lezen.'

'Dat was ook zo. Ik bedoel, in het begin wel. Maar er kwam een moment dat ik deel ging uitmaken van dat sociale kringetje. Ik weet dat het raar klinkt, maar ik begon me erop te verheugen die mensen weer te zien. En het was alsof ze alleen daar en op dat moment bestonden, begrijp je? Net zoals jij toen je 's avonds ging basketballen. Altijd met dezelfde jongens, die je graag mocht, maar je had geen idee wat ze buiten het court deden. Een van die jongens was eigenaar van een restaurant, en dat wist je niet eens toen wij ernaartoe gingen, weet je nog?'

'Ja. Maar ik begrijp niet wat dit ermee te maken heeft, Corinne.'

'Dat probeer ik je uit te leggen. Ik maakte daar vrienden. Maar het was een komen en gaan van mensen, meestal zonder waarschuwing. Zoals met Jerry. Ineens kwam Jerry niet meer. Wij gingen ervan uit dat hij werk had gevonden, maar het was niks voor hem om niet even langs te komen en het ons te vertellen. Hij was gewoon opeens verdwenen. Met Suzanne net zo. Wij gingen ervan uit dat ze was bevallen. Ze was al flink overtijd. En toen, helaas, begon het nieuwe semester, ik raakte mijn vrije uren kwijt en dus moest ik zelf ook afhaken. Zo gaat het nu eenmaal. Het is een cyclus. De oude spelers maken plaats voor nieuwe.'

Adam had nog steeds geen idee waar ze naartoe wilde, maar hij zag ook geen reden om haar op te jagen. Eigenlijk wilde hij het tempo juist vertragen. Hij wilde de tijd hebben om over alle mogelijkheden na te denken. Hij keek achterom naar de keukentafel, waar Thomas en Ryan zo-even hadden zitten eten, lachend en in de overtuiging dat alles koek en ei was.

Corinne nam een flinke slok wijn. Om haar toch een beetje aan te sporen vroeg Adam: 'Heb je een van die mensen ooit teruggezien?'

Corinne begon bijna te glimlachen. 'Dat is nu juist de clou van mijn verhaal.'

'Wat?'

'Ik heb Suzanne teruggezien. Ongeveer drie maanden later.'

'In Bookends?'

Ze schudde haar hoofd. 'Nee. In een Starbucks in Ramsey.'

'Was het een jongetje of een meisje geworden?'

Er verscheen een bedroefde glimlach om Corinnes mond. 'Geen van beiden.'

Adam wist niet wat hij hiervan moest maken, of hoe hij erop moest reageren, dus zei hij alleen: 'O.'

Corinne keek hem aan. 'Ze was zwanger.'

'Wie? Suzanne?'

'Ja.'

'Toen je haar in Starbucks zag?'

'Ja. Maar het was pas drie maanden geleden dat ik haar voor het laatst had gezien. En ze zag er nog steeds uit alsof ze acht maanden zwanger was.'

Adam knikte, begon eindelijk te begrijpen waar ze naartoe wilde. 'Wat natuurlijk onmogelijk is.'

'Natuurlijk.'

'Ze deed alsof.'

'Ja. Kijk, ik moest in Ramsey zijn om een nieuw lesboek voor de school te bekijken. Het was lunchtijd. Suzanne moet hebben gedacht dat de kans minimaal was dat iemand van ons groepje van Bookends daar zou binnenkomen. Die Starbucks is – hoeveel? – een kwartier rijden van Bookends?'

'Minstens.'

'Dus ik sta bij de counter om een cafè latte te bestellen, hoor die bekende stem achter me en daar zat ze, in de hoek, te midden van een groepje stamgasten die ze over haar vitaminekuren vertelde.'

'Ik begrijp het niet.'

Corinne hield haar hoofd schuin. 'Echt niet?'

'Jij wel?'

'Ja. Ik begreep het meteen. Dus Suzanne zat daar audiëntie te houden in de hoek van de Starbucks, en ik begon die kant op te lopen. Zodra ze me zag, verdween die hele zwangerschapsgloed van haar gezicht. Ik bedoel, stel je voor, hoe leg je iemand uit dat je al bijna een half jaar acht maanden zwanger bent? Ik ging bij het groepje staan en wachtte af. Ik denk dat zij hoopte dat ik zou weggaan. Maar dat was ik niet van plan. Ja, ik moest terug naar school, maar ik heb ze later verteld dat ik een lekke band had. Kristin heeft mijn lessen overgenomen.'

'Hebben jullie uiteindelijk nog gepraat, jij en Suzanne?'

'Ja.'

'En?'

'Ze vertelde dat ze in werkelijkheid in Nyack, New York, woonde.'

Dat was ongeveer een half uur rijden van zowel Bookends als die Starbucks, schatte Adam.

'Ze vertelde me dat ze een doodgeboren kindje had gehad. Ik geloofde haar niet, maar het zou kunnen. Ik denk dat Suzannes verhaal in feite veel simpeler is. Sommige vrouwen vinden het gewoon heerlijk om zwanger te zijn. Niet vanwege je hormoonhuishouding die op zijn kop wordt gezet of het besef dat er een baby in je buik groeit, maar om redenen die meer op het gevoelsvlak liggen. Want voor sommige vrouwen is het de enige keer in hun leven dat ze zich echt bijzonder voelen. Mensen houden de deur voor je open. Ze vragen wat je die dag hebt gedaan. Ze vragen je wanneer je bent uitgerekend en hoe je je voelt. Kortom, ze krijgen aandacht. Het is alsof ze even beroemd zijn. Suzanne was niet bepaald een schoonheid. Ze kwam ook niet op me over als bijzonder intelligent of interessant. Maar haar zwangerschap maakte haar tot een soort beroemdheid. Ze kwam in een roes alsof ze drugs had gebruikt.'

Adam schudde zijn hoofd. Hij dacht aan hoe het op de website van Fake-een-zwangerschap.com omschreven stond: *Niets zet je meer in het zonnetje dan zwanger zijn!*

'Dus ze bleef doen alsof ze zwanger was om die roes in stand te houden?'

'Ja. Ze deed haar nepbuik voor, ging naar een koffieshop en kreeg alle aandacht die ze maar wilde.'

'Maar dat kon ze natuurlijk maar een bepaalde tijd volhouden,' zei Adam. 'Je kunt niet langer dan één of hooguit twee maanden doen alsof je acht maanden zwanger bent.'

'Precies. Daarom trok ze van de ene lunchtent naar de andere. Wie weet hoe lang ze dat al deed... of misschien doet ze het nog steeds. Ze zei dat haar man niks om haar gaf. Dat hij thuiskwam en meteen de tv aanzette, of dat hij met zijn vrienden in de kroeg bleef hangen. Ook hiervan weet ik niet of het waar is of niet. Maar het maakt niet uit. O, en Suzanne deed haar act ook op andere plekken. In plaats van boodschappen in de buurt te doen, ging ze naar supermarkten die verder weg waren, en als ze naar iemand glimlachte, werd die glimlach altijd beantwoord. Als ze naar de bioscoop ging, gebruikte ze haar buik om een betere plaats te krijgen. Hetzelfde geldt voor vliegtuigen.'

'Jeetje,' zei Adam. 'Ik vind het tamelijk gestoord.'

'Maar je begrijpt het niet?'

'Jawel. Ze moet dringend naar een psychiater, dat begrijp ik.'

'Ik weet het niet. Het lijkt me redelijk onschuldig.'

'Rondlopen met een nepbuik om aandacht te krijgen?'

Corinne haalde haar schouders op. 'Ik geef toe dat het extreem is, maar andere mensen krijgen aandacht omdat ze mooi zijn. Of omdat ze geld hebben geërfd of een interessante baan hebben.'

'En sommige mensen krijgen aandacht omdat ze liegen over hun zwangerschap,' zei Adam.

Stilte.

'Dus je vriendin Suzanne heeft je verteld over de website van Fake-een-zwangerschap.com, mag ik aannemen?'

Ze draaide zich van hem weg.

'Corinne?'

'Dit is alles wat ik er vanavond over te zeggen heb.'

'Dat meen je toch niet, hè?'

'Ja, dat meen ik wel.'

'Wacht, wou je zeggen dat je op aandacht uit was, net als die Suzanne? Ik bedoel, dat kunnen we toch geen normaal gedrag noemen? Dat weet je net zo goed als ik. Dit moet een of andere geestelijke afwijking zijn.'

'Ik moet erover nadenken.'

'Waarover?'

'Het is al laat. Ik ben moe.'

'Ben je gek geworden?'

'Hou op.'

'Wat?'

Corinne keek hem weer aan. 'Jij voelt het ook, hè, Adam?'

'Waar heb je het over?'

'We staan in een mijnenveld,' zei ze. 'Alsof iemand ons midden in een mijnenveld heeft gedropt en als we een stap opzij doen, trappen we op een mijn en vliegt de hele zaak de lucht in.'

Zij keek hem aan. Hij keek haar aan.

'Ik ben niet degene die ons in een mijnenveld heeft gedropt,' zei hij tandenknarsend. 'Dat ben jij.'

'Ik ga naar bed. We kunnen er morgen over praten.'

Adam ging voor haar staan. 'Jij gaat helemaal nergens naartoe.'

'Wat was je van plan, Adam? Wou je de waarheid uit me slaan?'

'Je bent me een verklaring schuldig.'

Ze schudde haar hoofd. 'Je begrijpt het niet.'

'Wat begrijp ik niet?'

Ze keek hem recht in de ogen. 'Hoe ben je erachter gekomen, Adam?'

'Dat doet er niet toe.'

'Je hebt geen idee hoeveel dat ertoe doet,' zei ze zacht. 'Wie heeft tegen je gezegd dat je die creditcardbetaling moest checken?'

'Een vreemde,' zei hij.

Ze deed een stap achteruit. 'Wie?'

'Dat weet ik niet. Een man die ik nooit eerder heb gezien. Hij kwam naar me toe in het American Legion en vertelde me wat je had gedaan.'

Ze schudde haar hoofd alsof ze het van iets moest bevrijden. 'Ik begrijp het niet. Wie was die man?'

'Dat zeg ik net. Iemand die ik niet ken.'

'We moeten hierover nadenken,' zei ze.

'Nee, jij moet me vertellen wat dit te betekenen heeft.'

'Niet vanavond.' Ze legde haar handen op zijn schouders. Hij deinsde achteruit alsof de aanraking hem pijn deed. 'Het is niet wat je denkt, Adam. Er zit veel meer achter.'

'Mam?'

Met een ruk draaide Adam zich in de richting van de stem. Ryan stond boven aan de trap.

'Kan een van jullie me helpen met mijn sommen?' vroeg hij.

Corinne aarzelde geen moment. De glimlach zat weer op zijn plek. 'Ik kom eraan, schat.' Ze draaide zich om naar Adam. 'Morgen,' zei ze zacht. Haar stem had een smekende ondertoon. 'Er staat zo veel op het spel. Alsjeblieft. Geef me tot morgen de tijd.'

10

Wat kon hij doen? Corinne zei gewoon niets meer. Later, in hun slaapkamer, probeerde hij van alles: boos worden, smeken, eisen, dreigen. Hij refereerde aan dingen als liefde, waanzin, gêne en trots. Het hielp allemaal niets. Het was zo frustrerend. Tegen middernacht deed Corinne haar diamanten oorknopjes uit en legde ze op haar nachtkastje. Ze deed het licht uit, wenste hem welterusten en sloot haar ogen. Adam was de wanhoop nabij. Bijna, en misschien kwam hij wel te dicht in de buurt van die grens, had hij haar iets aangedaan. Even overwoog hij het dekbed van haar af te rukken, maar wat schoot hij daarmee op? Hij durfde het niet aan zichzelf toe te geven, maar het liefst had hij haar vastgepakt en eens flink door elkaar geschud om haar tot praten te dwingen, of haar ten minste tot rede te brengen. Maar toen Adam twaalf jaar oud was, had hij gezien dat zijn vader zijn moeder vastgreep. Ma zat hem voortdurend op de huid, want zo was ze nu eenmaal, helaas. Ze daagde hem uit of maakte zijn mannelijkheid belachelijk totdat hij uiteindelijk zijn zelfbeheersing verloor. Adam had die avond gezien dat zijn vader zijn handen om haar hals sloot en haar begon te wurgen.

Vreemd genoeg waren het niet zozeer de angst, de afschuw en het gevaar van zijn vaders daad die hem waren bijgebleven. Hij herinnerde zich vooral hoe zijn vader eruit had gezien tijdens zijn daad van dominantie, zo zwak en meelijwekkend, en hoe zijn moeder, die in feite het slachtoffer was, hem zover had gekregen dat hij iets deed wat helemaal niet bij hem paste, op geen enkele manier.

Adam zou een vrouw nooit pijn kunnen doen. Niet alleen om-

89

dat het verkeerd was. Maar om wat het met hem zou doen.

Niet wetend wat hij moest doen ging hij naast haar in bed liggen. Hij stompte zijn kussen in vorm, legde zijn hoofd erop en sloot zijn ogen. Al na tien minuten dacht hij: nee, dit heeft geen zin. Zachtjes liep hij de trap af, met zijn kussen in de hand, om op de bank te gaan slapen.

Hij zette de wekker van zijn telefoon op vijf uur, zodat hij naar de slaapkamer kon teruggaan voordat de jongens wakker werden. Het bleek niet nodig te zijn. Als de slaap al vat op hem kreeg, was het zo kort dat hij er niets van merkte. Toen hij 's morgens vroeg weer bovenkwam, was Corinne diep in slaap. Hij kon aan haar ademhaling horen dat ze niet deed alsof... ze was echt knock-out. Grappig was dat. Hij kon niet slapen. Zij wel. Hij dacht aan iets wat hij ooit had gelezen, over politierechercheurs die aan de slaap van verdachten konden zien of ze schuldig of onschuldig waren. Een onschuldig man die ze alleen in de verhoorkamer achterlieten, zo luidde de theorie, bleef klaarwakker omdat hij verward en van streek was vanwege de valse beschuldiging. Een schuldig man viel gewoon in slaap. Adam had de theorie nooit geloofd en had die gezien als iets wat alleen maar leuk klinkt en nooit echt is bewezen. Toch dacht hij er nu aan; hij had de hele nacht wakker gelegen en zijn vrouw – de schuldige? – had geslapen als een pasgeboren baby.

Even kwam Adam in de verleiding haar wakker te schudden en te profiteren van dat schrikmoment tussen dromen en ontwaken, om op die manier misschien een slaapdronken bekentenis uit haar te krijgen, maar hij bedacht dat ook dat niet zou werken. Corinne was altijd op haar hoede, zelfs als ze sliep. En wat belangrijker was, zij zou bepalen wanneer ze het hem zou vertellen. Hij kon dat niet forceren. En misschien was dat wel het beste.

De vraag was alleen: wat moest hij nu doen?

Hij wist wat de waarheid was, toch? Eigenlijk hoefde hij niet te wachten totdat zij zou bekennen dat ze de zwangerschap en de miskraam had gefaket. Als ze dat niet had gedaan, had ze het allang ontkend. Ze probeerde tijd te rekken, misschien om een redelijke, geloofwaardige verklaring te bedenken, of om hem de tijd te geven om te kalmeren en zijn opties te overdenken.

Want wat waren die opties?

Was hij bereid zijn koffers te pakken? Was hij bereid van haar te scheiden?

Hij had geen antwoord op die vragen. Adam stond naast het bed en keek naar haar. Hoe dacht hij nu over haar? Zonder erover na te denken zei hij tegen zichzelf: geef eens antwoord op deze vraag: als het waar is, hou je dan nog steeds van haar en wil je de rest van je leven bij haar blijven?

Zijn gevoelens vlogen alle kanten op, maar zijn eerste reactie was: ja.

Doe even een stap terug. Hoe groot was de ontnuchtering die hieruit voortkwam? Heel groot. Daar bestond geen twijfel over. Die was enorm.

Maar was het iets wat hun leven ruïneerde, of was het iets waarmee ze zouden kunnen leven? Alle families hadden problemen waarmee ze hadden leren leven. Was dit een probleem waarmee zij ooit zouden kunnen leven?

Hij wist het echt niet. Daarom moest hij terughoudend zijn. Daarom moest hij afwachten. Hij moest luisteren naar wat ze erover te zeggen had, ook al was haar uitleg misschien nog zo obsceen.

Het is niet wat je denkt, Adam. Er zit veel meer achter.

Dat had Corinne gezegd, maar hij kon onmogelijk bedenken wat dat dan zou moeten zijn. Hij kroop onder het dekbed en sloot even zijn ogen.

Toen hij ze weer opende, was het drie uur later. Zijn vermoeidheid had hem toch nog te pakken gekregen. Hij keek naast zich in bed. Geen Corinne. Adam zwaaide zijn benen uit bed en zijn voeten kwamen met een doffe plof op de vloer terecht. Beneden hoorde hij Thomas' stem. Thomas was de prater. Ryan de luisteraar.

En Corinne?

Hij keek uit het slaapkamerraam. Corinnes Honda stond nog op de oprit. Stilletjes sloop hij de trap af. Waarom hij dat deed kon hij niet precies uitleggen, maar misschien wilde hij Corinne overvallen voordat ze de kans kreeg om snel en onopgemerkt naar haar werk te vertrekken. De jongens zaten aan de keukentafel. Corinne had Adams favoriete ontbijt klaargemaakt – dat deed ze de laatste tijd wel vaak, was het niet? – een gebakken ei met bacon en kaas op een sesambroodje, en Ryan at een kom Reese's Puffs, één brok gezondheid, als je de verheven tekst op de achterkant van de doos mocht geloven.

'Morgen, jongens.'

Twee korte kreunen waren het antwoord. Hoe hun humeur later op de dag ook zou zijn, echte spraakwatervallen waren ze voor schooltijd geen van beiden.

'Waar is jullie moeder?'

Ze haalden allebei hun schouders op.

Adam liep door de keuken naar het raam en keek naar buiten. Corinne was in de achtertuin. Ze stond met haar rug naar hem toe en hield haar mobiele telefoon tegen haar oor.

Adam voelde dat zijn gezicht begon te gloeien.

Toen hij de keukendeur opentrok, draaide Corinne zich met een ruk om en stak haar wijsvinger op, ten teken dat hij even moest wachten. Dat was Adam niet van plan. Met grote passen liep hij op haar af. Ze beëindigde het gesprek en stak het toestel in haar zak.

'Wie was dat?'

'Iemand van school.'

'Klets niet. Laat me je telefoon zien.'

'Adam...'

Hij hield zijn hand op. 'Geef hier dat ding.'

'Maak geen scène waar de jongens bij zijn.'

'Hou op met die onzin, Corinne. Ik wil weten wat er aan de hand is.'

'Daar heb ik nu geen tijd voor. Ik moet over tien minuten op school zijn. Kun jij de jongens naar school brengen?'

'Dat meen je toch niet, hè?'

Ze kwam dichter bij hem staan. 'Ik kan je nu nog niet vertellen wat je wilt weten.'

Bijna had hij haar geslagen. Hij had zijn vuist al gebald en... 'Wat ben je van plan, Corinne?'

'Wat ben jíj van plan?'

'Huh?'

'Wat is voor jou het slechtst denkbare scenario?' vroeg ze. 'Denk daar maar eens over na. En als dat uitkomt, ga je dan bij ons weg?'

'"Ons?"'

'Je weet best wat ik bedoel.'

Het duurde even voordat hij kon antwoorden. 'Ik kan niet samenleven met iemand die ik niet kan vertrouwen,' zei hij.

Ze hield haar hoofd schuin. 'En je vertrouwt me niet?'

Adam zei niets.

'We hebben allemaal onze geheimen, waar of niet? Ook jij, Adam.'

'Ik heb nooit iets belangrijks als dit voor je achtergehouden. Maar ik heb mijn antwoord, dat is duidelijk.'

'Nee, dat heb je niet.' Ze ging nog dichter bij hem staan en keek hem in de ogen. 'Je krijgt binnenkort antwoord. Echt.'

Hij slikte zijn reactie in en vroeg: 'Wanneer?'

'Laten we vanavond ergens gaan eten. In Janice's Bistro. Zeven uur. Een tafeltje achterin. Dan kunnen we praten.'

11

Op de bovenste plank stonden enkele Hummel-beeldjes. Een meisje met een ezeltje, drie kinderen die haasjeover deden, een jongetje met een bierpul en een meisje dat aan het schommelen was en door een jongetje werd geduwd. 'Eunice is er dol op,' zei de oude man tegen Adam. 'Zelf kan ik die verdomde dingen niet uitstaan. Ik vind ze eng. Weet je, ze zouden er een griezelfilm mee kunnen maken. Hummels in plaats van die rare clown of die kabouter. Zie je het voor je, dat die dingen tot leven komen?'

De keuken was betimmerd met schrootjes, die in de loop der jaren donker waren geworden. Op de deur van de koelkast zat een 'Viva Las Vegas'-magneet. Op de rand boven het aanrecht stond een sneeuwbol met drie roze flamingo's. Op de voet van de bol stond MIAMI, in zwierige letters, met de toevoeging FLA, voor het geval dat je niet wist welk Miami er werd bedoeld, nam Adam aan. Aan de rechterwand hing een verzameling borden met figuren uit de *Wizard of Oz*, en een klok in de vorm van een uil, met bewegende ogen. Aan de linkerwand hing een flink aantal plaquettes en verschoten oorkondes, die allemaal met politiezaken te maken hadden, een overzicht van de lange, imposante carrière van gepensioneerd hoofdinspecteur Michael Rinsky.

Rinsky zag Adam naar de oorkondes kijken en zei: 'Eunice stond erop dat ik ze ophing.'

'Ze is trots op u,' zei Adam.

'Ja, dat zal best.'

Adam draaide zich weer naar hem om. 'Nou, vertel me over het bezoek van de burgemeester.'

'Burgemeester Rick Gusherowski. We hebben hem twee keer

opgepakt toen hij nog op school zat, voor rijden onder invloed.'

'Is hij gestraft?'

'Nee, we hebben zijn ouweheer gebeld en die kwam hem toen ophalen. Ik heb het over dertig jaar geleden. Dat deden we in die tijd wel vaker. We zagen rijden onder invloed als een licht vergrijp. Stom.'

Adam knikte om aan te geven dat hij luisterde.

'Tegenwoordig zijn ze daar veel strikter in. Dat spaart levens. Maar goed, ik doe open en Rick staat voor de deur. Meneer de burgemeester nu. Hij is in pak en heeft de Amerikaanse vlag op zijn revers. Heeft nooit in het leger gezeten, heeft geen moer voor de gewone man gedaan, geen vinger uitgestoken voor de armen en verdrukten, maar als je zo'n vlaggetje op je revers hebt, ben je een patriot.'

Adam moest een glimlach onderdrukken.

'Dus Rick komt binnen, met zijn borst vooruit en een brede grijns op zijn gezicht. "De projectontwikkelaars bieden je een grote som geld aan," zegt hij tegen me. En daarna volgt een heel verhaal over hoe genereus ze wel niet zijn.'

'Wat zei u toen?'

'Nog niks. Ik keek hem alleen maar aan. Ik heb hem een tijdje laten zwemmen.'

Hij maakte een uitnodigend gebaar naar de keukentafel. Adam wilde niet op Eunice' stoel gaan zitten, dat voelde op de een of andere manier niet goed, dus hij vroeg: 'Welke stoel?'

'Maakt niet uit.'

Adam pakte een van de stoelen en ging zitten. Rinsky nam tegenover hem plaats. Het tafelkleed van vinyl was oud en een beetje plakkerig, zoals het hoorde. Er stonden vijf stoelen om de tafel, hoewel de drie kinderen die Eunice en hij in ditzelfde huis hadden grootgebracht allang volwassen waren en hun eigen leven leidden.

'Daarna begint hij met dat geklets over het belang van de gemeenschap. "Je staat de vooruitgang in de weg," zegt hij tegen me. "Mensen raken door jou hun baan kwijt. De misdaad zal toenemen." Je kent het verhaal.'

'Ja, dat klopt,' zei Adam.

Adam had het al vaker gehoord en stond er in principe niet afwijzend tegenover. Deze buurt in de binnenstad was in de loop der jaren flink in verval geraakt. Een of andere projectontwikkelaar, die tonnen belastingvoordeel kreeg, had alle huizen van het blok voor een prikkie opgekocht. Hij wilde alles met de grond gelijkmaken, alle krakkemikkige huizen en winkeltjes, en er fonkelnieuwe koopflats, Gap-winkels en trendy restaurantjes voor in de plaats laten komen. Op zich geen slecht idee. Je kon van de voortdurende stadsvernieuwing zeggen wat je wilde, maar steden hadden af en toe behoefte aan vers bloed.

'Dus hij praat maar door over zijn prachtige, nieuwe Kasselton, over hoe het de buurt veiliger zal maken, dat de mensen er weer zullen willen wonen en ga zo maar door. Vervolgens legt hij zijn troefkaart op tafel. De projectontwikkelaar heeft in het heuvelland buiten de stad een hele reeks seniorenwoningen gebouwd. En dan heeft hij het lef zich over de tafel te buigen, me met een bedroefde blik in de ogen te kijken en te zeggen: "Je moet ook aan Eunice denken."'

'Tjonge,' zei Adam.

'Ja, zeg dat wel. Daarna zegt hij dat ik het aanbod maar beter kan accepteren, want het volgende zal een stuk slechter zijn, en dat ze ons uit ons huis kunnen zetten. Kunnen ze dat echt?'

'Ja,' zei Adam.

'We hebben dit huis in 1970 gekocht van mijn veteranenlening. Eunice... het gaat nog wel goed met haar, maar soms raakt haar geest het spoor een beetje bijster. Ze kan op onbekende plekken doodsbang worden. Dan begint ze te huilen en te beven, maar als ze dan weer thuiskomt en deze keuken ziet, als ze die rare beeldjes van haar ziet en onze roestige koelkast, dan is alles weer goed, begrijp je?'

'Ja, ik begrijp het.'

'Dus... kun je ons helpen?'

Adam leunde achterover. 'Ja, dat denk ik wel.'

Rinsky bleef hem enige tijd doordringend aankijken. Adam ging verzitten op de stoel. Hij kon merken dat Rinsky vroeger een heel goeie smeris was geweest. 'Je hebt een merkwaardige uitdrukking op je gezicht, meneer Price,' zei Rinsky.

'Alstublieft, noem me Adam. En wat voor merkwaardige uitdrukking is dat?'

'Ik ben een ex-smeris, weet je nog?'

'Natuurlijk.'

'Ik heb geleerd gezichtsuitdrukkingen te lezen.'

'En wat ziet u op mijn gezicht?' vroeg Adam.

'Dat je een heel slinks, geweldig plan aan het uitbroeden bent.'

'Misschien is dat wel zo,' zei Adam. 'Ik denk dat ik er heel snel een eind aan kan maken als u bereid bent er hard tegenaan te gaan.'

De oude man glimlachte. 'Zie ik eruit als iemand die een knokpartij uit de weg gaat?'

12

Toen Adam om zes uur thuiskwam, stond Corinnes auto niet op de oprit.

Hij wist niet goed of dit hem moest verbazen of niet. Corinne was meestal vroeger thuis dan hij, maar misschien was ze bang geweest dat het tot een scène zou komen voordat ze elkaar in Janice's Bistro hadden gesproken, dus had ze het verstandiger gevonden hem tot die tijd uit de weg te gaan. Hij hing zijn jas op en zette zijn koffertje in de hoek. De rugzakken en sweatshirts van de jongens lagen door de hal verspreid alsof er een orkaan had gewoed.

'Hallo?' riep Adam. 'Thomas? Ryan?'

Geen antwoord. Er was een tijd geweest dat dit iets te betekenen had en zelfs een reden tot bezorgdheid zou kunnen zijn, maar met de videogames en hoofdtelefoons van tegenwoordig, plus het feit dat ze tieners waren en wel heel vaak wilden 'douchen' – en niet alleen om zich te wassen – was zijn bezorgdheid van korte duur. Adam liep de trap op. En jawel, hij hoorde het geklater van de douche. Waarschijnlijk Thomas. De deur van Ryans kamer was dicht. Adam klopte en deed de deur open zonder op een reactie te wachten. Als Ryans hoofdtelefoon hard genoeg stond, zou hij waarschijnlijk geen reactie krijgen, maar als hij de deur opende zonder te kloppen, zou hij het gevoel hebben dat hij de privacy van zijn zoon schond. Dus leek kloppen en meteen openen een redelijk compromis voor dit ouderlijke dilemma.

Zoals verwacht lag Ryan op zijn bed met zijn hoofdtelefoon op, met zijn iPhone te spelen. Hij zette de hoofdtelefoon af en ging rechtop zitten. 'Hoi.'

'Hoi.'

'Wat eten we?' vroeg Ryan.

'Goed, dank je. Het was druk op mijn werk, maar ja, al met al had ik best een aardige dag. En jij?'

Ryan keek zijn vader alleen maar aan. Dat deed hij vaak, zijn vader alleen maar aankijken.

'Heb je je moeder gezien?' vroeg Adam.

'Nee.'

'Zij en ik gaan vanavond bij Janice's eten. Zal ik voor jullie een pizza van Pizzaiola laten komen?'

Er bestaan maar weinig vragen die zo retorisch zijn als de vraag aan je kinderen of ze pizza als avondeten willen. Ryan nam niet eens de moeite er 'ja' op te antwoorden en ging meteen door met: 'Mogen we die met geroosterde kip?'

'Je broer houdt meer van peperoni,' zei Adam. 'Dus ik doe er een met twee toppings.'

Ryan fronste zijn wenkbrauwen.

'Wat is er?'

'Maar één pizza?'

'Jullie zijn maar samen.'

Ryan leek er niet blij mee.

'En als het niet genoeg is, liggen er ijswafels in de vriezer voor erna,' zei Adam. 'Is dat oké?'

'Goed dan,' zei Ryan half mopperend.

Adam liep door de gang naar de slaapkamer. Hij ging op de rand van het bed zitten, belde de pizzeria, bestelde de pizza en deed er een portie mozzarellasticks bij. Tienerjongens te eten geven was zoiets als een badkuip met water vullen met behulp van een theelepeltje. Corinne liep altijd te klagen – hoewel meestal breed glimlachend – dat ze minstens om de dag naar de supermarkt moest om eten te kopen.

'Hé, pa.'

Thomas had een handdoek om zijn middel geknoopt. Er droop water uit zijn haar. Hij glimlachte en vroeg: 'Wat eten we?'

'Ik heb net een pizza voor jullie besteld.'

'Peperoni?'

'Half peperoni, half geroosterde kip.' Adam stak zijn hand op voordat Thomas kon protesteren. 'En een portie mozzarella-sticks.'

Thomas stak zijn duim op naar zijn vader. 'Lekker.'

'Jullie hoeven niet alles op te eten. Leg wat er over is maar in de koelkast.'

Thomas keek hem verbaasd aan. 'Hoezo "wat er over is"?'

Adam schudde zijn hoofd en grinnikte. 'Heb je nog wat heet water voor me overgelaten?'

'Een beetje.'

'Fijn. Dank je.'

Normaliter zou Adam zich voor een gelegenheid als deze niet speciaal douchen en omkleden, maar hij had de tijd en voelde zich toch een tikje nerveus. Hij douchte snel, wist het eind van het hete water net voor te blijven en hij schoor het donkere Homer Simpson-waas van zijn wangen. Hij tastte met zijn hand achter in zijn kastje, vond het flesje aftershave waarvan hij wist dat Corinne die lekker vond ruiken en haalde het eruit. Hij had hem al een tijdje niet gebruikt. Hij wist niet waarom niet. En waarom hij hem nu wel gebruikte, wist hij evenmin.

Hij trok een blauw shirt aan omdat Corinne altijd zei dat blauw goed bij zijn ogen kleurde. Hij betrapte zichzelf hierop, vond zichzelf nogal stompzinnig en had bijna een ander shirt uitgezocht, maar toen dacht hij: ach, waarom niet? Toen hij klaar was, bleef hij in de deuropening staan, draaide zich om en bleef enige tijd kijken naar wat al zo lang hun kamer was. Het grote bed was netjes opgemaakt. Er lagen te veel kussens op – wanneer waren mensen daarmee begonnen, met al die kussens op hun bed? – maar Corinne en hij hadden er al heel wat tijd in doorgebracht. Een simpele, weinig ter zake doende gedachte, maar ja. Het was maar een kamer, en het was maar een bed.

Toch zei een stemmetje in Adams hoofd: hoe jullie etentje ook afloopt, er is een kans dat Corinne en jij hier nooit meer samen de nacht zullen doorbrengen.

Dat was natuurlijk wel erg melodramatisch. Zwaar overdreven. Maar als hij al niet eens meer in zijn eigen gedachten mocht overdrijven, wanneer dan nog wel?

De deurbel ging. Geen reactie van de jongens. Zoals altijd. Ze leken getraind om nooit de huistelefoon op te nemen – het was immers nooit voor hen? – en nooit de voordeur open te doen, want het was bijna altijd een of andere bezorger. Maar zodra Adam had betaald en de deur had gesloten, kwamen ze de trap afstormen als twee zwerfkinderen die al dagen niets hadden gegeten. Het huis schudde op zijn grondvesten, maar het bleef overeind.

'Mogen we papieren borden?' vroeg Thomas.

Thomas en Ryan aten alleen van papieren borden omdat die gemakkelijker op te ruimen waren, maar als hij ze vanavond dwong om van echte borden te eten, zou dat vrijwel zeker betekenen dat die op het aanrecht zouden staan als Corinne en hij thuiskwamen. Waarop Corinne zich zou beklagen bij Adam. Waarop Adam naar boven zou moeten roepen dat ze naar beneden moesten komen om hun bord in de vaatwasser te zetten. Waarop de jongens terug zouden roepen dat ze dat net van plan waren geweest – ja, dat zal wel – en dat ze over vijf minuten – lees: een kwartier – als hun tv-programma afgelopen was, naar beneden zouden komen om het te doen. Er zouden vijf minuten – lees: een kwartier – voorbijgaan, waarna Corinne zich opnieuw bij Adam zou beklagen over hoe gemakzuchtig de jongens waren en hij, met wat meer boosheid in zijn stem, naar boven zou moeten roepen.

De rolverdeling in een huishouden.

'Papieren borden zijn prima,' zei Adam.

De twee jongens vielen op de pizza aan alsof ze de slotscène van *Day of the Locust* repeteerden. Tussen twee happen door keek Ryan zijn vader nieuwsgierig aan.

'Wat is er?' vroeg Adam.

Het lukte Ryan te slikken. 'Ik dacht dat jullie gewoon bij Janice's gingen eten.'

'Dat gaan we ook.'

'Waarom dan die outfit?'

'Het is geen outfit.'

'En die geur?' vroeg Thomas.

'Heb je aftershave op?'

'Gadver. We zitten te eten, hoor.'

'Hou op,' zei Adam.

'Wil je een punt peperoni ruilen voor een punt kip?'

'Nee.'

'Ah, kom op, één punt maar.'

'Als je er een mozzarellastick bij doet.'

'Mooi niet. Een halve.'

Adam liep naar de deur terwijl de onderhandelingen nog gaande waren. 'We zijn niet laat thuis. Doe je huiswerk en doe de pizzadoos alsjeblieft bij het karton, oké?'

Adam nam Franklin Avenue, reed langs de nieuwe yogatent die 'hot' werd genoemd – vanwege de temperatuur binnen, niet vanwege de populariteit of de aankleding – en vond een parkeerplek op één straat afstand van Janice's. Hij was vijf minuten te vroeg. Hij keek of hij Corinnes auto ergens zag staan. Die zag hij niet, maar misschien stond hij op het parkeerterrein achter de bistro.

David, Janice' zoon die min of meer als hoofdkelner optrad, begroette hem bij de deur en bracht hem naar een tafeltje achterin. Geen Corinne. Nou ja, hij was tenslotte te vroeg. Het hoefde niets te betekenen te hebben. Na twee minuten kwam Janice de keuken uit. Adam stond op en kuste haar op de wang.

'Waar is je wijn?' vroeg Janice. Haar bistro was een *bring your own*. Adam en Corinne namen altijd zelf een fles wijn mee.

'Vergeten.'

'Neemt Corinne die mee?'

'Dat betwijfel ik.'

'Ik kan David naar Carlo Russo's sturen.'

Carlo Russo's was de wijnhandel verderop in de straat.

'Dat hoeft niet.'

'Kleine moeite. Het is nu tamelijk rustig. David?' Janice draaide zich weer om naar Adam. 'Wat nemen jullie vanavond?'

'Het kalfsvlees Milanese, denk ik.'

'David, ga voor Adam en Corinne een fles Paraduxx Z Blend halen.'

Na een paar minuten was David terug met de fles. Corinne was er nog niet. David maakte de fles open en schonk twee glazen in. Corinne was er nog steeds niet. Om kwart over zeven kreeg Adam een onheilspellend gevoel in zijn maag. Hij sms'te Corinne. Geen antwoord. Om half acht kwam Janice naar zijn tafeltje en vroeg hem of alles oké was. Adam stelde haar gerust en zei dat Corinne waarschijnlijk was opgehouden door een of andere bespreking op school.

Adam staarde naar zijn telefoon als om die te dwingen over te gaan. Om kwart voor acht gebeurde dat.

Het was een sms van Corinne.

Ik heb even wat tijd voor mezelf nodig. Zorg jij voor de kinderen? Probeer geen contact met me op te nemen. Het komt wel weer goed.

En daaronder:

Geef me een paar dagen de tijd. Alsjeblieft.

13

A dam stuurde haar diverse sms'jes in de hoop dat ze zou antwoorden. Die varieerden van: Dit is toch niet de manier om dit op te lossen? Bel me alsjeblieft, waar ben je? En: Hoeveel dagen? Tot: Hoe kun je ons dit aandoen? En nog veel meer. Hij probeerde alles: vriendelijk, vals, kalm, boos.

Maar antwoord kreeg hij niet.

Was alles wel in orde met Corinne?

Hij vertelde Janice een zwakke smoes over Corinne die was opgehouden en had moeten afzeggen. Janice stond erop dat hij twee porties kalfsvlees Milanese mee naar huis zou nemen. Hij wilde nog protesteren, maar dat had bij Janice geen enkele zin.

Toen hij hun straat inreed, had hij nog steeds een sprankje hoop dat Corinne van gedachten was veranderd en naar huis was gegaan. Ze mocht dan boos op hem zijn, maar de jongens daarvoor in de steek laten was iets heel anders. Maar haar auto stond niet op de oprit en het eerste wat Ryan vroeg toen hij binnenkwam was: 'Waar is mama?'

'Ze heeft iets op haar werk,' zei Adam, zo vaag en achteloos mogelijk.

'Ik heb morgen mijn thuistenue nodig.'

'Ja, en?'

'Ik had het in de was gedaan. Weet jij of mama het heeft gewassen?'

'Nee,' zei Adam. 'Waarom kijk je niet in de wasmand?'

'Dat heb ik gedaan.'

'En in je kast?'

'Heb ik ook al gekeken.'

Je ziet de tekortkomingen van jou en je partner altijd terug in je kind. Ryan kon zich om de kleinste zaken druk maken, net als Corinne. Grote zaken – hypotheekaflossingen, ziektes of ongelukken – hielden haar nauwelijks bezig. Daar maakte ze zich pas zorgen om wanneer die zich aandienden. Misschien omdat ze het te druk had met alle onbelangrijke zaken waar ze zich als een pitbull in vastbeet, of misschien omdat ze in het leven stond als een sportvrouw die pas piekte als het moment daar was.

Maar, laten we eerlijk zijn, dit was geen onbelangrijke zaak voor Ryan.

'Misschien ligt hij nog in de wasmachine of de droger,' zei Adam.

'Heb ik ook al gekeken.'

'Nou, dan zou ik het niet weten, knul.'

'Wanneer komt mama thuis?'

'Dat weet ik niet.'

'Na tienen?'

'Welk deel van "dat weet ik niet" is je niet helemaal duidelijk?'

Het klonk meer kortaf dan Adam had bedoeld. Ryan was ook net zo overgevoelig als zijn moeder.

'Hoor eens, ik wilde je niet...'

'Ik stuur mama wel een sms.'

'Goed idee. O, en laat het me weten als ze antwoord geeft, wil je?'

Ryan knikte en begon een bericht in te toetsen.

Maar Corinne antwoordde niet meteen. Ook niet na een uur. Zelfs niet na twee uur. Adam verzon een halfslachtige smoes over een lerarenvergadering die uitgelopen was. Dat geloofden de jongens wel, omdat ze nooit veel aandacht aan dat soort dingen besteedden. Adam beloofde Ryan dat hij het tenue zou terugvinden voordat de wedstrijd begon.

Het was natuurlijk duidelijk dat Adam tot op zekere hoogte blokkeerde wat er echt aan de hand was. Was alles in orde met Corinne? Was haar iets vreselijks overkomen? Moest hij naar de politie stappen?

Dat laatste leek hem een domme zet. De politie zou zijn verhaal over hun ruzie aanhoren, Corinnes sms lezen over dat hij haar een paar dagen met rust moest laten en hem hoofdschuddend aankijken. En zeg nu zelf, als je erover nadacht, was het zo bizar dat zijn vrouw even wat afstand van hem wilde nemen nadat hij haar had geconfronteerd met wat hem was verteld?

De slaap kwam in kleine porties. Adam keek talloze keren op zijn telefoon om te zien of er een sms van Corinne was. Zonder resultaat. Om drie uur 's nachts sloop hij naar Ryans kamer om te kijken of er op zíjn telefoon iets was binnengekomen. Ook niets. Dit sloeg nergens op. Dat ze Adam wilde vermijden, dat kon hij best begrijpen. Misschien was ze boos op hem, of bang, of in verwarring, of voelde ze zich in het nauw gedreven. Dan was het niet eens onredelijk dat ze hem een paar dagen niet wilde zien.

Maar haar jongens?

Was Corinne echt in staat om haar jongens aan hun lot over te laten? En verwachtte ze van hem dat hij smoezen bleef verzinnen?

... Zorg jij voor de kinderen? Probeer geen contact met me op te nemen...

Waar sloeg dat nu weer op? Waarom zou hij geen contact met haar mogen opnemen? En waarom...

Hij ging rechtop zitten toen de zon door het raam naar binnen kwam. Hallo.

Het was mogelijk dat Corinne bij hem weg wilde. Misschien wilde ze hem zelfs dwingen om voor de jongens te zorgen.

Maar haar leerlingen dan?

Corinne had haar werk op school altijd heel serieus genomen, net als de andere dingen die er voor haar toe deden. Ze was ook een beetje een controlefreak, en ze was wars van het idee dat een minder goed voorbereide vervanger haar klas zelfs maar een dag zou overnemen. Opmerkelijk, als je erover nadacht. Ze had in de afgelopen vier jaar maar één dag school gemist.

De dag na haar 'miskraam'.

Dat was op een donderdag geweest. Adam was laat thuisgekomen van zijn werk en had haar huilend in bed aangetroffen. Toen de vreselijke krampen begonnen, had ze hem verteld, was ze zelf naar de huisarts gereden. Ze was te laat geweest, maar ook al was ze eerder gegaan, dan nog had de arts niet veel voor haar kunnen doen, zei ze. Dit soort dingen gebeuren, helaas, had de arts tegen haar gezegd.

'Waarom heb je me niet gebeld?' had Adam gevraagd. 'Ik wilde niet dat je je zorgen zou maken, of dat je als een gek naar huis zou komen rijden. Er was toch al niks meer aan te doen.'

En hij had haar geloofd.

Corinne had de dag daarna gewoon willen gaan werken, maar dat had Adam haar verboden. Ze had een traumatische ervaring gehad. Dan kon je de volgende dag niet gewoon opstaan en weer gaan werken. Hij had de telefoon gepakt en die aan haar gegeven.

'Bel de school en zeg ze dat je niet komt.'

Met tegenzin had ze gedaan wat hij haar opdroeg en ze had gezegd dat ze er na het weekend weer zou zijn. Adam had toentertijd gedacht dat dit Corinnes manier was om met traumatische dingen om te gaan. Ga door met je leven. Ga weer aan het werk. Geen reden om te blijven treuren. Hij had zich verbaasd over haar snelle herstel.

Tja, hoe naïef kon je zijn?

Aan de andere kant, was het zíjn schuld geweest? Wie verwacht er nou oneerlijkheid op een traumatisch moment als dat? Waarom zou hij haar woord in twijfel trekken in zo'n ernstige situatie? Zelfs als hij erop terugkeek had hij geen idee waarom Corinne zoiets... schokkends zou doen. Was ze gestoord? Wanhopig? Wilde ze hem manipuleren?

Waarom?

Maar dat deed nu niet ter zake. Waar het om ging was dat Corinne op school zou zijn. Ze mocht er dan voor hebben gekozen hem en zelfs haar jongens een tijdje uit de weg te gaan, maar er was geen reden dat ze vandaag niet op school zou zijn.

De jongens waren oud genoeg om zichzelf klaar te maken om naar school te gaan. Adam slaagde erin ze zo veel mogelijk te ontlopen, deed hun vragen over waar hun moeder was af met korte, loze kreten vanuit de slaapkamer en hij bleef langer onder de douche staan dan gewoonlijk.

Toen de jongens de deur uit waren, reed hij naar Corinnes school. Het eerste uur was al begonnen. Perfect. Adam kon naar binnen gaan en haar aanspreken als ze de klas uit kwam. Haar lokaal was nummer 233, wist Adam. Hij zou haar bij de deur opwachten.

De school was gebouwd in de jaren zeventig en zo rook hij ook. Wat destijds als verfrissend en modern werd gezien, zag er nu uit als de set van een oude sciencefictionfilm, van *Logan's Run* of zoiets. Alles was grijs met verschoten blauwgroene accenten. Het had wel iets van een zwembad, of van de kleedruimte van een oud ijshockeystadion.

Er waren geen vrije plekken op het parkeerterrein van de school. Adam zette de auto op een plek waar hij niet mocht staan – hij was altijd al een thrillseeker geweest – en haastte zich naar de school. De zijdeur zat op slot. Adam had dit nooit eerder gedaan, Corinne overdag opzoeken op school, maar hij wist dat scholen tegenwoordig strenge beveiligingsmaatregelen naleefden als gevolg van de vele schietpartijen en andere geweldsdelicten. Hij liep om naar de hoofdingang. Ook die zat op slot. Hij drukte op de knop van de intercom.

Een camera draaide zijn kant op en een vermoeide vrouwenstem, die alleen van iemand van de administratie kon zijn, vroeg hem wie hij was.

Adam keek met zijn meest ontwapenende glimlach in de camera. 'Adam Price. Corinnes man.'

De zoemer ging en Adam kon de deur openduwen. Op een bord stond de mededeling: MELDEN BIJ DE BALIE. Hij wist niet of hij dat wel moest doen. Als hij zich meldde, zouden ze willen weten waarom hij was gekomen en waarschijnlijk naar Corinnes klas bellen. Dat wilde hij juist niet. Hij wilde haar verrassen, of in elk geval niet hoeven uitleggen wat de reden van zijn komst was. De deur van de receptie was rechts van hem. Adam stond op het punt zich om te draaien en de gang aan de linkerkant in te lopen toen hij de gewapende beveiligingsman zag. Hij glimlachte zo geruststellend mogelijk naar de man. De beveiligingsman glimlachte terug. Hij had nu geen keus meer. Hij moest de receptie binnengaan. Hij duwde de deur open en werkte zich langs een paar moeders van leerlingen. Midden in het vertrek stond een grote wasmand voor de lunchpakketjes die ouders hun kinderen kwamen nabrengen.

De grote klok aan de muur zoemde en tikte. Het was 8.17 uur. Over drie minuten zou de tweede bel gaan. Oké, prima. Het bezoekersboek lag op de balie. Quasi-ongeïnteresseerd pakte Adam de pen – meneer Achteloos. Hij schreef zich in, zette er een onleesbare handtekening achter en pakte een bezoekerspas. De twee vrouwen achter de balie waren druk met elkaar in gesprek. Ze keken niet eens zijn kant op.

Geen reden om langer te wachten.

Hij liep het kantoor uit, liet zijn bezoekerspas aan de beveiligingsman zien en haastte zich de gang in. Zoals de meeste scholen was ook deze in de loop der jaren uitgebreid met een aantal bijgebouwen, wat het navigeren door het gangenstelsel tot een hachelijk avontuur kon maken. Desondanks lukte het Adam, toen de bel ging, om op een plek te staan waar hij de deur van lokaal 233 goed kon zien.

De leerlingen kwamen de klas uit en wrongen zich door de gangen als bloedlichaampjes in een medische documentaire over dichtgeslibde aderen. Adam wachtte totdat de stroom leerlingen afnam en ten slotte ophield. Toen, een paar seconden later, kwam een jonge man van nog geen dertig de klas uit en liep linksaf de gang in.

Een vervanger.

Adam stond daar, met zijn rug tegen de muur om de leerlingen te laten passeren en niet door de stroom te worden meegesleurd. Hij wist niet goed wat hij moest denken of doen. Verbaasde deze nieuwe ontwikkeling hem eigenlijk wel? Hij wist het niet. Hij probeerde de stukjes in elkaar te passen, te denken aan de dingen – de nepzwangerschap, de vreemde, de confrontatie – die ertoe hadden geleid dat zijn vrouw hem een paar dagen lang niet wilde zien.

Hij begreep er niets van.

Wat moest hij nu doen?

Hij kon niet echt iets doen. Of in elk geval niet op dit moment. Ga naar kantoor. Doe je werk. Denk er nog eens goed over na. Er ontging hem iets, dat wist hij wel. Corinne had dat bijna woordelijk tegen hem gezegd, nietwaar?

Het is niet wat je denkt, Adam. Er zit veel meer achter…

Toen de stroom leerlingen voorbij was, ging hij op weg naar de hoofdingang. Hij was diep in gedachten en wilde net een hoek omlopen toen een stalen klauw zich om zijn arm sloot. Hij draaide zich om en zag Kristin Hoy, de vriendin van zijn vrouw.

'Wat is er in hemelsnaam aan de hand?' vroeg ze op fluistertoon.

'Wat?'

Haar spieren waren duidelijk niet alleen voor de show. Ze trok hem een leeg scheikundelokaal in en deed de deur dicht. Hij zag werktafels met glazen laboratoriumkolven en roestvrijstalen spoelbakken met hoge kranen. Aan de muur, heel cliché maar aanwezig in elk scheikundelokaal, hing een reusachtige kaart waarop alle elementen stonden afgebeeld.

'Waar is ze?' vroeg Kristin.

Adam wist niet goed hoe hij het moest aanpakken, dus zei hij gewoon de waarheid. 'Dat weet ik niet.'

'Hoe kun je dat nou niet weten?'

'We hadden gisteravond ergens afgesproken om samen te eten. Ze is niet komen opdagen.'

'Heeft ze je...' Kristin schudde niet-begrijpend haar hoofd. 'Heb je de politie gebeld?'

'Wat? Nee.'

'Waarom niet?'

'Dat weet ik niet. Ze heeft me een sms gestuurd. Ze zei dat ze tijd voor zichzelf nodig had en even weg wilde.'

'Weg waarvan?'

Adam keek haar alleen maar aan.

'Van jou?' vroeg Kristin.

'Blijkbaar.'

'O, vervelend voor je,' zei Kristin opgelaten, en ze deed een stap achteruit. 'Maar wat kom je hier doen?'

'Ik wil weten of alles oké met haar is. Ik ging ervan uit dat ze hier zou zijn. Ze meldt zich nooit ziek.'

'Nee, nooit,' beaamde Kristin.

'Behalve vandaag, schijnt het.'

Kristin dacht hierover na. 'Ik neem aan dat jullie een flinke ruzie hebben gehad?'

Adam wilde hier liever niet op ingaan, maar hij had geen keus. 'Er is onlangs iets gebeurd,' zei hij, op zo neutraal mogelijke juristentoon.

'En dat gaat mij niks aan, zeker?'

'Precies.'

'Maar in zekere zin gaat het mij wel aan, want Corinne heeft mij erbij betrokken.'

'Hoe bedoel je?'

Kristin zuchtte en sloeg haar hand voor haar mond. Buiten schooltijd droeg ze altijd kleding die haar gespierde lichaam accentueerde. Mouwloze truitjes, piepkleine shorts en korte rokjes, ook als het weer zich er niet voor leende. Maar hier op school droeg ze wat behoudender kleding, hoewel de open boord van haar blouse de spieren van haar hals en sleutelbeenderen vrijliet.

'Ik heb ook een sms van haar gehad,' zei ze.

'Wat stond erin?'

'Adam?'

'Ja?'

'Ik wil hier niet bij betrokken worden, dat begrijp je wel, hè? Jullie hebben relatieproblemen. Dat heb ik eruit begrepen.'

'We hebben geen relatieproblemen.'

'Maar je zei net…'

'We hebben één probleem en dat is onlangs aan het licht gekomen.'

'Wanneer?'

'Wat? Dat probleem?'

'Ja.'

'Eergisteren.'

'O,' zei Kristin.

'Wat bedoel je met "o"?'

'Nou, dat… Ik bedoel dat Corinne zich al ongeveer een maand wat vreemd gedraagt.'

Adam deed zijn best zijn gezicht in de plooi te houden. 'Hoezo "vreemd"?'

'Gewoon, ik weet het niet, anders. Afwezig. Ze heeft me een paar keer gevraagd een klas van haar over te nemen. Ze heeft een paar trainingen gemist en ze zei…'

Kristin zweeg abrupt.

'Wat zei ze?' drong Adam aan.

'Ze zei dat als iemand me vroeg waar ze was, ik moest zeggen dat ze met mij naar de sportschool was geweest.'

Stilte.

'En met iemand bedoelde ze mij?'

'Nee, zo heeft ze het niet gezegd. Hoor eens, ik moet terug naar mijn klas. Mijn volgende les begint zo.'

Adam versperde haar de weg. 'Wat stond er in die sms, Kristin?'

'Wat?'

'Je zei dat ze je gisteren een sms had gestuurd. Wat stond erin?'

'Hoor eens, Corinne en ik zijn vriendinnen. Dat weet je best.'

'Ik vraag je toch niet haar vertrouwen te beschamen?'

'Ja, Adam, dat vraag je wel.'

'Ik wil alleen weten of alles oké met haar is.'

'Waarom zou dat niet zo zijn?'

'Omdat dit niks voor haar is.'

'Misschien is het gewoon zoals ze tegen jou heeft gezegd. Dat ze even tijd voor zichzelf nodig heeft.'

'Heeft ze dat aan jou ge-sms't?'

'Zoiets, ja.'

'Wanneer?'

'Gistermiddag.'

'Wacht, hoe laat? Na schooltijd?'

'Nee,' zei Kristin na iets te lang wachten. 'Onder schooltijd.'

'Onder schooltijd?'

'Ja.'

'Hoe laat?'

'Weet ik veel. Een uur of twee.'

'Was ze niet op school?'

'Nee.'

'Heeft ze gisteren ook verstek laten gaan?'

'Niet de hele dag,' zei Kristin. 'Ik heb Corinne 's morgens gezien. Ze deed nogal gestrest. Waarschijnlijk omdat jullie ruzie hadden gehad.'

Adam zei niets.

'Ze zou toezicht houden op de huiswerkklas tijdens de lunch-pauze, maar ze vroeg me of ik het van haar kon overnemen. Dat heb ik gedaan. Ik zag haar naar haar auto rennen.'

'Waar ging ze naartoe?'

'Dat weet ik niet. Dat heeft ze niet gezegd.'

Stilte.

'Is ze nog teruggekomen naar school?'

Kristin schudde haar hoofd. 'Nee, Adam. Daarna heb ik haar niet meer gezien.'

14

De vreemde had Heidi de link van VINDJESNOEPJE.COM gegeven, plus de gebruikersnaam en het wachtwoord van haar dochter. Het ergste vermoedend had Heidi ingelogd als Kimberly en ontdekte ze dat alles wat de vreemde haar had verteld waar was.

Hij had het haar niet alleen verteld uit goedhartigheid, of juist uit harteloosheid. Hij had natuurlijk ook geld geëist. Tienduizend dollar was het bedrag. Ze kreeg drie dagen om het te betalen, anders zou het nieuws over Kimberly's 'hobby' wereldkundig worden gemaakt.

Heidi logde uit en zeeg met een diepe zucht op de bank neer. Ze had een glas wijn voor zichzelf willen inschenken, maar besloot ervan af te zien. Vervolgens ging ze een potje zitten janken. Toen ze uitgehuild was, liep ze naar de badkamer. Ze waste haar gezicht met koud water en ging weer op de bank zitten.

Oké, dacht ze, wat ga ik hieraan doen?

Heidi's eerste besluit was het eenvoudigst: zeg het niet tegen Marty. Ze hield niet graag dingen geheim voor haar man, maar aan de andere kant was ze er ook niet echt op tegen. Het hoorde bij het leven, nietwaar? Marty zou gek worden als hij te weten kwam wat zijn kleine meisje uitspookte terwijl ze werd verondersteld aan de NYU te studeren. Marty reageerde altijd heel heftig en Heidi vermoedde dat hij in zijn auto zou springen, naar Manhattan zou rijden en zijn dochter aan haar haren mee naar huis zou slepen.

Marty hoefde de waarheid niet te weten. Heidi zelf eigenlijk liever ook niet.

Die twee vreemden konden doodvallen.

Toen Kimberly op high school zat, had ze een keer te veel ge-dronken op een feestje van een klasgenootje. Haar dronkenschap had ertoe geleid, zoals wel vaker gebeurt, dat ze iets te ver was ge-gaan met een jongen. Niet het hele traject. Maar toch te ver. Een andere moeder, een bemoeial die het goed bedoelde, had haar dochter over het incident horen praten. Vervolgens had ze Heidi gebeld en gezegd: 'Ik vind het niet leuk om het je te vertellen, maar als de rollen omgekeerd waren, zou ik het ook willen we-ten.'

Dus had ze Heidi verteld wat er had plaatsgevonden. Heidi had het verteld aan Marty, die woest was geworden. De relatie tussen vader en dochter was daarna nooit meer hetzelfde geweest. Heidi vroeg zich af wat de uitkomst zou zijn geweest als de bemoeizuch-tige moeder haar niet had gebeld. En wat het had opgeleverd dat ze haar wel had gebeld. Haar dochter had zich kapotgeschaamd. Het had de relatie tussen vader en dochter op scherp gezet. Heidi meende dat het een belangrijke rol had gespeeld in Kimberly's besluit om aan een universiteit ver van huis te gaan studeren. En misschien had dat stomme telefoontje van die stomme bemoeial er zelfs toe geleid dat Kimberly – en uiteindelijk ook Heidi – op die vreselijke website terecht was gekomen en dat ze relaties met drie verschillende mannen was aangegaan.

Heidi wilde het niet geloven, maar de bewijzen in de 'privé-communicaties' tussen haar dochter en deze oudere mannen wa-ren onweerlegbaar. Ze kon het zo mooi maken als ze wilde, maar ze kon op geen enkele manier om het feit heen dat haar dochter zich met onvervalste prostitutie bezighield.

Ze wilde weer gaan huilen. Het liefst had ze niets gedaan en had ze alles vergeten wat die twee doodkalme vreemden tegen haar hadden gezegd. Maar ze had nu geen keus meer, was het wel? Ze was met het geheim om de oren geslagen. Dat paard kreeg ze niet zomaar terug in de stal, om bij haar metaforen te blijven. Het was de paradox van alle ouders, waarschijnlijk zo oud als de mensheid: ze wilde het tegelijk wel en niet weten.

Toen ze haar dochter op haar mobiel belde, antwoordde Kim-berly enthousiast als altijd. 'Hi, ma.'

'Hi, schat.'

'Alles goed met je? Je stem klinkt anders dan anders.'

Eerst had Kimberly het ontkend. Dat was te verwachten. Daarna had ze gedaan alsof het niet veel voorstelde. Ook dat was te verwachten. Vervolgens had Kimberly verontwaardigd gereageerd, had ze haar moeder ervan beschuldigd dat ze haar account had gehackt en haar privacy had geschonden. En ook dat was te verwachten.

Heidi bleef op kalme toon tegen haar praten, ook al deed elk woord haar pijn en brak haar hart in duizend stukken. Ze vertelde Kimberly over de twee vreemden. Ze vertelde wat die tegen haar hadden gezegd en wat Heidi nu zelf had gezien. Heel geduldig. Heel kalm. Tenminste, zo leek het.

Het kostte wat tijd, maar ze wisten allebei welke kant hun gesprek op zou gaan. Kimberly, in het nauw gedreven en de eerste schrik te boven, begon het toe te geven. Ze zat krap bij kas, legde ze uit.

'Je hebt geen idee hoe duur alles hier is.'

Een jaargenoot had Kimberly over de website verteld. Je hoefde niet echt iets te doen met die mannen, was haar verteld. Ze wilden de jonge meisjes alleen als gezelschap. Heidi schoot bijna in de lach toen ze dit hoorde. Mannen, wist Heidi maar al te goed en had Kimberly snel ontdekt, wilden nooit alleen maar gezelschap. Dat was de eeuwige, doorzichtige smoes om je in bed te krijgen.

Heidi en Kimberly praatten twee uur lang met elkaar. Aan het eind van het gesprek vroeg Kimberly haar moeder wat ze moest doen.

'Zet er een punt achter met die mannen. Vandaag nog. Nu meteen. Met alle drie.'

Kimberly beloofde dat ze dat zou doen. De volgende vraag was: hoe nu verder? Heidi zei dat ze vrij zou nemen, naar New York zou komen en een tijdje bij haar zou blijven. Kimberly begon terug te krabbelen toen ze dat hoorde.

'Over twee weken is het semester afgelopen. Laten we tot dan wachten.'

Dat idee beviel Heidi niet, maar uiteindelijk spraken ze af dat ze er de volgende ochtend nog eens over zouden bellen. Voordat ze hun gesprek beëindigden zei Kimberly: 'Mam?'

'Ja?'

'Zeg het alsjeblieft niet tegen papa.'

Dat had ze zelf al besloten, maar dat hoefde Kimberly niet te weten. Toen Marty thuiskwam, zei ze niets. Marty grilde hamburgers op de barbecue in de achtertuin. Heidi schonk voor beiden een drankje in. Marty vertelde over zijn werkdag. Zij over die van haar. Het geheim was er natuurlijk nog wel. Het hing als een donkere schaduw boven Kimberly's oude stoel aan de keukentafel, het zei geen woord, maar het weigerde ook te vertrekken.

De volgende ochtend, toen Marty naar zijn werk was gegaan, werd er op de deur geklopt.

'Wie is daar?'

'Mevrouw Dann? Ik ben rechercheur John Kuntz van de politie van New York. Zou ik u even...'

Heidi rukte de deur met zo'n kracht open dat ze bijna omviel.

'O mijn god, mijn dochter...'

'O, met uw dochter is alles in orde,' zei Kuntz snel, en hij deed een stap naar voren om haar op te vangen. 'Jeetje, het spijt me echt. Dat had ik meteen tegen u moeten zeggen. Ik zie het voor me... Uw dochter studeert in New York en dan staat er ineens een rechercheur van de NYPD voor uw deur.' Kuntz schudde zijn hoofd. 'Ik heb zelf ook kinderen. Ik begrijp het helemaal. Maakt u zich geen zorgen, met Kimberly is alles in orde. Althans, voor zover het haar fysieke gezondheid betreft. Er zijn echter andere factoren...'

'Factoren?'

Kuntz glimlachte. Zijn tanden stonden iets te ver van elkaar. Zijn haar was dwars over zijn kale schedel gekamd, op die afstotelijke manier waardoor je geneigd bent een schaar te pakken, het resterende haar vast te grijpen en het af te knippen. Ze schatte hem op een jaar of vijfenveertig. Hij had een buikje, hangende schouders en de diepliggende ogen van iemand die ongezond at of niet genoeg slaap kreeg.

'Mag ik even binnenkomen?'

Kuntz liet haar zijn penning zien. Die zag er, voor zover Heidi kon beoordelen, echt uit.

'Waar gaat het over?'

'Ik denk dat u dat wel weet.' Kuntz knikte naar de deur. 'Mag ik?'

Heidi deed een stap achteruit. 'Nee,' zei ze.

'Wat "nee"?'

'Ik heb geen idee waar dit over gaat.'

Kuntz kwam binnen en keek om zich heen alsof hij van plan was het huis te kopen. Enkele van zijn haren waren door statische elektriciteit overeind gesprongen. Kuntz streek ze glad en zei: 'Nou, u hebt gisteravond met uw dochter gebeld. Klopt dat?'

Heidi wist niet goed wat ze daarop moest antwoorden. Het maakte ook geen verschil. Kuntz ging gewoon door zonder op antwoord te wachten.

'We weten dat uw dochter betrokken is bij activiteiten die onwettig zouden kunnen zijn.'

'Wat bedoelt u?'

Hij ging op de bank zitten. Zij nam plaats in de fauteuil ertegenover.

'Mag ik u om een gunst vragen, mevrouw Dann?'

'En die is?'

'Het is maar een kleine gunst, maar ik denk dat het dit gesprek voor ons allebei aanzienlijk zal vereenvoudigen. Laten we ophouden met doen alsof, oké? Dat is pure tijdverspilling. Uw dochter Kimberly doet aan internetprostitutie.'

Heidi keek hem aan en zei niets.

'Mevrouw Dann?

'Ik denk dat u beter kunt gaan.'

'Ik ben hier om jullie te helpen.'

'U uit beschuldigingen. Ik denk dat ik eerst maar eens met een advocaat ga praten.'

Kuntz streek weer een paar opgesprongen haren vlak. 'Dat ziet u verkeerd.'

'Hoezo?'

'Het gaat ons niet om wat uw dochter wel of niet heeft gedaan. Het is een licht vergrijp en weet u, op internet is de grens tussen prostitutie en een zakelijke relatie uiterst vaag. Aan de andere kant, daarbuiten misschien ook wel. Maar we zijn er niet op uit om het u of uw dochter moeilijk te maken.'

'Wat willen jullie dan?' vroeg Heidi.

'Uw medewerking. Dat is alles. Als u en Kimberly bereid zijn ons te helpen, zie ik geen reden waarom we haar rol hierin niet zouden kunnen vergeten.'

'Haar rol waarin?'

'Laten we dit stap voor stap doen, zullen we?' Kuntz haalde een kleine blocnote uit zijn zak. Daarna haalde hij uit zijn borstzak zo'n kort potloodje dat golfers gebruiken om hun score te noteren. Hij likte aan de punt van het potloodje en keek Heidi weer aan. 'Ten eerste, hoe bent u erachter gekomen dat uw dochter actief was op die "snoepjes"-website?'

'Wat maakt dat uit?'

Kuntz haalde zijn schouders op. 'Het is maar een routinevraag.'

Heidi zei niets. De lichte tinteling achter in haar nek werd een fractie sterker.

'Mevrouw Dann?'

'Ik denk dat ik toch beter een advocaat kan bellen.'

'O,' zei Kuntz. Hij trok een gezicht als een leraar die onverwacht teleurgesteld werd door zijn beste leerling. 'Dan heeft uw dochter tegen ons gelogen. Dat ziet er ineens een stuk minder goed uit, moet ik u bekennen.'

Heidi wist dat hij probeerde haar uit haar tent te lokken. De stilte duurde zo lang voort dat ze nog nauwelijks durfde adem te halen. Toen ze dat niet langer kon volhouden vroeg ze: 'Waarom denkt u dat mijn dochter heeft gelogen?'

'Nou, Kimberly heeft ons verteld dat u op een volstrekt legale manier achter het bestaan van die website bent gekomen. Ze heeft ons verteld dat twee mensen, een man en een vrouw, u voor de deur van een restaurant staande hebben gehouden en dat ze u hebben verteld wat er gaande was. Maar ziet u, als dat waar was, begrijp ik niet waarom u dat niet aan mij zou willen vertellen. U hebt immers niets onwettigs gedaan?'

Het begon Heidi te duizelen. 'Ik begrijp hier niks van. Wat komt u hier eigenlijk doen?'

'Een redelijke vraag, denk ik.' Kuntz zuchtte en ging verzitten op de bank. 'Weet u wat de Cyber Crime Unit is?'

'Die zal iets te maken hebben met misdaden op internet, stel ik me voor.'

'Helemaal goed. Ik ben van de ccu – dat staat voor Cyber Crime Unit – een relatief nieuwe divisie van de politie van New York. Wij houden ons bezig met mensen die het internet op een strafbare manier gebruiken – hackers, scammers en dat soort lieden – en we hebben het sterke vermoeden dat de twee personen die u bij dat restaurant hebben aangesproken deel uitmaken van een groep internetcriminelen waar we al lange tijd jacht op maken.'

Heidi slikte. 'Juist.'

'En we hopen dat u ons wilt helpen met het opsporen en identificeren van de mensen die hier wellicht bij betrokken zijn. Klinkt dat redelijk? Dus laten we nog eens opnieuw beginnen, oké? Dus, bent u op het parkeerterrein van een restaurant aangesproken door twee mensen, ja of nee?'

Ze had nog steeds dat tintelende gevoel in haar nek, maar ze zei: 'Ja.'

'Mooi.' Kuntz glimlachte zijn uit elkaar staande tanden bloot. Hij schreef iets op zijn blocnote en keek haar weer aan. 'Welk restaurant was dat?'

Ze aarzelde.

'Mevrouw Dann?'

'Ik begrijp iets niet,' zei Heidi uiteindelijk.

'Wat is dat, mevrouw?'

'Ik heb mijn dochter pas gistermiddag gesproken.'

'Ja.'

'Wanneer hebt u haar dan gesproken?'

'Gisteravond.'

'En hoe bent u zo snel hier gekomen?'

'Met het vliegtuig, vanochtend. Wij hechten veel belang aan deze zaak.'

'Maar hoe bent u die op het spoor gekomen?'

'Pardon?'

'Mijn dochter heeft niet gezegd dat ze de politie zou bellen.

Dus hoe kunt u weten dat...' Ze stopte met praten. Haar gedachten volgden diverse paden. Die allemaal even duister waren.

'Mevrouw Dann?'

'Ik denk dat u beter kunt gaan.'

Kuntz knikte. Hij streek weer een paar haren glad, van het ene oor naar het andere. Toen zei hij: 'Het spijt me, maar dat kan ik niet doen.'

Heidi stond op en liep naar de deur. 'Ik praat niet meer met u.'

'Ja, dat doe je wel.'

Zonder van de bank op te staan slaakte Kuntz een soort zucht, trok zijn pistool, richtte heel zorgvuldig op Heidi's knieschijf en haalde de trekker over. De knal klonk minder hard dan ze had verwacht, maar de pijn was des te intenser. Als een kapotte klapstoel zakte ze in elkaar. Onmiddellijk was hij bij haar en drukte zijn hand op haar mond om haar schreeuw te smoren. Hij bracht zijn lippen bij haar oor.

'Als je schreeuwt, maak ik je heel langzaam af en daarna begin ik aan je dochter,' fluisterde Kuntz. 'Is dat duidelijk?'

De pijn kwam in golven, zo intens dat ze bijna het bewustzijn verloor. Kuntz drukte de loop van het pistool tegen haar andere knie. 'Is dat duidelijk, mevrouw Dann?'

Ze knikte.

'Mooi zo. Dan proberen we het nog een keer. Hoe heette dat restaurant?'

15

Adam zat in zijn kantoor en dacht voor de duizendste keer aan wat er was gebeurd toen de volgende, simpele vraag zich aandiende: als Corinne inderdaad had besloten bij hem weg te gaan, waar zou ze dan naartoe gaan?

Eerlijk gezegd had hij geen idee.

Corinne en hij waren altijd zo'n hecht koppel geweest, zo'n eenheid, dat het idee dat ze zonder hem of haar gezin ergens naartoe zou vluchten nooit in hem was opgekomen. Corinne had vriendinnen die ze misschien zou bellen. Vrouwen die ze van school kende. En er waren een paar familieleden met wie ze contact kon opnemen. Maar hij kon zich nauwelijks voorstellen dat ze bij een van deze mensen zou logeren of dat ze ze in vertrouwen zou nemen. Zo openhartig was ze doorgaans niet tegen anderen, afgezien van, tja... Adam.

Dus wellicht was Corinne alleen.

Dat lag het meest voor de hand. Waarschijnlijk verbleef ze in een hotel. Maar ze zou hoe dan ook geld nodig hebben, en dat was een belangrijk punt, want dat betekende dat ze geld moest opnemen bij een pinautomaat of betalingen zou doen met haar creditcard.

Ga dat dan na, domkop.

Corinne en hij hadden twee gezamenlijke rekeningen. Voor de ene hadden ze een betaalpas en voor de andere gebruikten ze een creditcard. Corinne was niet erg goed met financiële zaken. Die deed Adam altijd, dat was een van zijn taken in het huishouden. Dus hij kende alle gebruikersnamen en wachtwoorden.

Kortom, hij kon zien of ze geld had gepind of iets met de creditcard had betaald.

Adam besteedde de daaropvolgende twintig minuten aan het nakijken van alle afschrijvingen en betalingen van hun twee rekeningen. Hij begon met de meest recente, maar vandaag en gisteren had er geen enkele transactie plaatsgevonden. Daarna ging hij verder terug om te zien of er misschien sprake was van een patroon. Corinne was geen liefhebber van contant geld. Ze betaalde liever met haar creditcard, wat gemakkelijker was en wat spaarpunten opleverde. Dat vond ze leuk.

Alles – haar hele financiële doen en laten, of in ieder geval haar uitgavenpatroon – was terug te vinden, maar het was weinig verrassend. Ze had boodschappen gedaan bij een A&P-supermarkt, was in een Starbucks en de Lax Shop geweest. Ze had geluncht bij Baumgart's en had iets te eten gehaald bij Ho-Ho-Kus Sushi. Haar maandelijkse contributie van de sportschool was afgeschreven en ze had kleding besteld bij de webshop van Banana Republic. Allemaal heel gewoon. En er was vrijwel elke dag wel een of andere betaling gedaan.

Alleen vandaag niet. En gisteren ook niet.

Helemaal niets. Nergens.

Wat moest hij daarvan denken?

Corinne mocht dan niet al te bedreven zijn in financiële zaken, ze was ook niet dom. Als ze onzichtbaar wilde blijven, zou ze weten dat hij alle transacties van haar creditcard op internet kon bekijken en op die manier kon nagaan waar ze ongeveer was.

Juist. En hoe kon ze dat voorkomen? Door alleen contant te betalen.

Hij bekeek haar geldopnames bij pinautomaten. De laatste was van twee weken geleden, toen ze tweehonderd dollar had gepind.

Was dat genoeg om ervandoor te kunnen gaan?

Adam betwijfelde het. Hij dacht erover na.

Als ze naar een of andere verafgelegen plek was gereden, zou ze toch ergens moeten tanken. Dus hoeveel geld zou ze nu bij zich hebben? Het zag er niet naar uit dat ze haar vlucht goed had gepland. Ze kon niet hebben geweten dat hij haar zou confronteren met de nepzwangerschap, of dat hij was aangesproken door de vreemde.

Of wel?

Adam ging rechtop zitten. Was het mogelijk dat Corinne geld apart had gelegd omdat ze zich ervan bewust was dat de confrontatie ooit zou plaatsvinden? Hij probeerde terug te denken. Was ze erg verbaasd geweest toen hij haar ermee confronteerde? Of had ze meer... gelaten gereageerd?

Had ze op de een of andere manier verwacht dat haar bedrog op een dag aan het licht zou komen?

Adam wist het niet. Toen hij achteroverleunde en er eens goed over nadacht, kwam hij tot de slotsom dat er praktisch niets was wat hij met zekerheid wist. In haar sms had Corinne hem gevraagd – of gesmeekt, in sms-taal, met haar **Geef me een paar dagen de tijd. Alsjeblieft.** – haar even met rust te laten. Misschien was dat wel het beste. Misschien moest hij haar even stoom laten afblazen, of wat ze op dit moment ook aan het doen was, en geduldig afwachten tot ze terugkwam. Had ze daar in haar sms niet specifiek om gevraagd?

Maar het was evengoed mogelijk dat ze van school was weggereden en een gruwelijk lot tegemoet was gegaan. Misschien wist ze wie de vreemde was. Misschien was ze naar hem toe gereden, had ze hem ermee geconfronteerd, was hij boos geworden en had hij haar gekidnapt. Of haar iets aangedaan wat nog veel erger was. Alleen had de vreemde er niet uitgezien als iemand die zoiets zou doen. Bovendien was er die sms waarin ze hem vertelde dat ze tijd voor zichzelf nodig had en hem vroeg haar een paar dagen de tijd te geven. Aan de andere kant – en zo bleven zijn gedachten maar door zijn hoofd zigzaggen – kon die sms van iedereen afkomstig zijn.

Zelfs van een moordenaar.

Misschien had iemand Corinne vermoord, haar telefoon gepakt en...

Ho, rustig aan. Laten we niet op de zaken vooruitlopen.

Hij voelde zijn hart letterlijk tekeergaan in zijn borstkas. Nu deze zorgwekkende gedachte zijn hoofd eenmaal was binnengedrongen – of om precies te zijn: die zat al in zijn hoofd maar had zich nu voor het eerst uitgesproken – ging die niet meer weg, als een of ander onwelkom familielid dat op bezoek was gekomen en weigerde weer naar huis te gaan. Hij klikte de sms nog eens aan.

Ik heb even wat tijd voor mezelf nodig. Zorg jij voor de kinderen? Probeer geen contact met me op te nemen. Het komt wel weer goed.

En daaronder:

Geef me een paar dagen de tijd. Alsjeblieft.

Er zat iets in de tekst wat niet klopte, maar hij kon er niet de vinger op leggen. Stel dat Corinne echt in gevaar was. Opnieuw vroeg hij zich af of hij naar de politie moest gaan. Kristin Hoy had meteen gevraagd of hij dat had gedaan. Of hij de politie had gebeld omdat zijn vrouw werd vermist. Alleen werd ze niet echt vermist. Ze had hem die sms gestuurd. Tenzij het niet Corinne was geweest die hem die sms had gestuurd.

En zo bleef het maar malen in zijn hoofd.

Goed, stel dat hij naar de politie stapte. Wat dan? Hij zou dan naar de politie van Cedarfield moeten gaan. En wat moest hij daar precies zeggen? Ze zouden één blik op de sms werpen en zeggen dat hij het gewoon een paar dagen tijd moest geven. En hoe vervelend hij het ook vond om het toe te geven, in een stadje als Cedarfield zou er door de politiemensen over worden gepraat. De meesten kenden hem, wist hij. Len Gilman was de belangrijkste smeris in Cedarfield. Hij was waarschijnlijk degene die Adams aangifte zou noteren. Hij had een zoon van Ryans leeftijd. Ze zaten in dezelfde huiswerkklas. Geruchten en roddels over Corinne zouden zich door de stad verspreiden als... tja, geruchten en roddels. Kon dat Adam iets schelen? Hij was geneigd nee te zeggen, maar hij wist dat het Corinne wel kon schelen. Dit was háár stad. Ze had een hele strijd moeten leveren om hier weer een plek voor zichzelf te veroveren.

'Hé, *bro*.'

Andy Gribbel kwam zijn kantoor binnen met een brede grijns op zijn bebaarde gezicht. Hij had vandaag binnenshuis een zonnebril op, niet zozeer om er cool uit te zien, maar om het rood van de afgelopen late avond – of iets van meer plantaardige aard – te camoufleren.

'Hé,' zei Adam. 'Hoe is je optreden gisteravond gegaan?'

'De band was in absolute topvorm,' zei Gribbel. 'We hebben de hele tent platgespeeld.'

Adam leunde achterover, blij met de afleiding. 'Met welk nummer zijn jullie begonnen?'

'"Dust in the Wind" van Kansas.'

'Hmm,' zei Adam.

'Wat?'

'Openen met een ballad?'

'Ja, en dat werkte perfect. Donkere tent, gedempt licht, atmosfeer, en meteen daarna, zonder tussenpauze, "Paradise by the Dashboard Light". Man, het dak ging van de tent.'

'Meatloaf,' zei Adam knikkend. 'Leuk.'

'Ja, vind je niet?'

'Wacht, sinds wanneer hebben jullie een zangeres?'

'Die hebben we niet.'

'Maar "Paradise" is een man-vrouwduet.'

'Dat weet ik.'

'Een nogal agressief duet, als je het mij vraagt,' vervolgde Adam. 'Met al die "Will you love me forever's", waar hij dan weer een nachtje over moet slapen.'

'Ik weet het.'

'En jullie doen dat zonder zangeres?'

'Ik zing allebei de partijen,' zei Gribbel.

Adam ging rechtop zitten en probeerde het voor zich te zien. 'Jij zingt dat duet in je eentje?'

'Altijd.'

'Dat lijkt me knap ingewikkeld met al die verschillende toonhoogtes.'

'Dan moet je me "Don't Go Breaking My Heart" eens horen zingen. Het ene moment ben ik Elton, het volgende Kiki Dee. Geloof me, de tranen springen in je ogen als je dat hoort. Over ogen gesproken...'

'Wat?'

'Jij en Corinne moeten er eens een avondje uit. Of in elk geval jij. Als die wallen onder je ogen nog zwaarder worden, moet je bij je eerstvolgende vliegtrip overgewicht betalen als je incheckt.'

Adam fronste zijn wenkbrauwen. 'Beetje vergezocht, vind je niet?'

'Kom op, zo slecht is hij ook weer niet.'

'Is alles geregeld voor de zitting met Mike en Eunice Rinsky van morgen?'

'Daar kom ik voor.'

'Problemen?'

'Nee, maar burgemeester Gush-dinges wil je spreken over de Rinsky-zaak. Hij heeft om zeven uur nog iets op het stadhuis en vroeg of je daarna bij hem langs kon komen. Ik heb het adres naar je ge-sms't.'

Adam keek op zijn telefoon. 'Oké, ik ben benieuwd wat hij te vertellen heeft.'

'Ik zal zijn mensen laten weten dat je komt. Een prettige avond nog, man.'

Adam keek op zijn horloge. Het verbaasde hem dat het al zes uur was. 'Jij ook.'

'En laat me weten hoe we er morgen voor staan.'

'Zal ik doen.'

Gribbel vertrok en Adam bleef alleen in zijn kantoor achter. Hij bleef roerloos in zijn stoel zitten en luisterde. De geluiden schoven steeds verder naar de achtergrond en langzaam maar zeker nam de doodstille avond bezit van het gebouw. Oké. Ga een stapje terug. Loop alles nog eens door. Beperk je tot de feiten.

Eén: hij wist dat Corinne gisteren op school was geweest. Twee: tijdens de lunchpauze had Kristin haar zien wegrijden van het parkeerterrein van de school. Drie... eh, drie had hij nog niet, maar...

Tolhuisjes.

Als Corinne de stad uit was gereden, was vastgelegd langs welke tolhuisjes ze was gekomen. De school bevond zich het dichtst bij die op de Garden State Parkway, dus dat moest te zien zijn op het overzicht van haar E-ZPass. Zou Corinne eraan gedacht hebben dat ze de transponder moest uitzetten voordat ze de tolweg op reed? Waarschijnlijk niet. Je E-ZPass was zo'n ding dat op je dashboard lag en waar je verder niet aan dacht. Het werkte ook wel eens andersom, zoals toen Adam in een huurauto in de rij voor E-ZPass-klanten was aangesloten en toen pas had bedacht dat hij zijn transponder niet bij zich had.

Het was het proberen waard.

Hij deed een Google-zoekopdracht en vond de website van E-ZPass. Hij zag dat hij een rekeningnummer en een wachtwoord nodig had. Die had hij niet – hij was zelfs nog nooit op deze website geweest – maar ze zouden op de maandafrekeningen staan, en die lagen thuis. Oké, goed dan. Het was toch tijd om naar huis te gaan.

Hij trok zijn jasje aan en liep naar de auto. Toen hij invoegde op de Interstate 80, ging zijn telefoon. Het was Thomas.

'Waar is ma?'

Adam vroeg zich af hoe hij het moest brengen, maar het was nu niet het moment voor gedetailleerde eerlijkheid. 'Weg.'

'Waarnaartoe?'

'Dat vertel ik je straks.'

'Kom je thuis eten?'

'Ja. Ik ben onderweg. Doe me een plezier en haal een paar hamburgers uit de vriezer voor jou en je broer. Dan grill ik ze als ik thuis ben.'

'Ik vind die hamburgers niet zo lekker.'

'Dan heb je pech gehad. Ik zie je over een half uur.'

Tijdens het rijden schakelde hij tussen de muziekzenders op zoek naar dat ene perfecte nummer waarvan je, om met Stevie Nicks te spreken, hoopte dat het bestond maar dat je nooit op de radio hoorde. En als je dan zo'n nummer vond – wat een zeldzaamheid was – zat het net in het laatste refrein zodat je daarna weer opnieuw kon gaan zoeken.

Toen Adam hun straat inreed, verbaasde het hem dat hij Tripp Evans Dodge Durango op de oprit zag staan. Tripp stapte net uit de auto toen Adam naast hem stopte. De twee mannen schudden elkaar de hand en klopten elkaar op de schouder. Ze hadden allebei hun werkpak aan, met de das een stukje losgetrokken, en opeens leek de lacrosseteamselectie in de American Legion Hall van pas drie dagen geleden iets uit een ver verleden.

'Hallo, Adam.'

'Hallo, Tripp.'

'Sorry dat ik ineens bij je voor de deur sta.'

'Geen probleem. Wat kan ik voor je doen?'

Tripp was een grote man met grote handen. Hij was zo iemand die er in pak nooit op zijn gemak uitzag, omdat het te strak om zijn schouders zat of de ene mouw langer leek dan de andere, zodat er voortdurend van alles gecorrigeerd en rechtgetrokken moest worden en je kon zien dat hij het hele verdomde ding het liefst van zijn lijf zou rukken. In Adams ogen zagen veel mannen er zo uit. Alsof ze op een zeker moment in hun leven in een pak waren opgesloten, als een spreekwoordelijke dwangbuis waar ze nu niet meer uit konden.

'Ik had gehoopt dat ik Corinne even kon spreken,' zei Tripp.

Adam verroerde zich niet, keek hem alleen aan en hoopte dat de waarheid niet van zijn gezicht te lezen was.

'Ik heb haar een paar keer ge-sms't,' vervolgde Tripp. 'Maar, eh... ze antwoordt niet. Dus ik dacht: ik ga maar even bij haar langs.'

'Mag ik vragen waar het over gaat?'

'O, niks bijzonders,' zei Tripp, op een toon die heel geforceerd klonk voor iemand die zo direct was als hij. 'Gewoon, lacrossezaken, meer niet.'

Misschien was het Adams verbeelding. Of misschien was het de gekte van de afgelopen paar dagen. Maar hij had de indruk dat er tussen hem en Tripp een zekere spanning voelbaar werd.

'Wat voor lacrossezaken?' vroeg Adam.

'Het bestuur heeft gisteravond vergaderd. Corinne is niet komen opdagen. Wat niks voor haar is. Ik kwam alleen vertellen wat er zoal is besproken, dat is alles.' Hij keek naar het huis alsof Corinne elk moment naar buiten kon komen. 'Het kan wachten.'

'Ze is er niet,' zei Adam.

'O, juist. Wil je tegen haar zeggen dat ik langs ben geweest?'

Tripp bleef Adam enige tijd aankijken. De spanning in de lucht leek iets toe te nemen. 'Alles oké met je?'

'Ja,' zei Adam. 'Best.'

'Laten we binnenkort een biertje gaan drinken.'

'Zou ik leuk vinden.'

Tripp opende het portier van zijn auto. 'Adam?'

'Ja?'

'Ik zal eerlijk tegen je zijn,' zei Tripp. 'Je ziet er een beetje geschrokken uit.'

'Tripp?'

'Ja?'

'En ik zal eerlijk tegen jou zijn. Jij ook.'

Tripp probeerde het af te doen met een glimlach. 'Echt, het stelt niks voor.'

'Nee, dat zei je al. Sorry dat ik het zeg, maar ik geloof je niet.'

'Het zijn lacrossezaken. Dat is echt zo. Ik hoop dat het niks te betekenen heeft, maar meer kan ik je er niet over vertellen.'

'Waarom niet?'

'Regels van het bestuur.'

'Dat meen je niet.'

Maar hij meende het wel. Adam kon zien dat Tripp niet van plan was er meer over te zeggen, maar aan de andere kant, als hij de waarheid sprak, wat konden lacrossezaken in hemelsnaam met zijn eigen probleem te maken hebben?

Tripp Evans stapte in zijn auto. 'Vraag Corinne of ze me belt als ze tijd heeft. Een prettige avond nog, Adam.'

16 ⌊

Adam had verwacht dat burgemeester Gusherowski eruit zou zien als een volgevreten boef die zich als politicus had vermomd – mollig, dik gezicht, getrainde glimlach, misschien een pinkring – en in dit geval had hij het bij het rechte eind. Adam vroeg zich af of Gusherowski er altijd had uitgezien als het schoolvoorbeeld van de corrupte ambtenaar, of dat het zich in de loop van zijn dienstjaren in zijn DNA had genesteld. Drie van de laatste vier burgemeesters van Kasselton waren benoemd door het Openbaar Ministerie. Rick Gusherowski had in twee van deze ambtstermijnen op het stadhuis gewerkt en in het derde had hij in het stadsbestuur gezeten. Adam wilde de man niet uitsluitend op zijn uiterlijk beoordelen, of op grond van wat er over hem werd gezegd, hoewel je, wanneer het in New Jersey op kleinsteedse corruptie aankwam, er donder op kon zeggen dat als er rook was, er doorgaans ook een brand zo groot als een supernova was.

De matig bezochte openbare vergadering was net afgelopen toen Adam binnenkwam. De gemiddelde leeftijd van de aanwezigen was een jaar of vijfentachtig, maar dat kon te maken hebben met het feit dat deze vergadering werd gehouden in het fonkelnieuwe, luxueuze woonproject PineCliff, wat ongetwijfeld een eufemisme was voor een verpleeg- of bejaardentehuis.

Burgemeester Gusherowski kwam Adam tegemoet met de kamerbrede glimlach van een quizmaster. 'Geweldig je te ontmoeten, Adam!' Hij schudde Adam de hand, op de gebruikelijke overenthousiaste manier die eindigde met een kort rukje naar zich toe, een handelwijze waarvan politici denken dat de ander zich daardoor inferieur of verplicht voelt. 'Mag ik je Adam noemen?'

'Natuurlijk, meneer de burgemeester.'

'O, nee, dat wil ik hier niet horen. Noem me maar Gush.'

Gush? Nou, dat was Adam niet van plan.

De burgemeester spreidde zijn armen. 'En, hoe vind je het? Schitterend, nietwaar?'

In Adams ogen zag het eruit als een conferentiezaal in het Marriott, oftewel netjes, eenvormig en onpersoonlijk. Hij beperkte zich tot een hoofdknikje dat van alles kon betekenen.

'Kom mee, Adam, dan geef ik je een rondleiding.' Hij liep een gang met mosgroene wanden in. 'Vind je het niet beeldschoon? Alles is state of the art.'

'Wat houdt dat in?' vroeg Adam.

'Huh?'

'State of the art. Waar staat dat hier voor?'

De burgemeester wreef over zijn kin ten teken dat hij diep nadacht. 'Nou, om te beginnen hebben alle woningen flatscreens.'

'Net als vrijwel elk huishouden in de vs.'

'En een internetaansluiting.'

'Opnieuw net als vrijwel alle huizen in de vs, om van alle koffieshops, bibliotheken en McDonald's-vestigingen nog maar te zwijgen.'

Gush – Adam begon al wat te wennen aan de naam – deed de opmerking af met een glimlach. 'Kom, dan laat ik je de luxe versie zien.'

Hij haalde een sleutel uit zijn zak en opende de deur met de flair van een quizmaster die de hoofdprijs onthulde. 'Nou?'

Adam ging naar binnen.

'Wat vind je ervan?' vroeg Gush.

'Het ziet eruit als een kamer in het Marriott.'

Gush' glimlach straalde. 'Alles gloednieuw en state of…' Hij bedacht zich. 'Heel modern.'

'Maar het maakt niet uit,' zei Adam. 'Al zag het eruit als het Ritz Carlton. Mijn cliënt wil niet verhuizen.'

Gush knikte, was een en al empathie. 'Dat begrijp ik. Echt waar. We willen allemaal vasthouden aan onze herinneringen, waar of niet? Maar soms staan die herinneringen ons ook in de weg. Dan dwingen ze ons in het verleden te blijven leven in plaats van in het heden.'

Adam keek hem aan en zei niets.

'En soms, als lid van een gemeenschap, moeten we verder denken dan alleen aan onszelf. Heb je Rinsky's huis gezien?'

'Ja.'

'Een bouwval, waar of niet?' zei Gush. 'En ik bedoel het niet vervelend. Ik ben in die buurt opgegroeid. Ik zeg dit als iemand die zich vanuit diezelfde straten heeft opgewerkt.'

Adam wachtte op de monoloog over de levensloop van de man. Hij was enigszins teleurgesteld toen die niet kwam.

'We krijgen hier de kans om een stap vooruit te doen, Adam. De kans om de stadscriminaliteit terug te dringen en de zon te laten schijnen in dat deel van de stad dat daar dringend behoefte aan heeft. Ik heb het over nieuwe woningen. Over een echt wijkcentrum. Over restaurants, kwaliteitswinkels en echte banen.'

'Ik heb de plannen gezien,' zei Adam.

'En die zijn vooruitstrevend, vind je niet?'

'Het maakt niet uit wat ik vind.'

'O nee?'

'Ik vertegenwoordig de Rinsky's. Ik werk voor die mensen. Niet voor de winstcijfers van winkels en supermarkten.'

'Dat is niet eerlijk, Adam. We weten allebei dat de gemeenschap er meer bij gebaat is als dit project wordt gerealiseerd.'

'Nee, dat weten we niet allebei,' zei Adam. 'Trouwens, ik vertegenwoordig de gemeenschap niet. Ik vertegenwoordig de Rinsky's.'

'Laten we eerlijk zijn. Kijk om je heen. Ze zullen gelukkiger zijn als ze hier wonen.'

'Dat betwijfel ik, maar het zou kunnen,' zei Adam. 'Maar weet je, in de Verenigde Staten bepaalt de overheid niet wat iemand gelukkig maakt. Het is niet aan de overheid om te zeggen dat twee mensen die keihard hebben gewerkt, een eigen huis hebben gekocht en daar hun kinderen hebben grootgebracht, gelukkiger zullen zijn als ze ergens anders gaan wonen.'

Langzaam keerde de glimlach terug op Gush' gezicht. 'Mag ik even rechtdoorzee tegen je zijn, Adam?'

'Hoezo? Ben je dat tot nu toe dan niet geweest?'

'Hoeveel?'

Adam zette zijn vingertoppen tegen elkaar en zei met zijn best mogelijke filmschurkenstem: 'Eén miljard dollar.'

'Ik ben serieus. Ik kan een spelletje met je spelen en het doen op de manier die de projectontwikkelaar me heeft aangeraden – met je onderhandelen en je tegemoetkomen in stappen van tienduizend dollar – maar laten we niet kinderachtig zijn, oké? Het is me toegestaan je nog eens vijftigduizend aan te bieden.'

'En het is mij toegestaan om niet op dat aanbod in te gaan.'

'Je bent onredelijk.'

Adam nam niet de moeite hierop te reageren.

'Je weet dat een rechter ons al het groene licht voor een eventuele onteigeningszaak heeft gegeven, hè?'

'Ja.'

'En dat meneer Rinsky's eerste advocaat het hoger beroep heeft verloren. Daarom is hij ontslagen.'

'Ook dat weet ik.'

Gush glimlachte. 'Nou, je laat me geen keus.'

'Ja hoor, dat doe ik wel,' zei Adam. 'Je werkt toch niet alleen voor de projectontwikkelaar, is het wel, Gush? Je bent een man van het volk. Laat het huis staan en bouw de rest eromheen. Verander de plannen. Het kan gedaan worden.'

'Nee,' zei Gush, en hij glimlachte niet meer. 'Dat kan ik niet doen.'

'Dus je gaat ze onteigenen?'

'Ik heb de wet aan mijn kant. En zoals jullie je in deze zaak hebben opgesteld...' Gush boog zich zo dicht naar Adam toe dat Adam zijn Tic Tac-adem kon ruiken. '... zal ik er met plezier gebruik van maken.'

Adam deed een stap achteruit en knikte. 'Ja, dat vermoedde ik al.'

'Dus je bent bereid naar rede te luisteren?'

'Zodra jij met een redelijk voorstel komt.' Adam stak zijn hand naar hem op, draaide zich om en liep naar de deur. 'Een prettige avond nog, Gush. We spreken elkaar binnenkort.'

17

D e vreemde vond het heel naar om deze te doen. Maar Michaela Siegel, die net zijn blikveld in kwam lopen, had het recht de waarheid te weten voordat ze een afschuwelijke fout zou maken. De vreemde dacht aan Adam Price. Hij dacht aan Heidi Dann. Zij mochten dan geschrokken zijn van wat hij hun had verteld, maar deze keer, met Michaela Siegel, zou het allemaal nog veel en veel erger zijn.

Of misschien ook niet.

Misschien zou Michaela zich wel opgelucht voelen. Misschien zou de waarheid, na de eerste schrik, haar wel bevrijden. Misschien zou die haar leven weer in balans brengen en haar terugleiden naar de weg die ze eigenlijk had moeten nemen.

Je wist immers nooit hoe iemand zou reageren totdat je de pin uit de handgranaat trok?

Het was laat, bijna twee uur 's nachts. Michaela Siegel had zojuist afscheid genomen van haar lawaaierige vrienden. Ze waren allemaal licht beschonken na de festiviteiten van de afgelopen avond. De vreemde had al twee keer geprobeerd Michaela te benaderen toen de anderen niet in haar buurt waren. Het was hem niet gelukt. Hij hoopte dat ze nu alleen naar de lift zou lopen, zodat hij haar kon aanspreken.

Michaela Siegel. Zesentwintig jaar. Ze zat in het derde jaar van haar coassistentschappen interne geneeskunde in het Mount Sinai Hospital nadat ze was afgestudeerd aan Columbia University. Ze was haar coassistentschappen begonnen in het Johns Hopkins Hospital, maar na wat er was gebeurd leek het zowel haarzelf als de ziekenhuisleiding beter dat ze het ergens anders zou proberen.

Terwijl ze op niet al te vaste benen naar de lift liep, kwam de vreemde tevoorschijn. 'Gefeliciteerd, Michaela.'

Ze bleef staan en keek hem met een schuine glimlach aan. Ze was een heel sexy vrouw, wist hij al, en dat maakte de confrontatie in zekere zin nog erger dan die al was. De vreemde dacht aan wat hij van haar had gezien en voelde zijn wangen warm worden, maar hij zette door.

'Hmm,' zei ze.

'"Hmm"?'

'Kom je me een dagvaarding overhandigen of zoiets?'

'Nee.'

'Je gaat toch niet proberen me te versieren, hè? Ik ben verloofd.'

'Nee, ook niet.'

'Mooi zo,' zei Michaela Siegel. Haar stem klonk een beetje slepend van de drank. 'Trouwens, ik praat niet met vreemde mannen.'

'Begrijpelijk,' zei de vreemde, en om te voorkomen dat ze bij hem wegliep liet hij de bom vallen. 'Ken je ene David Thornton?'

Haar gezicht klapte dicht als een autoportier. De vreemde had dat verwacht.

'Heeft hij je gestuurd?' vroeg ze. De slepende klank was abrupt uit haar stem verdwenen.

'Nee.'

'Ben je een of andere seksmaniak of zoiets?'

'Nee.'

'Maar je hebt gezien wat...'

'Ja,' zei hij. 'Hoewel maar een paar seconden. Ik heb me er niet aan zitten verlekkeren, als je dat bedoelt. Maar ik... ik moest het zeker weten.'

Hij kon aan haar gezicht zien dat ze vocht met hetzelfde dilemma waarvoor zijn eerdere slachtoffers hadden gestaan: moest ze wegrennen van deze gestoorde, of moest ze luisteren naar wat hij te zeggen had? Meestal won de nieuwsgierigheid het, maar je kon nooit voorzien hoe iemand zou reageren.

Michaela Siegel schudde haar hoofd en sprak dat dilemma uit.

'Waarom praat ik nog met je?'

'Ze zeggen dat ik een eerlijk gezicht heb.'

Dat was waar. Daarom was hij meestal degene die deze taak op zich nam. Eduardo en Merton hadden hun kwaliteiten, maar als zij je op deze manier benaderden, was je eerste reactie het op een lopen te zetten.

'Dat dacht ik van David ook. Dat hij een eerlijk gezicht had.'

Ze hield haar hoofd schuin. 'Wie ben je?'

'Dat doet er niet toe.'

'Waarom ben je hiernaartoe gekomen? Dit ligt allemaal ver achter me.'

'Nee,' zei hij.

'Nee?'

'Het ligt niet achter je. Was het maar waar.'

Haar stem werd een angstig gefluister. 'Waar heb je het verdomme over?'

'Jij en David zijn uit elkaar.'

'Ja, dat weet ik ook wel,' zei ze op scherpe toon. 'Ik ga het komende weekend met Marcus trouwen.'

Ze liet hem de verlovingsring om haar vinger zien.

'Nee,' zei de vreemde. 'Ik bedoel... Ik zeg het niet goed. Heb je er bezwaar tegen als we dit stap voor stap doornemen?'

'Het kan me niet schelen of je een eerlijk gezicht hebt of niet,' zei Michaela. 'Ik wil geen ouwe koeien uit de sloot halen.'

'Dat begrijp ik.'

'Het is verleden tijd.'

'Nee, dat is het niet. Of nog niet in elk geval. Daarom ben ik hier.'

Michaela keek hem alleen maar aan.

'Waren jij en David al uit elkaar toen...' Hij wist niet goed hoe hij het moest zeggen, dus hij stak zijn beide handen op en bewoog ze heen en weer.

'Zeg het maar gewoon.' Michaela rechtte haar rug. '"Wraakporno" wordt het genoemd. Ze zeggen dat het een hype is.'

'Dat vraag ik niet,' zei de vreemde. 'Ik vraag hoe jullie relatie was voordat hij die video op internet zette.'

'Iedereen heeft hem gezien, weet je dat?'

'Ja.'

'Mijn vrienden. Mijn patiënten. Mijn docenten. Iedereen in het ziekenhuis. Mijn ouders…'

'Ja, ik weet het,' zei de vreemde zacht. 'Waren jij en David Thornton toen al uit elkaar?'

'We hadden een flinke ruzie gehad.'

'Dat vraag ik niet.'

'Ik begrijp niet wat…'

'Waren jullie al uit elkaar voordat die video op het net werd gezet?'

'Wat maakt dat nu nog uit?'

'Alsjeblieft,' zei de vreemde.

Michaela haalde haar schouders op. 'Dat weet ik niet precies meer.'

'Je hield nog van hem. Daarom deed het zo veel pijn.'

'Nee,' zei ze. 'Het deed zo veel pijn omdat ik me zo verraden voelde. Omdat de man met wie ik een relatie had naar een website voor wraakporno was gegaan en er een video op had gezet waarop we…' Ze stopte met praten. 'Kun je het je voorstellen? We hadden ruzie gehad en hij reageerde daar zo op.'

'Hij ontkende dat hij het had gedaan, hè?'

'Ja, natuurlijk. Hij had niet het lef om…'

'Hij sprak de waarheid toen hij het ontkende.'

Er waren meer mensen in de hal. Er stapte een man in de lift. Twee vrouwen haastten zich naar buiten. De portier zat achter de balie. Ze waren er, deze mensen, maar toch ook weer niet.

Haar stem klonk hol en alsof die van ver kwam. 'Waar heb je het over?'

'David Thornton heeft die video niet online gezet.'

'Ben jij een vriend van hem, of zoiets?'

'Ik heb hem nog nooit gezien of gesproken.'

Michaela slikte. 'Heb jij die video op het net gezet?'

'Nee, natuurlijk niet.'

'Hoe weet je dan…'

'Het ip-adres.'

'Wat?'

De vreemde ging dichter bij haar staan. 'De website beweert dat ze de ip-adressen van de gebruikers geheimhouden. Zodat degenen die de video's erop zetten niet kunnen worden vervolgd.'

'Maar jij weet het wel?'

'Ja.'

'Hoe kan dat?'

'Mensen denken dat die website anoniem is omdat dat op die site wordt beweerd. Maar dat is gewoon een leugen. Want achter elke geheime website op internet zit een mens die alle toetsaanslagen bijhoudt. Geen enkele website is honderd procent geheim of anoniem.'

Stilte.

Ze was bijna waar hij haar wilde hebben. De vreemde wachtte. Het zou niet lang meer duren. Hij zag het aan het trillen van haar mondhoeken.

'Van wie was dat ip-adres dan?'

'Ik denk dat je dat al weet.'

Haar gezicht vertrok van pijn. Ze sloot haar ogen. 'Van Marcus?'

De vreemde antwoordde niet met ja of nee. Dat was niet nodig.

'Ze waren goede vrienden, nietwaar?' zei de vreemde.

'De vuile schoft.'

'Huisgenoten zelfs. De exacte details ken ik niet. Maar jij en David hadden ruzie. Marcus zag zijn kans en greep die.' De vreemde haalde een envelop uit zijn binnenzak. 'Hier heb ik het bewijs.'

Michaela stak haar hand op. 'Ik hoef het niet te zien.'

De vreemde knikte en borg de envelop weer op.

'Waarom vertel je me dit?' vroeg ze.

'Dat is ons werk.'

'Over vier dagen gaan we trouwen.' Ze keek hem aan. 'Wat moet ik nu doen?'

'Dat is niet aan mij,' zei de vreemde.

'Nee, natuurlijk niet.' Haar stem klonk verbitterd. 'Jij verwoest alleen levens. Maar ze weer herstellen... daar waag je je niet aan, hè?'

De vreemde zei niets.

'En nu denk je zeker dat ik naar David terugga? Dat ik tegen hem zeg dat ik de waarheid te weten ben gekomen en dat ik hem om vergiffenis vraag? En wat dan? David neemt me in zijn armen en we leven nog lang en gelukkig? Zie je het zo voor je? Met jezelf als de grote held van onze liefde?'

Eerlijk gezegd had de vreemde dit inderdaad als een mogelijkheid gezien, afgezien van zijn rol als held. Maar het idee dat er iets recht werd gezet, dat er een zeker evenwicht werd hersteld, dat haar leven weer de koers zou nemen die het had gehad... ja, op zo'n resultaat had hij eigenlijk wel gehoopt.

'Maar dat gaat mooi niet door, meneer de geheimenonthuller.' Michaela deed een stap naar hem toe. 'Want ik was al verliefd op Marcus toen ik nog met David ging. Ironisch, vind je niet? Marcus had dit helemaal niet hoeven doen. We zouden uiteindelijk toch wel bij elkaar zijn gekomen. Misschien, ik weet het niet... misschien schaamt Marcus zich voor wat hij heeft gedaan. Voelt hij zich schuldig. Misschien probeert hij dat goed te maken en is hij daarom nu zo goed voor me.'

'Dat is geen reden om goed voor iemand te zijn.'

'O, je komt nu ook met wijze levenslessen?' vroeg ze op scherpe toon. 'Weet je wel welke keuzes je me hierdoor nog laat? Ik kan mijn eigen leven ruïneren of ik kan de leugen accepteren.'

'Je bent nog jong en aantrekkelijk...'

'En ik ben verliefd. Op Marcus.'

'Zelfs nu nog? Nu je weet dat hij tot zoiets in staat is?'

'Als het om de liefde gaat, zijn mensen tot allerlei dingen in staat.'

Ze was zachter gaan praten. De strijdlust was uit haar stem verdwenen. Ze wendde zich van hem af en drukte op de knop van de lift. 'Ben je van plan dit aan anderen te vertellen?' vroeg ze.

'Nee.'

'Goedenavond dan.'

'Dus je bent nog steeds van plan met hem te trouwen?'

De liftdeuren gingen open. Michaela stapte in en draaide zich naar hem om. 'Je hebt geen geheim onthuld,' zei ze, 'maar een nieuw geheim geschapen.'

18

Adam passeerde de stadsgrens van Cedarfield en stuurde naar de kant van de weg. Hij haalde zijn telefoon tevoorschijn en toetste een sms voor Corinne in.

Ik maak me zorgen om je. De jongens ook. Kom alsjeblieft naar huis.

Hij verzond de sms en zette de auto weer in de versnelling. Adam begon zich af te vragen – en niet voor het eerst – hoe hij eigenlijk in Cedarfield terecht was gekomen. De redenen leken heel voor de hand liggend, maar waren ze dat ook echt? Was een dergelijke belangrijke keuze ook een bewuste geweest? Hij meende van niet. Corinne en hij hadden overal kunnen gaan wonen, wist hij, maar aan de andere kant: wat was er mis met Cedarfield? Het stadje beantwoordde op allerlei manieren aan de vraag hoe je je eigen Amerikaanse droom moest verwezenlijken. Cedarfield had mooie, pittoreske huizen met grote tuinen. Er was een leuk stadscentrum met een ruime keuze aan winkels en restaurantjes, en er was zelfs een bioscoop. Er waren prima sportfaciliteiten, een moderne bibliotheek en een eendenvijver. In *Money Magazine*, een autoriteit van bijna Bijbelse proporties, scoorde Cedarfield het afgelopen jaar de zevenentwintigste plaats op de lijst van 'Amerikaanse steden waar je het prettigst kunt wonen'. En volgens het departement van Onderwijs en Cultuur van New Jersey viel Cedarfield sociaaleconomisch gezien in groep J, de hoogste van acht categorieën. Ja, echt, zo classificeert de Amerikaanse overheid steden. Waarom is voor iedereen een raadsel.

Eerlijk gezegd was Cedarfield een prima plek om je kinderen

groot te brengen, ook al werden ze dan precies zoals jij. Sommige mensen zagen dat als de cyclus van het leven, maar Adam had er altijd een soort repetitiegevoel bij gehad – je haar wassen, uitspoelen, nog een keer wassen – als hij keek naar hun buren en vrienden, allemaal goede, hartelijke mensen, die in Cedarfield waren opgegroeid, vier jaar van huis waren geweest om te studeren en toen weer waren teruggekomen, waren getrouwd en hun eigen gezin hadden gesticht, met kinderen die in Cedarfield zouden opgroeien, vier jaar de wijde wereld in zouden trekken om te studeren en weer zouden terugkomen, en ga zo maar door.

Niks mis mee, of wel soms?

Tenslotte was Corinne, die de eerste tien jaar van haar leven in Cedarfield had gewoond, niet zo gelukkig geweest dat ze dit welbekende traject had kunnen afleggen. Toen ze in groep zes zat en Cedarfield en zijn normen en waarden zich al stevig in haar DNA hadden verankerd, kwam haar vader om het leven bij een auto-ongeluk. Hij was pas zevenendertig geweest, veel te jong om aan dingen als zijn eigen sterfelijkheid en financiële zekerheid voor de toekomst te denken. Het bedrag dat de verzekering uitkeerde was uiterst mager, zodat Corinnes moeder gedwongen was geweest het huis te verkopen en met Corinne en haar oudere zus Rose te verhuizen naar een klein appartement in het minder hoog aangeschreven stadje Hackensack.

Een paar maanden lang had Corinnes moeder de vijftien kilometer afstand tussen Hackensack en Cedarfield dagelijks overbrugd, zodat Corinne haar vriendinnen kon blijven zien. Maar toen was de school weer begonnen, en zoals te verwachten viel gingen haar vriendinnen zich bezighouden met hun sportclubs en dansles, die Corinnes moeder niet kon betalen, en hoewel de geografische afstand hetzelfde bleef, was de sociale kloof onoverbrugbaar geworden. Corinnes jeugdvriendschappen begonnen te verwateren en bestonden algauw helemaal niet meer.

Rose, Corinnes zus, reageerde op de conventionele manier. Ze deed het slecht op school, zette zich af tegen haar moeder en gaf zich over aan een potpourri van experimenten met recreatieve drugs en foute vriendjes. Corinne, echter, wist haar diepe gekwetstheid en teleurstelling te kanaliseren op een manier die als positief gezien kon worden. Ze beet zich vast, zowel in haar studie als in het leven, en was vastbesloten op alle fronten haar uiterste best te doen. Ze gedroeg zich onopvallend, studeerde hard, gaf niet toe aan de normale verleidingen van tieners en beloofde zichzelf dat ze als overwinnaar zou terugkeren in het stadje waar ze met haar vader gelukkiger tijden had beleefd. Twee decennia lang stond Corinne als een kind met haar neus tegen het raam van de 'betere' woongemeenschap gedrukt, totdat het, na al die tijd, voor haar geopend zou worden, of in scherven uiteen zou spatten.

Het huis dat Corinne en Adam hadden gekocht leek verdacht veel op dat waarin Corinne was opgegroeid. Of dat hem toentertijd had verontrust, kon Adam zich niet herinneren. Waarschijnlijk was haar grote wens toen ook al de zijne geweest. Als je met iemand trouwt, trouw je ook met de dromen en verwachtingen van je partner. Haar droom was haar triomfantelijke terugkeer naar de plek die ze had moeten verlaten. Hij had het best opwindend gevonden, besefte hij nu, dat hij Corinne met die twintig jaar lange odyssee had kunnen helpen.

Er brandde nog licht in de sportschool die de twijfelachtige naam Hardcore Gym droeg. Het motto was daar: je bent pas hardcore als je hardcore traint. Adam reed een rondje over het parkeerterrein tot hij Kristin Hoys auto zag staan. Hij haalde zijn telefoon tevoorschijn, drukte op de sneltoets van Thomas' nummer – nogmaals, het had geen enkele zin de huistelefoon te bellen aangezien de jongens die nooit opnamen – en wachtte. Thomas antwoordde nadat zijn toestel drie keer was overgegaan, met zijn gebruikelijke afwezige en nauwelijks verstaanbare: 'Hullo?'

'Alles oké thuis?'

'Ja.'

'Wat ben je aan het doen?'

'Niks.'

'Wat houdt dat in, niks?'

'Ik speel Call of Duty. Ben net begonnen.'

Juist.

'Heb je je huiswerk al af?' vroeg Adam uit gewoonte. Het was

zo'n vraag waar je geen steek verder mee kwam, als een hamster
in een tredmolen, maar die je als ouder toch aan je kind meende
te moeten stellen.

'Bijna.'

Adam nam niet eens de moeite om te zeggen dat hij het dan
eerst moest afmaken. Volstrekt zinloos. Laat die jongen dat zelf
maar bepalen. Laat de teugels een beetje vieren.

'Waar is je broer?'

'Dat weet ik niet.'

'Maar hij is wel thuis?'

'Ik denk het.'

Broers. 'Pas een beetje op hem, wil je? Ik kom zo naar huis.'

'Oké. Pap?'

'Ja?'

'Waar is ma?'

'Weg,' zei hij weer.

'Waarnaartoe?'

'Iets voor school. Ik vertel het je wel als ik thuis ben, oké?'

Er viel een lange stilte. 'Ja, best.'

Adam parkeerde naast Kristins Audi cabrio en ging naar binnen. De opgeblazen spierbonk achter de balie bekeek Adam van
top tot teen en keek alsof hij medelijden met hem had. Hij had
één dikke, doorlopende wenkbrauw. Zijn lippen waren versteend
in een sneer van afkeuring. Hij had een heel strakke, mouwloze
jumpsuit aan. Adam was even bang dat de man hem 'knul' zou
noemen.

'Kan ik iets voor je doen?'

'Ik kom voor Kristin Hoy.'

'Lid?'

'Sorry?'

'Ben je lid?'

'Nee, een vriend. Mijn vrouw is lid. Corinne Price.'

De man knikte alsof dat alles verklaarde. Toen vroeg hij: 'Alles
oké met haar?'

De vraag verbaasde Adam. 'Waarom zou dat niet zo zijn?'

Het was mogelijk dat de man zijn schouders ophaalde, hoewel
de twee vleesbollen naast zijn hoofd nauwelijks bewogen. 'Te be-

langrijke week om niet te komen. We hebben een wedstrijd komende vrijdag.'

Corinne, wist Adam, deed daar niet aan mee. Ze had een mooi lichaam en was goed in vorm, maar het was uitgesloten dat ze in zo'n nietsverhullend pakje op een podium zou gaan staan om te poseren. Ze had dat één keer gedaan, een jaar geleden, toen ze samen met Kristin aan de 'Nationals' had meegedaan.

Spierbonk wees – spande al zijn armspieren aan terwijl hij dat deed – naar een deur in de hoek. 'Zaal B.'

Adam duwde de glazen deur open. In sommige zalen was het stil. In andere stond harde muziek aan. En in weer andere, zoals deze, hoorde je amechtig gekreun en het echoënde gekletter van zware, gietijzeren halters. Alle wanden waren met spiegels bekleed, want hier, en alleen hier, werd poseren en pronken met je lichaam niet alleen geaccepteerd, maar werd dat ook van je verwacht. Het rook er naar zweet, chloor en – nam Adam aan op grond van de commercials die hij op tv had gezien – Axe-deodorant.

Hij klopte op de deur van zaal B en duwde die open. Het zag eruit als een yogastudio, met een lichthouten vloer, een evenwichtsbalk en jawel, spiegels rondom. Een gespierde vrouw in een weinig verhullende bikini kwam op belachelijk hoge hakken naar het midden van de zaal lopen.

'Stop,' riep Kristin.

De vrouw bleef staan. Kristin, ook in een weinig verhullende roze bikini en op dezelfde belachelijk hoge hakken, liep op haar af. Zonder aarzeling, zonder uitsloverij en zonder gêne. Haar hakken tikten op de vloer alsof ze die pijn wilde doen.

'Je glimlach is te zwak. En het ziet eruit alsof je nooit eerder op hoge hakken hebt gelopen.'

'Dat doe ik doorgaans ook niet,' zei de vrouw.

'Nou, daarom moet je dat oefenen. Je wordt op alles beoordeeld: hoe je opkomt, hoe je afgaat, hoe je loopt, je houding, je glimlach, het zelfvertrouwen dat je uitstraalt, je gezichtsuitdrukking en hoe je uit je ogen kijkt. Je krijgt maar één kans om die eerste indruk te maken. Je kunt in je allereerste stap de wedstrijd verliezen. Oké, ga allemaal zitten.' De vrouw en vijf andere gespierde vrouwen gingen op de vloer zitten. Kristin ging voor ze staan en begon heen en weer te lopen. Haar spieren spanden en ontspanden zich bij elke stap.

'Jullie staan nu nog op een neutraal dieet,' zei Kristin, 'maar vanaf zesendertig uur voor de wedstrijd moeten jullie gaan bijeten. Zo voorkom je dat je spieren inzakken en zo houden ze die natuurlijke ronding waar we naar streven. Op dit moment zitten we nog op een dieet van negentig procent proteïne. Jullie hebben allemaal je dieetvoorschriften, hè?'

Er werd geknikt.

'Volg die alsof je leven ervan afhangt. Jullie drinken allemaal vijf liter water per dag. Dat is het minimum. We bouwen dat af naarmate het uur U nadert. Tot een paar slokjes per dag en helemaal geen water meer op de dag van de wedstrijd. Ik heb plaspillen voor degenen die dan nog te veel vocht blijven vasthouden. Zijn er nog vragen?'

Er werd één hand opgestoken.

'Ja?'

'Gaan we ook nog oefenen in avondkleding?'

'Ja, absoluut. Hou het volgende in gedachten, dames. De meeste mensen denken dat dit een bodybuildingwedstrijd is. Dat is het niet. Bij de WBFF gaat het om fitness. Ja, we hebben onze poses en we laten onze spieren zien. Maar de jury is op zoek naar Miss America, Victoria's Secret, Fashion Week en – inderdaad – *Muscle Magazine* tezamen in één enkele, elegante verpakking. Harriet zal jullie helpen bij de keuze van jullie avondkleding. O, en dan nog onze reisbenodigdheden. Breng allemaal het volgende mee: billenlijm voor je bikinibroekje, dubbelzijdige tape voor je topje, E-6000 lijm, tepelplakkers, blaarpleisters, schoenenlijm – in de laatste minuut voor aanvang laat er altijd van alles los – bruiningscrème, gummihandschoenen voor die crème, bruiningsblock voor je handpalmen en je voetzolen, tandenbleekmiddel, oogdruppels...'

Op dat moment zag ze Adam in de spiegel. Haar gezichtsuitdrukking veranderde op slag. Weg was de instructeur die haar dames voorbereidde op de WBFF-wedstrijd. Terug was de vriendin en de collega van zijn vrouw. Verbazingwekkend, bedacht

Adam, met welk een gemak we van de ene rol in de andere glijden.

'Werk nu verder aan je beginposes,' zei Kristin, met haar blik op Adam gericht. 'Als je opkomt, doe je één frontale pose, daarna één rugpose, en je loopt door. Dat is alles. Harriet zal jullie begeleiden, oké? Ik ben zo terug.'

Zonder enige aarzeling kwam Kristin dwars door de zaal naar hem toe lopen, op haar hoge hakken die haar bijna net zo lang maakten als hij. 'Is er nieuws?' vroeg ze aan hem.

'Nee, niet echt.'

Kristin nam hem mee naar de hoek van de zaal. 'Wat kom je dan doen?'

Hij zou zich niet opgelaten moeten voelen terwijl hij in gesprek was met een vrouw die op belachelijk hoge hakken en in een minuscule bikini tegenover hem stond. Maar zo voelde hij zich wel. Toen Adam achttien was, was hij op vakantie naar de Spaanse Costa del Sol geweest. Veel vrouwen liepen daar topless, en Adam had zichzelf te volwassen gevoeld om naar ze te gluren. Hij had dat ook niet gedaan, maar hij had zich wel wat opgelaten gevoeld. Dat specifieke gevoel was nu terug.

'Jullie bereiden je voor op een show, zo te zien,' zei Adam.

'Niet zomaar een show, maar de WBFF Nationals. Mag ik even egoïstisch zijn? Corinne is op een verdomd ongelegen moment vertrokken. Zij is mijn reisgenoot. Ik weet dat dat in de huidige omstandigheden niet veel voorstelt, maar dit is mijn eerste echte wedstrijd sinds ik prof ben geworden en… Oké, het is dom van me om daar nu over in te zitten. Maar dit is maar een klein deel van hoe ik me voel. Voor het overgrote deel maak ik me echt zorgen om haar. Dit is niks voor haar.'

'Dat weet ik,' zei Adam. 'Daarom wil ik je iets vragen.'

'Ga je gang.'

Hij wist niet precies hoe hij het moest brengen, dus zei hij het maar gewoon. 'Het gaat over haar zwangerschap van twee jaar geleden.'

Bingo.

Zijn woorden troffen Kristin Hoy alsof ze een emmer koud water over zich heen kreeg. Nu was het haar beurt om zich opgelaten te voelen op haar belachelijk hoge hakken. 'Wat is daarmee?'

'Je lijkt verbaasd,' zei Adam.

'Hoezo?'

'Toen ik je vroeg naar Corinnes zwangerschap. Je ziet eruit alsof je spoken hebt gezien.'

Haar ogen keken naar alles behalve naar hem. 'Ja, ik ben wel verbaasd, denk ik. Ik bedoel, Corinne verdwijnt en om de een of andere reden begin jij over iets wat twee jaar geleden is gebeurd. Ik zie het verband niet.'

'Maar herinner je je die zwangerschap?'

'Natuurlijk. Hoezo?'

'Hoe heeft ze het je verteld?'

'Dat ze zwanger was?'

'Ja.'

'O, dat weet ik niet meer.' Maar ze wist het wel. Hij kon het aan haar zien. Kristin loog tegen hem. 'Wat maakt het uit hoe ze het heeft verteld?'

'Ik wil dat je goed nadenkt. Weet je nog of je toen iets vreemds is opgevallen?'

'Nee.'

'Helemaal niks, aan die hele zwangerschap?'

Kristin zette haar handen in haar zij. Haar huid glansde van een waas van transpiratie, of van haar bruine teint uit een flesje. 'Waar wil je naartoe?'

'En haar miskraam?' probeerde Adam. 'Herinner je je hoe ze daarop reageerde?'

Vreemd genoeg leken de twee vragen tezamen nu toch doel te treffen. Kristin nam de tijd en ademde langzaam in en uit alsof ze aan het mediteren was, waarbij haar prominente sleutelbeenderen ritmisch op en neer gingen. 'Weet je...'

'Ja?'

'Ik vond haar reactie nogal lauw.'

'Hoe bedoel je?'

'Nou, ik heb erover nagedacht. Ik vond het destijds zo moedig van haar, zoals ze zichzelf eroverheen zette. Maar nadat je vanmiddag op school was geweest, herinnerde ik me dat ik in eerste instantie vond dat Corinne misschien wel een beetje té goed op de miskraam reageerde.'

'Ik kan je niet volgen.'

'Een mens moet verdriet kunnen hebben, Adam. Een mens moet verdriet durven voelen en durven uiten om het te kunnen verwerken. Als je dat niet doet, blijft het als een gif in je bloed zitten.'

Adam deed zijn best haar niet fronsend aan te kijken als reactie op haar new age-geleuter.

'Ik had het idee dat Corinne haar pijn misschien had opgekropt,' vervolgde ze. 'En als je dat doet, vergiftig je jezelf niet alleen, maar bouw je ook inwendige druk op. Uiteindelijk moet iets het begeven. Dus nadat jij was weggegaan, ben ik gaan nadenken. Misschien had Corinne haar verdriet om het verlies van haar kind weggestopt en er een dikke muur omheen gebouwd, en was die muur nu, twee jaar later, ingestort.'

Adam keek haar alleen maar aan. 'In eerste instantie.'

'Wat?'

'Je zei zonet dat je in eerste instantie vond... Met andere woorden: op een zeker moment ben je van gedachten veranderd.'

Ze zei niets.

'Waardoor?'

'Corinne is mijn vriendin, Adam.'

'Dat weet ik.'

'Jij bent de man die ze probeert te ontlopen, waar of niet? Ik bedoel, als jij de waarheid spreekt en haar niks ergs overkomen is.'

'Dat meen je toch niet, hè?'

'Ja, dat meen ik wel.' Kristin slikte, wat haar moeite kostte. 'Loop maar eens door de straten waar we wonen. Wat je ziet is een leuke buurt en huizen met goed onderhouden tuinen en mooi tuinmeubilair, maar wat er binnen gebeurt, weet eigenlijk niemand, of wel soms?'

Hij stond daar en keek haar aan.

'Misschien mishandelde je haar wel, Adam.'

'Ach, kom op, zeg...'

Kristin stak haar hand op. 'Ik zeg niet dat je dat doet. Ik geef alleen een voorbeeld. Want we weten dat soort dingen gewoon niet.' De tranen stonden in haar ogen en Adam moest opeens denken aan haar man, Hank, en waarom zij, met een lijf als dit, soms blouses met lange mouwen en andere verhullende kleding droeg. Deed ze dat alleen uit bescheidenheid, of was er misschien een andere reden voor?

Maar ze had wel gelijk. Ze mochten dan in een ogenschijnlijk vriendelijke buurt wonen en een hechte gemeenschap vormen, maar elk huis was zijn eigen eilandje met zijn eigen geheimen.

'Maar je weet er wel iets van,' zei Adam tegen haar.

'Nee. En ik moet nu echt terug naar mijn groep.'

Kristin draaide zich om en wilde weglopen. Adam had haar bijna bij de arm gepakt om haar tegen te houden. Maar in plaats daarvan zei hij: 'Ik geloof niet dat Corinne echt zwanger was.'

Kristin bleef staan.

'Jij wist dat, hè?'

Met haar rug naar hem toe schudde ze haar hoofd. 'Daar heeft Corinne nooit iets over gezegd.'

'Maar je wist het.'

'Ik wist niks,' zei Kristin zacht. 'Je moet nu echt gaan.'

19

Ryan wachtte hem op bij de achterdeur.
'Waar is mama?'
'Weg,' zei Adam.
'Hoe bedoel je, "weg"?'
'Op reis.'
'Waarnaartoe?'
'Iets van school. Ze komt gauw weer thuis.'
Ryans stem klonk zowel bezorgd als zeurend. 'Maar ik heb mijn tenue nodig, weet je nog?'
'Heb je in je kast gekeken?'
'Ja!' Het bezorgde gezeur maakte plaats voor iets met meer volume. 'Dat heb je me gisteren al gevraagd! Ik heb in de kast en in de wasmand gekeken.'
'En in de wasmachine en de droger?'
'Ja, daar ook. Ik heb overal gezocht!'
'Oké,' zei Adam. 'Rustig aan.'
'Maar ik heb mijn tenue nodig. Als ik het niet aanheb, laat coach Jauss me extra rondjes om het veld lopen en mis ik de wedstrijd.'
'Geen probleem. Kom, dan gaan we het zoeken.'
'Maar jij kunt nooit iets vinden. We hebben mama nodig. Waarom geeft ze geen antwoord op mijn sms'jes?'
'Haar telefoon heeft geen bereik.'
'Jij snapt ook niks! Jij begrijpt niet...'
'Nee, Ryan, jíj begrijpt iets niet!'
Adam hoorde zijn eigen stem door het huis echoën. Ryan viel abrupt stil. Adam niet.
'Denk je dat je moeder en ik alleen op de wereld zijn om jou te

bedienen? Denk je dat echt? Nou, dan zal ik je uit de droom helpen, makker. Je moeder en ik zijn ook mensen. Wat een verrassing, hè? Wij hebben ook een leven. Wij zijn ook wel eens verdrietig, net als jij. We maken ons ook wel eens zorgen over dingen, net als jij. En we zijn er niet alleen om jou te bedienen en achterna te lopen. Begrijp je het nu?'

De tranen sprongen Ryan in de ogen. Adam hoorde voetstappen. Hij draaide zich om in de richting van het geluid. Boven aan de trap stond Thomas, die vol ongeloof neerkeek op zijn vader.

'Het spijt me, Ryan. Ik bedoelde het niet...'

Ryan rende de trap op.

'Ryan!'

Ryan rende langs zijn broer heen en even later hoorde Adam de deur van zijn kamer dichtslaan. Thomas stond nog steeds boven aan de trap, naar hem te kijken.

'Ik kon me niet meer beheersen,' zei Adam. 'Dat gebeurt wel eens.'

Thomas bleef lange tijd zwijgen. Toen zei hij: 'Pa?'

'Ja?'

'Waar is ma?'

Adam sloot zijn ogen. 'Dat heb ik je verteld. Ze is weg, voor iets van school.'

'Maar ze was net terug van iets van school.'

'Dit is weer iets anders.'

'Waar is ze naartoe?'

'Atlantic City.'

Thomas schudde zijn hoofd. 'Nee.'

'Wat bedoel je met "nee"?'

'Ik weet waar ze is,' zei Thomas. 'Niet in Atlantic City, of er zelfs maar in de buurt.'

20

'**K**om naar beneden, alsjeblieft,' zei Adam. Thomas aarzelde voordat hij de trap af kwam en meeliep naar de keuken. Ryan was op zijn kamer, met de deur dicht. Dat was waarschijnlijk het beste. Geef iedereen maar even de tijd om tot rust te komen. Maar eerst, nu meteen, wilde Adam maar één ding weten: hoe het zat met wat Thomas hem zojuist had verteld.

'Weet jij waar je moeder is?' vroeg hij.

'Min of meer.'

'Wat bedoel je met "min of meer"? Heeft ze je gebeld?'

'Nee.'

'Heeft ze je ge-sms't of gemaild?'

'Nee,' zei Thomas. 'Dat niet.'

'Maar je weet wel dat ze niet in Atlantic City is?'

Hij knikte.

'Hoe weet je dat?'

Thomas boog zijn hoofd. Soms, als Adam stilletjes zijn oudste zoon observeerde, bewoog Thomas zich op een bepaalde manier, of maakte hij een gebaar, en was het voor Adam alsof hij naar beelden van zichzelf keek. Hij twijfelde er geen seconde aan dat Thomas zijn zoon was. Er waren gewoon te veel overeenkomsten. Twijfelde hij wel over Ryan? Hij had dat nooit gedaan, maar ergens in een stil, duister hoekje van hun geest is geen enkele man er ooit honderd procent zeker van. Ze spreken dat nooit uit. Het dringt maar zelden door tot hun bewuste gedachten. Maar het is er wel, sluimerend in dat donkere hoekje, en nu had de vreemde zijn angst gewekt en het vanuit het duister het volle licht in gesleurd.

Verklaarde dat Adams domme uitbarsting van zo-even? Hij had zijn zelfbeheersing verloren en ja, gezien de omstandigheden en de manier waarop de jongen maar door bleef zeuren over zijn tenue, was dat best begrijpelijk.

Of zat er meer achter?

'Thomas?'

'Ma wordt woest als ze erachter komt.'

'Nee, dat denk ik niet.'

'Ik had haar beloofd dat ik het nooit zou doen,' zei Thomas. 'Maar, ik bedoel, als ik haar sms, geeft ze altijd antwoord. Ik begrijp niet wat er aan de hand is. Dus heb ik iets gedaan wat ik niet had mogen doen.'

'Het is goed,' zei Adam, en hij deed zijn best niet al te wanhopig te klinken. 'Vertel me nu maar wat je hebt gedaan.'

Thomas slaakte een diepe zucht en vermande zich. 'Oké. Weet je nog dat ik je vroeg waar ma was voordat je naar je werk ging?'

'Ja.'

'Nou, je klonk toen zo... anders dan anders. Eerst wil je niet zeggen waar ma is, dan beantwoordt ze mijn sms'jes niet...' Hij keek op. 'Pap?'

'Ja?'

'Toen je zei dat ma weer naar een of andere conferentie voor school was, sprak je toen de waarheid?'

Adam dacht erover na, maar niet lang. 'Nee.'

'Weet je waar ma is?'

'Nee. We hebben ruzie gehad.'

Zijn zoon knikte op een veel te volwassen manier. 'En nu is ze – wat? – bij je weggegaan?'

'Dat weet ik niet, Thomas. Daar probeer ik achter te komen.'

Thomas knikte weer. 'Misschien wil ze dan niet dat ik je vertel waar ze is.'

Adam leunde achterover en wreef over zijn kin. 'Dat zou kunnen,' gaf hij toe.

Thomas legde zijn handen op tafel. Hij droeg een siliconenpolsbandje, van het soort dat mensen voor een goed doel dragen, hoewel er op dat van hem CEDARFIELD LACROSSE stond. Met de vingers van zijn andere hand trok hij eraan en liet het dan weer los.

'Hoor eens, ik weet niet wat er precies is gebeurd,' zei Adam. 'Als je moeder contact met jou heeft gehad en tegen je heeft gezegd dat je niet tegen mij mocht zeggen waar ze is, nou, dan zou ik naar haar luisteren als ik jou was. Maar ik geloof niet dat ze dat heeft gedaan. Ik denk niet dat ze jou of Ryan in zo'n positie zou brengen.'

'Nee, dat heeft ze niet gedaan,' zei Thomas, nog steeds starend naar het bandje om zijn pols.

'Oké.'

'Maar ik heb haar moeten beloven dat ik dit nooit zou gebruiken.'

'Dat je wat nooit zou gebruiken?'

'Deze app.'

'Thomas?'

De jongen keek op.

'Ik heb geen idee waar je het over hebt.'

'Zie je, we hadden een afspraak. Ma en ik.'

'Wat voor afspraak?'

'Dat ze de app alleen zou gebruiken in noodgevallen, niet om me te bespioneren. Maar dat ik hem zelf nooit mocht gebruiken.'

'Wat voor noodgevallen?'

'Nou, als ik zoek was, of als ze me op geen enkele manier kon bereiken.'

Het begon Adam weer te duizelen. Hij riep zichzelf tot de orde en probeerde zich te concentreren. 'Misschien kun je me beter eerst uitleggen wat die app doet.'

'Die heet Phone Locator, en die moet je helpen je telefoon terug te vinden, je weet wel, als je die bent verloren, of als iemand hem heeft gepikt.'

'Oké.'

'Hij laat je op Google Maps zien waar je telefoon is. Volgens mij hebben alle telefoons nu zo'n soort app, maar dit is een speciale, een upgrade. Dus als ons iets overkomt, of ma kan mij of Ryan niet vinden, dan kan ze de app activeren en kan ze precies zien waar we zijn.'

'Via jullie telefoons?'
'Ja.'
Adam hield zijn hand op. 'Laat zien.'
Thomas aarzelde. 'Maar daar gaat het nu juist om. Ik heb haar beloofd dat ik hem zelf niet zou gebruiken.'
'Maar dat heb je wel gedaan, hè?'
Hij sloeg zijn ogen neer en knikte.
'Je hebt de app geactiveerd en gezien waar je moeder was.'
Hij knikte weer.
Adam legde zijn hand op de schouder van zijn zoon. 'Ik ben niet boos op je,' zei hij. 'Maar mag ik nu die app zien?'
Thomas haalde de telefoon uit zijn zak. Zijn vingers dansten over het schermpje. Toen hij klaar was, gaf hij het toestel aan zijn vader. Adam keek op het schermpje en zag een plattegrond van Cedarfield. Drie gekleurde stipjes knipperden op dezelfde plek. Het ene was blauw, het andere groen en het derde was rood.
'Dus deze stipjes...' begon Adam.
'Dat zijn wij.'
'Wij?'
'Ja. Jij, ik en Ryan.'
Adam voelde zijn hartslag in zijn hoofd. Toen hij weer iets zei, leek zijn stem van ver weg te komen. 'Ik ook?'
'Ja.'
'Een van die stipjes ben ik?'
'Ja. Jij bent die groene.'
Adam kreeg een droge mond. 'Met andere woorden, als je moeder het zou willen, kon ze me...' Hij maakte de zin niet af. Dat was ook niet nodig. 'Hoe lang zit deze app al op onze telefoons?'
'Dat weet ik niet precies. Een jaar of drie, vier, denk ik.'
Adam zei niets en liet het tot zich doordringen. Drie à vier jaar. Drie à vier jaar lang was Corinne in de gelegenheid geweest deze app aan te klikken en op elk willekeurig moment te zien waar haar jongens en – nog belangrijker – haar man uithingen.
'Pap?'
Adam had zichzelf altijd op de borst geklopt omdat hij zich nooit had laten inlijven door deze technologische meester die de

hele wereld tot slaaf had gemaakt, die gewoon menselijk contact had terugverwezen tot iets uit het verleden en zovelen had gedwongen onophoudelijk de aandacht op zichzelf te vestigen. Voor zover Adam wist zat er geen enkele overbodige app op zijn telefoon. Geen games, geen Twitter, geen Facebook, geen webshops, geen sportuitslagen, geen weerbericht, niets van dat alles. Zijn telefoon had alleen de functies die er standaard op zaten: e-mailen, sms'en, bellen en dat soort dingen. En hij had Ryan er ooit een gps op laten zetten die de beste rijroutes aangaf wanneer het druk op de weg was.

Maar dat was het zo'n beetje.

'Maar waarom kan ik je moeder niet zien met dit ding?' vroeg Adam.

'Dan moet je uitzoomen.'

'Hoe doe ik dat?'

Thomas nam de telefoon van hem over, zette twee vingers op het schermpje en bewoog ze naar elkaar toe. Hij gaf het toestel weer aan zijn vader. Nu kon Adam heel New Jersey en Pennsylvania zien. Aan de linkerkant van het schermpje zag hij een oranje stipje. Hij tikte erop en het beeld zoomde weer in.

Pittsburgh?

Adam was een keer naar Pittsburgh gereden om een cliënt op borgtocht vrij te krijgen. De rit had hem meer dan zes uur gekost.

'Waarom knippert dit stipje niet?' vroeg hij.

'Omdat het niet actief is.'

'Hoe bedoel je?'

Thomas slaakte nog net geen zucht, wat hij meestal deed wanneer hij zijn vader iets technisch moest uitleggen. 'Toen ik de app een paar uur geleden checkte, was ze nog onderweg. Maar toen ik een uurtje geleden keek, was dit de plek waar ze was.'

'Dus ze is daar gestopt?'

'Dat denk ik niet. Want zie je, als je hier klikt...' Hij tikte op het schermpje. Er verscheen een afbeelding van een mobiele telefoon met Corinnes naam op het schermpje. 'Rechtsboven zie je hoeveel spanning de batterij nog heeft. Zie je? Toen ik een uur geleden keek, was dat nog vier procent. Nu is hij leeg, en dan houdt het stipje op met knipperen.'

'Is ze dan nog op de plek van het stipje?'

'Dat weet ik niet. Het laat alleen zien waar ze was voordat de batterij leeg was.'

'En je kunt nu niet meer zien waar ze is?'

Thomas schudde zijn hoofd. 'Pas weer als ma haar telefoon oplaadt. Het heeft nu dus ook geen zin om haar te bellen of te sms'en.'

'Omdat haar telefoon het niet doet.'

'Precies.'

Adam knikte. 'Maar als we dit blijven checken, kunnen we zien wanneer ze hem weer heeft opgeladen?'

'Ja.'

Pittsburgh. Wat had Corinne in hemelsnaam in Pittsburgh te zoeken? Voor zover hij wist kende ze daar niemand. Voor zover hij wist was ze er nog nooit geweest. Hij kon zich niet herinneren dat hij haar ooit over Pittsburgh had horen praten, of over familie of vrienden die ernaartoe waren verhuisd.

Hij zoomde in op het oranje stipje. Het adres was South Braddock Avenue. Hij koos het knopje voor een satellietfoto. Ze was in of in de buurt van een soort winkelstraat geweest. Hij zag een supermarkt, een dollarshop, een Foot Locker en een GameStop. Misschien was ze daar gestopt om iets te eten of om boodschappen in te slaan.

Of om daar de vreemde te ontmoeten.

'Thomas?'

'Ja?'

'Zit deze app ook op mijn telefoon?'

'Dat moet wel. Als iemand jou kan zien, kun jij die ander ook zien.'

'Kun je me laten zien waar die app zit?'

Adam gaf hem zijn telefoon. Zijn zoon kneep zijn ogen tot spleetjes en ging weer aan het werk met zijn vingers. Uiteindelijk zei hij: 'Hebbes.'

'Hoe komt het dat ik dat ding nooit eerder ben tegengekomen?'

'Hij stond op de laatste pagina, met nog een paar apps die je waarschijnlijk nooit gebruikt.'

'Dus als ik nu inlog,' zei Adam, 'kan ik mama's telefoon in de gaten houden?'

'Nu niet, want de batterij is leeg.'

'Maar wel als ze hem heeft opgeladen?'

'Ja, dan kun je haar volgen. Je hebt wel het wachtwoord nodig.'

'Wat is dat?'

Thomas aarzelde.

'Thomas?'

'LoveMyFamily,' zei hij. 'Zonder spaties, maar met de l, de m en de f in hoofdletters.'

O yeah, patser, wat denk je hiervan?
Bob Baime – bij Adam beter bekend als Gaston – sprong op, draaide een halve pirouette en legde de bal in de basket. Yep, Big Bob was in bloedvorm vanavond. Hij stond in vuur en vlam. *En fuego.* Dit was *pick-up*-basketbal in de Beth Lutheran-kerk. Een wisselend groepje mannen, voornamelijk huisvaders uit de stad, speelden het twee avonden per week. De kwaliteit van de spelers wisselde ook. Sommige jongens waren echt goed – ze hadden er zelfs een die in het all-star-team van Duke University had gespeeld en die in de basis van de Boston Celtics had gestaan voordat hij zich met een knieblessure had moeten terugtrekken – en sommige waren zo slecht dat ze amper konden lopen.

Maar vanavond was Bob Baime, Big Bob Baime, de grote man, de ster van de court, de dunkmachine. Onder de basket was hij een eenmanssloopkogel, de meester van de rebound. Hij gebruikte zijn honderdvijfendertig kilo zware lijf om de anderen opzij te beuken. Dat deed hij nu met de all-star-speler, meneer de Superster. Die keek hem met een vuile blik aan, maar Big Bob Baime keek gewoon terug.

De all-star schudde zijn hoofd en liep terug over de court.

Ja, loop maar weg, eikel, voordat ik je een schop onder je kont geef.

Ja, dames en heren, Big Bob Baime was helemaal terug. Normaliter was de all-star, met zijn aanstellerige kniebrace, hem de baas. Maar vandaag niet. O, nee. Bob gaf geen centimeter terrein prijs. Man, wat zou zijn ouweheer trots op hem geweest zijn. Zijn ouweheer, die hem het grootste deel van zijn kindertijd Betty in plaats van Bobby had genoemd. Die hem een waardeloos, zwak joch had genoemd, en erger nog, die hem had uitgescholden voor mietje of meisje. Zijn vader, de bikkelharde ploert, die dertig jaar lang de hoofdcoach op Cedarfield High was geweest. Als je 'van de oude stempel' in de encyclopedie opzocht, stond er een foto van Robert Baime senior bij. Het was niet gemakkelijk geweest om op te groeien met zo'n vader, maar uiteindelijk had het zeker zijn vruchten afgeworpen.

Echt jammer. Jammer dat zijn ouweheer niet had kunnen meemaken dat zijn enige zoon in deze stad een man van aanzien was geworden. Bob woonde niet langer in het volkse gedeelte van de stad, waar leraren en arbeiders hun leven sleten. Nee, hij had een groot, vrijstaand huis met een mansardedak in het rijke Country Club-deel van de stad gekocht. Melanie en hij reden allebei in een Mercedes. Ze werden gerespecteerd door hun stadgenoten. Bob was uitgenodigd om lid te worden van de exclusieve Cedarfield Golf Club, een vereniging waar zijn vader alleen als introducé was geweest. Bob had drie kinderen, alle drie uitstekende sporters, hoewel Pete op dit moment een moeilijke periode in het lacrosseteam doormaakte en misschien zijn beurs zou mislopen nu Thomas Price op zijn positie speelde. Maar voor de rest was het een goed leven geweest.

En dat zou het weer worden.

Jammer dat zijn vader ook niet van deze periode getuige was geweest. Jammer dat hij niet had meegemaakt dat zijn zoon zijn baan was kwijtgeraakt, want dan had hij kunnen zien uit wat voor hout Bob was gesneden, dat hij een overlever en een winnaar was, iemand die problemen aankon en er sterker uit tevoorschijn kwam. Want hij stond op het punt de laatste bladzijde van dit akelige hoofdstuk dicht te slaan en weer Big Bob de grote broodverdiener te worden. Zelfs Melanie zou ervan opkijken. Melanie, zijn vrouw, de voormalige aanvoerder van het cheerleaderteam. Er was een tijd geweest dat ze naar hem had opgekeken met iets wat aan adoratie grensde, maar sinds zijn ontslag had ze alleen maar lopen klagen, over hoe vrijgevig hij vroeger was geweest, iemand die niet bang was om te laten zien dat hij geld had, waardoor ze geen spaargeld hadden gehad toen hij zijn baan kwijtraakte. Ja, de aasgieren cirkelden al rond. De bank stond op het punt beslag op het huis te leggen. De deurwaarder was al langs geweest om hun twee Mercedessen S Coupé te bekijken.

Maar wie zou er nu als laatste lachen?

Jimmy Hochs vader, vooraanstaand headhunter in New York, had voor vandaag een sollicitatiegesprek voor hem geregeld, en om het simpel te zeggen, Bob Baime had het perfect gedaan. Hij had ze onder de tafel geluld. De man die hem de vragen stelde had uit Big Bobs hand gegeten. Goed, ze hadden nog niet gebeld over wat ze hadden besloten – Bob hield zijn telefoon bij de zijlijn goed in de gaten – maar dat zou niet lang meer duren. Die baan was van hem, hij zou misschien zelfs een hoger salaris bedingen en, jawel, dan zou hij écht helemaal terug zijn. Wacht maar tot hij Melanie het nieuws vertelde. Dan zou ze eindelijk weer wat aardiger voor hem zijn en hem thuis misschien weer eens opwachten in dat kleine roze gevalletje waar hij zo dol op was.

Op de court kreeg Bob de bal toegespeeld, hij stormde naar voren en scoorde het winnende punt.

Ja nou, Bob was terug en beter dan ooit. Man, had hij zich een paar dagen geleden maar zo gevoeld, toen die wijsneus van een Adam Price hem had dwarsgezeten over zijn selectie van Jimmy Hoch voor het lacrosseteam. Jezus, alle drie die jongens konden er niks van. Verder dan handdoekenjongens zouden ze het niet schoppen. Wat kon het iemand schelen dat ze een tiende punt meer of minder kregen toegekend door een stel verveelde scouts die alleen maar aandacht hadden voor de echt goede spelers, die boven de rest uitstaken? Hij was niet van plan dit belangrijke sollicitatiegesprek ervoor op het spel te zetten. Niet dat het zou mogen uitmaken. Het was niet zo dat Jimmy Hochs vader en hij duidelijke afspraken hadden gemaakt over de selectie, maar hé, in het leven waste de ene hand de andere, nietwaar? En sport maakte ook deel uit van het leven. Hoe eerder die jongens dat leerden, hoe beter.

De twee teams kwamen de court weer op voor een nieuw partijtje toen Bobs telefoon ging.

Hij griste het toestel van de vloer en zijn hand begon zelfs te trillen toen hij het nummer van de beller zag.

Goldman.

Dit was het grote moment.

'Bob, kom je?'

'Begin maar vast zonder mij, jongens. Ik moet dit gesprek aannemen.'

Bob liep de gang op om wat privacy te hebben. Hij schraapte zijn keel en glimlachte, want als je echt glimlachte, klonk je zelfverzekerder en was dat te horen aan de andere kant van de lijn.

'Hallo?'

'Meneer Baime?'

'Spreek je mee.'

'U spreekt met Jerry Katz van Goldman.'

'Ja, hallo, Jerry. Fijn dat je belt.'

'Ik vrees dat ik geen goed nieuws voor u heb.'

Bob voelde zijn hart imploderen. Jerry begon aan zijn uitleg over de concurrentie op de arbeidsmarkt en hoe leuk hij het had gevonden om met Bob te praten, maar wat hij zei, begon algauw te vertroebelen tot een onverstaanbare brij`. En Jerry, de schlemielige idioot, kletste maar door. Een donkere wolk verspreidde zich in Bobs borstkas en terwijl dat gebeurde, moest hij aan iets denken. Hij dacht aan die avond van kortgeleden, toen Adam hem openlijk had aangesproken op zijn selectie van Jimmy Hoch. Dat had hem in meerdere opzichten verbaasd, besefte Bob nu. Ten eerste was Adam helemaal geen coach van een uitspelend team, dus wat kon het hem schelen welke spelers Bob selecteerde? Adam en Corinnes zoon zát al in het team. Wat kon Jimmy Hoch hem dan schelen?

Maar wat veel belangrijker was, zeker nu hij erover nadacht: hoe had Adam zich zo snel hersteld van het schokkende nieuws dat hij een paar minuten daarvoor aan de bar van het American Legion te horen had gekregen?

Ondertussen wauwelde Jerry maar door. Bob glimlachte nog steeds. Hij bleef glimlachen. Hij glimlachte als een idioot, en toen hij uiteindelijk zei: 'Nou, ik stel het op prijs dat je me hebt gebeld om het me te laten weten,' durfde Bob te wedden dat hij wellicht als een idioot klonk, maar dan wel een verdomd zelfverzekerde idioot.

Hij beëindigde het gesprek.

'Bob, ben je klaar?'

'Kom op, man, we hebben je nodig.'

En dat was zo. Misschien, bedacht Bob, was het voor Adam die avond ook wel zo geweest. Zoals Bob nu de court op ging om een uitlaatklep voor zijn woede te vinden, had Adam hem die avond onder vuur genomen voor zijn selectie van Jimmy omdat ook hij behoefte had aan een uitlaatklep voor zijn woede.

Maar hoe, vroeg Bob zich af, zou Adam reageren als hij wist wat zijn vrouw had gedaan? Niet alleen wat hij wist van de leugens die ze hem had verteld, maar de hele waarheid?

Nou, bedacht Bob terwijl hij de court op rende, daar zou hij gauw genoeg achter komen, nietwaar?

22

Het was twee uur 's nachts toen Adam zich iets herinnerde, of om preciezer te zijn, zich iemand herinnerde. Suzanne Hope uit Nyack, New York.

Zij was degene geweest die Corinne op de website van Fake-een-zwangerschap.com had geattendeerd. Zo was het immers allemaal begonnen? Corinne leert Suzanne kennen. Suzanne doet alsof ze zwanger is. Corinne besluit, om welke reden ook, hetzelfde te doen. Misschien. En dan duikt de vreemde op.

Adam opende Google op zijn smartphone en typte 'Suzanne Hope, Nyack, New York' in het kadertje. Hij ging er min of meer van uit dat dit niets zou opleveren, dat de vrouw Corinne een valse naam had opgegeven, of een valse woonplaats, in aansluiting op haar valse zwangerschap, maar hij kreeg meteen een stel hits.

Het telefoonboek vermeldde ene Suzanne Hope in Nyack, New York. Er stonden een telefoonnummer en een woonadres bij vermeld. Adam wilde een pen pakken om die op te schrijven, maar toen herinnerde hij zich iets wat Ryan hem een paar weken daarvoor had geleerd: twee knopjes tegelijk indrukken om een screenshot van de pagina maken. Adam probeerde het, opende zijn foto-app om het resultaat te bekijken en zag dat het was gelukt.

Hij legde zijn telefoon weg en probeerde weer te gaan slapen.

De kleine woonkamer in het huis van de oude Rinsky rook naar luchtverfrisser met dennengeur en kattenpis. Het was er een drukte van jewelste, hoewel er hoogstens tien mensen in de kamer waren. Maar meer had Adam er niet nodig. Hij zag de kale man die normaliter de sportverslaggeving voor *The Star-Ledger* deed. Hij zag de vrouwelijke reporter van *The Record* uit Bergen, die hij wel mocht. En volgens Adams researcher 'extraordinaire' Andy Gribbel waren de *Asbury Park Press* en de *New Jersey Herald* ook vertegenwoordigd. De grote nieuwszenders waren nog niet geïnteresseerd, maar News 12 New Jersey had een cameraploeg gestuurd.

Dit moest voldoende zijn.

Adam boog zich naar Rinsky. 'Weet je zeker dat je dit aankunt?'

'Ben je mal?' De oude man trok zijn ene wenkbrauw op. 'Ik geniet me suf, al mag ik het niet laten merken.'

Drie van de reporters zaten naast elkaar op de met skai beklede bank. Een vierde stond bij de muur en leunde op de piano. Er hing een houten koekoeksklok aan de muur. Op een bijzettafeltje stonden nog meer Hummel-beeldjes. De vloerbedekking, ooit lichtbruin van kleur, had in de loop der jaren een soort turfmolmtint gekregen.

Adam keek nog een laatste keer op zijn telefoon. Corinnes oranje stipje knipperde nog steeds niet. Dus of ze had haar telefoon nog niet opgeladen, of... Nee, het was nu niet het moment om daaraan te denken. De reporters keken hem aan met een mengeling van verwachting en scepsis, half 'laat maar eens zien wat je voor ons hebt' en half 'we staan hier onze tijd te verdoen'. Adam deed een stap naar voren. Meneer Rinsky bleef staan waar hij stond.

'In 1970,' begon Adam zonder inleiding, 'kwam Michael J. Rinsky terug naar huis nadat hij zijn land had gediend in het uiterst vijandige Vietnam. Hij kwam hiernaartoe, naar zijn geboorteplaats waar hij zo veel van hield, en trouwde met Eunice Schaeffer, met wie hij op de middelbare school al verkering had. Met het geld van zijn veteranenlening kocht Mike Rinsky een huis.'

Adam liet een stilte vallen. Toen voegde hij eraan toe: 'Dit huis.'

De reporters schreven mee.

'Mike en Eunice kregen drie zoons die ze in ditzelfde huis grootbrachten. Mike ging bij de plaatselijke politie werken, begon als gewoon straatagentje en werkte zich op tot korpschef. Hij en Eunice spelen al jarenlang een belangrijke rol in deze gemeenschap. Ze deden vrijwilligerswerk bij de daklozenopvang, bij de bibliotheek, bij het bejaardenbasketbal en bij de organisatie van de vierjuliparade. In de afgelopen vijftig jaar hebben Mike en Eunice invloed gehad op het leven van vele inwoners van deze stad. Ze werkten keihard. Als Mike 's avonds de stress van zijn werk achter zich liet, kwam hij hier in dit huis tot rust. Hij heeft zelf de warmwaterketel in de kelder geïnstalleerd. Zijn kinderen werden ouder, kwamen van school en sloegen hun vleugels uit. Mike bleef werken en uiteindelijk, na dertig jaar, had hij zijn hypotheek afbetaald. Nu was het huis – dit huis waar we nu zijn – helemaal van hem.'

Adam keek achter zich. Alsof het zo afgesproken was – en dat was het ook – liet de oude man zijn schouders hangen en met een bedroefde uitdrukking op zijn gezicht hield hij een oude, ingelijste foto van Eunice voor zich op.

'En toen,' vervolgde Adam, 'werd Eunice Rinsky ziek. We zullen haar privacy niet schenden door hierover in details te treden. Maar Eunice houdt van dit huis. Het stelt haar gerust. Nieuwe, onbekende plekken beangstigen haar, en ze vindt troost op de plek waar zij en haar dierbare man hun zoons Mike junior, Danny en Bill hebben grootgebracht. En nu, na al die jaren van werk en opofferingen, wil de overheid haar dit huis – haar huis – afnemen.'

De reporters hielden op met schrijven. Adam wilde zijn laatste woorden zo zwaar mogelijk laten wegen, dus reikte hij achter zich, pakte een flesje water van de tafel en nam een slok. Toen hij weer begon te praten klonk zijn stem anders, feller en vol amper ingehouden woede.

'De overheid wil Mike en Eunice uit hun huis zetten, uit het enige huis dat ze ooit hebben gehad, zodat een of andere rijke investeerder het met de grond gelijk kan maken en er een Banana Republic voor in de plaats kan zetten.' Dat was niet helemaal waar, wist Adam, maar het kwam aardig in de buurt. 'Deze man...' Adam gebaarde achter zich, naar de oude Rinsky, die zijn rol heel overtuigend speelde en er zelfs in slaagde er nog fragieler uit te zien. '... het enige wat deze Amerikaanse held en patriot wil, is het huis behouden waar hij zo lang voor heeft gewerkt. Dat is alles. En zij willen hem dat afnemen. Zeg nu zelf, klinkt dit als de Verenigde Staten? Heeft onze overheid het recht hardwerkende mensen hun bezit af te nemen en het aan de rijken te geven? Schoppen wij oorlogshelden en oudere vrouwen de straat op? Nemen we ze het huis af waar ze hun hele leven voor hebben gewerkt? Maken we hun dromen met de grond gelijk om er een zoveelste winkelstraat voor in de plaats te zetten?'

Alle ogen waren nu op de oude Rinsky gericht. Zelfs Adam begon ontroerd te raken. Goed, hij had enkele details verzwegen – dat ze de Rinsky's meer geld voor het huis hadden geboden dan het waard was, bijvoorbeeld – maar daar ging het nu niet om. Advocaten kiezen de kant van hun cliënt. De tegenpartij, als en wanneer die hierop reageerde, zou er haar eigen draai aan geven. Je hoorde gewoon partijdig te zijn. Zo werkte het in het rechtssysteem.

Iemand maakte een foto van de oude Rinsky. Daarna deed nog iemand dat. Anderen staken hun hand op om een vraag te stellen. Eén reporter vroeg de oude Rinsky hoe hij zich voelde. Rinsky reageerde precies goed, gelaten en kwetsbaar, niet zozeer boos maar eerder verbijsterd. Hij haalde zijn schouders op, hield de foto van zijn vrouw omhoog en zei alleen: 'Eunice wil de laatste dagen van haar leven hier slijten.'

Game, set en match, dacht Adam.

De tegenpartij kon proberen de feiten nog zo naar haar hand te zetten, maar zij hadden de sympathie van de lezers en de kijkers. Zij hadden het betere verhaal, en dat was wat de pers altijd wilde, niet het meest ware, maar het beste verhaal. Welk verhaal zouden de mensen nu liever horen: dat van een grote projectontwikkelaar die een oorlogsheld en zijn zieke vrouw op straat zette, of dat van een koppige oude man die de stadsvernieuwing dwarszat door geen geld aan te pakken en te weigeren naar een betere woning te verhuizen?

De tegenpartij had geen schijn van kans.

Een half uur later, toen de persmensen waren vertrokken, werd Adam op de schouder getikt door Gribbel, die glimlachend zei: 'Burgemeester Gush voor je aan de lijn.'

Adam pakte de telefoon van hem aan. 'Hallo, meneer de burgemeester.'

'Denk je echt dat dit je gaat lukken?'

'*The Today Show* heeft net gebeld. Ze willen dat we morgenochtend naar de studio komen voor een exclusief interview. Ik heb het nog even afgehouden.'

Het was pure bluf, maar het klonk goed.

'Weet je hoe snel nieuws tegenwoordig verjaart?' pareerde Gush. 'We wachten wel tot de wind is gaan liggen.'

'Nou, dat zou wel eens een tijdje kunnen duren,' zei Adam.

'Hoezo?'

'Omdat we ons tot nu toe hebben beperkt tot een zakelijke, niet-persoonlijke aanpak. Maar als het nodig is, gaan we een stap verder.'

'En dat houdt in?'

'Dat houdt in dat we dan zullen onthullen dat de burgemeester, die zo zijn best doet om een bejaard echtpaar uit hun huis te zetten, misschien wel een persoonlijke wrok koestert tegen een eerlijke smeris die hem ooit heeft gearresteerd, ook al heeft die smeris hem daarna weer laten gaan.'

Stilte. Toen zei hij: 'Ik was nog maar een tiener.'

'Ja, maar dat zal op de pers weinig indruk maken, denk ik.'

'Je weet niet wie je tegenover je hebt, vriend.'

'Ik begin er een redelijk goed beeld van te krijgen,' zei Adam. 'Gush?'

'Ja?'

'Bouw je nieuwe dorp om het huis heen. Het is te doen. O, en een prettige dag nog.'

Al het bezoek had Rinsky's huis verlaten.

Adam hoorde het getik van een toetsenbord in het kamertje naast de keuken. Toen hij het binnenging, werd hij verrast door de batterij apparaten die hij zag: twee computers, een formicatafel met een paar grote beeldschermen en een laserprinter... Een van de wanden was van boven tot onder met kurk bekleed. Op de wand waren met punaises talloze foto's, krantenknipsels en geprinte internetpagina's geprikt.

Rinsky had een leesbril op, die tot halverwege zijn neus was afgezakt. Het licht van het beeldscherm maakte zijn ogen nog dieper blauw.

'Wat is dit allemaal?' vroeg Adam.

'Gewoon, iets om mezelf bezig te houden.' Hij leunde achterover en zette zijn bril af. 'Een soort hobby.'

'Wat? Surfen op het net?'

'Dat niet alleen.' Hij wees achter zich. 'Zie je die foto daar?'

Het was een foto van een meisje dat Adam tussen de achttien en twintig jaar schatte. Haar ogen waren gesloten. 'Is ze dood?'

'Al sinds 1984,' zei Rinsky. 'Ze hebben haar lijk gevonden in Madison, Wisconsin.'

'Een studente?'

'Dat betwijfel ik,' zei hij. 'Studentes zijn meestal wel te identificeren. Dat is bij haar nooit gelukt.'

'Een naamloos slachtoffer?'

'Ja. Dus hebben wij, een stel gasten op het net en ik, het probleem opgepakt. We wisselen informatie uit.'

'Jullie doen cold cases?'

'Nou, dat proberen we.' Hij keek Adam aan met een schaapachtige grijns. 'Zoals ik al zei, het is een hobby. Bezigheidstherapie voor een oude smeris.'

'Hé, in dat geval heb ik een vraag voor je.'

Rinsky gebaarde naar Adam dat hij moest doorgaan.

'Ik heb een getuige die ik moet spreken. Het is mijn gewoonte dat persoonlijk te doen.'

'Altijd beter,' beaamde Rinsky.

'Precies, maar ik weet niet of ze thuis is en ik wil niet dat ze weet dat ik kom.'

'Je wilt haar verrassen?'

'Ja.'

'Hoe heet ze?'

'Suzanne Hope,' zei Adam.

'Heb je haar telefoonnummer?'

'Ja, op het net gevonden.'

'Oké. Hoe ver woont ze hiervandaan?'

'Een minuut of twintig rijden, denk ik.'

'Geef me het nummer.' Rinsky hield zijn hand op en bewoog zijn vingers. 'Ik zal je een oude smerissentruc laten zien, maar ik zou het op prijs stellen als je die voor jezelf houdt.'

Adam liet hem de screenshot zien. Rinsky zette zijn leesbril weer op, trok een oude, zwarte telefoon – zoals Adam sinds zijn vroege jeugd niet meer had gezien – naar zich toe, nam de hoorn van het toestel en draaide het nummer. 'Maak je geen zorgen,' zei hij. 'Ze krijgt mijn nummer niet te zien.' Het toestel aan de andere kant ging twee keer over en een vrouwenstem zei: 'Hallo?'

'Suzanne Hope?'

'Wie wil dat weten?'

'Ik ben van de Acme Schoorsteenreinigingsdienst...'

'Geen interesse, en haal me van jullie lijst.'

Klik.

Rinsky haalde zijn schouders op en glimlachte. 'Ze is thuis.'

23

De rit kostte Adam precies twintig minuten. Hij parkeerde bij zo'n deprimerend, door verwaarloosd groen omringd appartementencomplex van grauwe baksteen, bedoeld voor jonge stellen die het geld voor hun eerste huis bij elkaar spaarden, of voor gescheiden vaders die platzak waren of in de buurt van hun kinderen wilden wonen. Hij vond appartement 9B en klopte op de deur.

'Wie is daar?'

Een vrouwenstem. Maar er werd niet opengedaan.

'Suzanne Hope?'

'Wat wil je?'

Adam had hier geen rekening mee gehouden. Om de een of andere merkwaardige reden was hij ervan uitgegaan dat ze de deur voor hem zou openen en hem zou binnenlaten, zodat hij haar de reden van zijn komst kon vertellen, hoewel hij nog steeds niet precies wist wat die reden was. Suzanne Hope was een spreekwoordelijke strohalm, een flinterdunne link met wat Corinne ertoe had gebracht bij hem weg te gaan. Misschien kon hij die strohalm, om bij zijn metafoor te blijven, voorzichtig heen en weer schudden in de hoop dat er een graankorrel uit zou vallen.

'Mijn naam is Adam Price,' zei hij tegen de dichte deur. 'Ik ben de man van Corinne.'

Geen reactie.

'Weet je nog wie dat is? Corinne Price?'

'Ze is hier niet,' zei de stem waarvan hij aannam dat die van Suzanne Hope was.

'Dat had ik ook niet verwacht,' zei Adam, hoewel hij, nu hij erover nadacht, misschien stiekem een sprankje hoop had gehad dat het opsporen van Corinne zo simpel zou zijn.

'Wat wil je dan?'

'Kunnen we even praten?'

'Waarover?'

'Over Corinne.'

'Dat is mijn zaak niet.'

Communiceren door een dichte deur was natuurlijk verre van ideaal, maar Suzanne Hope was er blijkbaar nog niet gerust op de deur te openen. Adam wilde echter niets forceren, want dan liep hij de kans dat ze helemaal niet meer met hem wilde praten. 'Wat is jouw zaak niet?' vroeg hij.

'Wat er tussen jou en Corinne speelt. Jullie problemen, wat die ook zijn.'

'Hoe kom je erbij dat wij problemen hebben?'

'Waarom zou je anders hier zijn?'

Inderdaad, waarom? Eén-nul voor Suzanne Hope. 'Weet je waar Corinne is?'

Rechts van hem, een eindje verderop op het betonnen pad rondom het gebouw, liep een postbode die Adam argwanend opnam. Geen verrassing. Hij dacht aan de gescheiden vaders die hier voor de deuren zouden staan, want er woonden natuurlijk ook gescheiden moeders. Adam knikte naar de postbode om hem te laten zien dat hij geen kwaad in de zin had, maar het scheen niet veel te helpen.

'Waarom zou ik dat weten?' riep de stem.

'Ze wordt vermist,' zei Adam. 'Ik ben naar haar op zoek.'

Er verstreken een paar seconden. Adam deed een stap achteruit, hield zijn handen langs zijn lichaam en deed zijn best er zo onschuldig mogelijk uit te zien. Uiteindelijk werd de deur op een kier geopend. De ketting zat er nog op, maar hij kon nu een deel van Suzanne Hopes gezicht zien. Hij wilde nog steeds liever binnenkomen en tegenover haar gaan zitten om met haar te praten, haar te ontwapenen of te vertederen, of wat er ook voor nodig was. Maar als die ketting Suzanne Hope een veilig gevoel gaf, dan had hij dat maar te accepteren.

'Wanneer heb je Corinne voor het laatst gezien?' vroeg hij haar.

'Dat is lang geleden.'

'Hoe lang?'

Adam zag dat ze naar rechts en omhoog keek. Hij was geen aanhanger van de theorie dat je aan iemands ogen kon zien of die persoon loog, maar hij wist wel dat iemand die naar rechts omhoogkeek probeerde zich visueel iets te herinneren, en dat iemand die naar links omhoogkeek probeerde visueel iets te construeren. Maar net als met de meeste generalisaties kon je natuurlijk niet zeggen dat iemand die visueel iets construeerde ook meteen loog. Als je iemand vroeg aan een paarse koe te denken, zou dat leiden tot een visuele constructie, terwijl er van een leugen of misleiding geen sprake was.

Hoe dan ook, hij had niet het idee dat ze loog.

'Een jaar of twee, drie geleden, denk ik.'

'Waar?'

'In een Starbucks.'

'Dus je hebt haar nooit meer gezien nadat...'

'Nadat zij had ontdekt dat ik loog over mijn zwangerschap,' vulde ze voor hem aan. 'Dat klopt.'

Dat antwoord had Adam niet verwacht. 'Ook geen telefoontjes?'

'Geen telefoontjes, geen e-mails, geen brieven, helemaal niks. Sorry, maar ik kan je niet verder helpen.'

De postbode liep door, bleef zijn post bezorgen maar bleef Adam argwanend opnemen. Adam hield zijn handen boven zijn ogen om ze tegen de zon te beschermen. 'Corinne heeft je voorbeeld gevolgd, wist je dat?'

'Hoe bedoel je?' vroeg ze.

'Je weet heel goed wat ik bedoel.'

Door de smalle opening naast de deur kon hij zien dat Suzanne Hope knikte. 'Ze heeft me een heleboel vragen gesteld.'

'Wat voor vragen?'

'Waar ik die nepbuik had gekocht en hoe ik aan die echo was gekomen, dat soort dingen.'

'En toen heb jij haar naar FAKE-EEN-ZWANGERSCHAP.COM gestuurd.'

Suzanne Hope leunde met haar hand tegen de deurpost. 'Ik

heb haar nergens naartoe gestuurd.' Haar stem had een scherp randje gekregen.

'Zo bedoelde ik het niet.'

'Corinne vroeg me ernaar en ik heb het haar verteld. Dat is alles. Maar inderdaad, ze was wel erg nieuwsgierig. Alsof we geestverwanten waren.'

'Wat bedoel je daarmee?'

'Ik had verwacht dat ze me zou veroordelen. Ik bedoel, de meeste mensen zouden dat doen, waar of niet? En je kon het ze niet eens kwalijk nemen. Een of andere gestoorde vrouw doet alsof ze zwanger is. Maar Corinne en ik waren geestverwanten. Ze begreep meteen waarom ik het had gedaan.'

Geweldig, dacht Adam, maar hij hield zijn sarcasme voor zich. 'Als ik zo vrij mag zijn,' zei Adam voorzichtig, 'over welke dingen heb je tegen mijn vrouw gelogen?'

'Hoe bedoel je?'

'Nou, ten eerste...' Hij wees naar haar hand op de deurpost. '... zie ik geen trouwring om je vinger.'

'Tjonge, een echte Sherlock Holmes.'

'Was je eigenlijk wel getrouwd?'

'Ja.'

Hij hoorde de spijt in haar stem en even was hij bang dat ze haar hand van de deurpost zou halen en de deur voor zijn neus zou dichtsmijten.

'Sorry,' zei Adam. 'Ik bedoelde het niet...'

'Het was zíjn schuld, weet je?'

'Wat?'

'Dat we geen kinderen konden krijgen. Daarom zou je denken dat Harold er wat meer begrip voor zou hebben, waar of niet? Hij was degene met het luie zaad. Losse flodders. Slechte zwemmers. Ik heb het hem nooit verweten. Het was zijn schuld, maar toch ook weer niet, als je begrijpt wat ik bedoel.'

'Ja,' zei Adam. 'Dus je bent nooit echt zwanger geweest?'

'Nee, nooit,' zei ze, en hij hoorde de verslagenheid in haar stem.

'Je hebt Corinne verteld dat je een doodgeboren kindje had gehad.'

'Ik dacht dat ze het dan misschien beter zou begrijpen. Of nee, niet begrijpen maar het tegenovergestelde. Dat ze er meer empathisch tegenover zou staan. Maar ik wilde zo dolgraag zwanger zijn, misschien was dat wel mijn fout. Harold zag dat ook in. Het creëerde een afstand tussen ons. Denk ik. Of misschien heeft hij nooit echt van me gehouden. Ik weet het niet meer. Maar ik heb altijd kinderen gewild. Als klein meisje wilde ik al een groot gezin. Mijn zus Sarah bezwoer me destijds dat ze geen kinderen wilde en, tja, die heeft er nu drie. En ik weet nog hoe gelukkig ze was toen ze zwanger was. Dat ze van top tot teen straalde. Dus ik denk dat ik gewoon wilde weten hoe het was. Sarah had me verteld dat zwanger zijn haar het gevoel gaf dat ze een belangrijk iemand was, dat mensen haar voortdurend vroegen wanneer ze uitgerekend was, dat ze haar veel geluk wensten en dat soort dingen. Dus op een dag heb ik het gewoon gedaan.'

'Gedaan alsof je zwanger was?'

Suzanne knikte weer in de smalle deuropening. 'Als test eigenlijk. Alleen om te zien hoe het was. En Sarah had gelijk. Mensen hielden de deur voor me open. Ze wilden mijn boodschappen voor me dragen en ze boden me hun parkeerplek aan. Ze vroegen hoe het met me ging en waren oprecht geïnteresseerd in wat ik dan antwoordde. Mensen raken verslaafd aan drugs, nietwaar? Ze raken verslaafd aan de roes, en ik heb gelezen dat die wordt veroorzaakt door de dopamine die vrijkomt in je hersenen. Nou, zo ging het bij mij ook. Bij mij kwam er ook dopamine vrij.'

'Doe je het nog steeds?' vroeg Adam, hoewel hij niet zeker wist waarom hij dat wilde weten. Suzanne Hope had zijn vrouw over die website verteld. Dat wist hij inmiddels. Veel nieuws zou hij hier niet te weten komen.

'Nee,' zei ze. 'Net als alle verslaafden kwam ik tot bezinning toen ik mijn absolute dieptepunt had bereikt.'

'Mag ik vragen wanneer dat was?'

'Vier maanden geleden. Toen Harold erachter kwam en hij me als oud vuil langs de stoeprand zette.'

'Dat spijt me voor je,' zei Adam.

'Niet nodig. Het is beter zo. Ik ben nu in therapie, en mijn ziekte – want dat is het: míjn ziekte, niet die van iemand anders –

heeft me duidelijk gemaakt dat Harold niet echt van me hield. Dat weet ik nu. Misschien heeft hij nooit van me gehouden, dat kan ik niet zeggen. Of misschien begon hij een steeds grotere afkeer van me te krijgen. Als een man geen kind kan verwekken, krijgt zijn mannelijkheid een dreun. Misschien was dat het wel. Maar hoe dan ook, ik ben op een andere manier naar waardering gaan zoeken. Want onze relatie was al vergiftigd.'

'Wat erg voor je,' zei Adam.

'Het maakt niet uit. Daar ben je niet voor gekomen, lijkt me. Onnodig om te zeggen dat ik blij ben dat ik dat geld niet heb betaald. Misschien is die man die Harold mijn geheim heeft verklapt wel mijn redding geweest.'

De ijzige kou begon ergens in Adams borstkas en verspreidde zich snel, tot in zijn vingertoppen. Zijn stem leek van ergens ver weg te komen. 'Wat voor man?'

'Hè?'

'Je zei iets over een man die Harold je geheim heeft verklapt,' zei hij. 'Wie was die man?'

'O mijn god.' Eindelijk deed Suzanne Hope de deur helemaal open en keek hem geschrokken aan. 'Hij heeft het jou ook verteld, hè?'

24

Adam zat op de bank tegenover Suzanne Hope. Het appartement had witte wanden en wit meubilair, maar toch zag alles er donker en deprimerend uit. Er waren ramen, maar er kwam maar weinig daglicht door naar binnen. Alles was brandschoon en er was geen vlekje te zien, maar toch zag alles er grauw en verwaarloosd uit. De kunst aan de wanden, als je het zo kon noemen, zou zelfs voor een Motel 6 te kitscherig zijn.

'Ben je zo te weten gekomen dat Corinne niet echt zwanger was?' vroeg Suzanne Hope. 'Heeft die man jou ook benaderd?'

Adam verroerde zich niet en had het nog steeds ijskoud. Suzanne Hope had opgestoken haar, een soort knotje of iets wat daarop moest lijken, dat op zijn plek werd gehouden door een schildpad knijper. Om haar rechterpols droeg ze een paar kilo armbanden, in zigeunerstijl, die rinkelden als ze haar hand bewoog. Ze had heel grote ogen, waarmee ze vaak knipperde, het soort ogen waarmee ze waarschijnlijk een gretige, enthousiaste indruk had gemaakt toen ze jong was, maar die er nu uitzagen alsof ze elk moment een klap verwachtte.

Adam boog zich naar voren. 'Je zei dat je het geld niet hebt betaald.'

'Dat klopt.'

'Vertel me wat er gebeurd is.'

Suzanne Hope stond op. 'Wil je een glaasje wijn?'

'Nee.'

'Misschien moet ik het ook maar niet doen.'

'Wat is er gebeurd, Suzanne?'

Ze bleef vol verlangen naar de keuken kijken. Adam herinnerde zich een regel die van toepassing was bij verhoren en talloze andere levenskwesties: alcohol neemt remmingen weg. Het brengt mensen aan het praten en hoewel wetenschappers het zullen bestrijden, was Adam ervan overtuigd dat het ook een soort waarheidsserum was. Hoe dan ook, als hij het gastvrije aanbod accepteerde, zou ze hem misschien meer vertellen.

'Of misschien een klein glaasje?' zei hij.

'Rood of wit?'

'Maakt me niet uit.'

Ze liep naar de keuken en haar kwieke voetstappen klonken veel te levendig in dit deprimerende appartement. Toen ze bij de koelkast stond zei ze: 'Ik werk parttime als kassière bij Kohl's. Dat vind ik leuk. Ik krijg personeelskorting en de mensen zijn aardig.'

Ze haalde een fles uit de koelkast en pakte twee glazen.

'Op een dag, met lunchpauze, ga ik naar buiten. We hebben achter de zaak een terras met picknicktafels. Dus ik ga naar buiten en word daar opgewacht door een man met een honkbalpet.'

Honkbalpet. Adam slikte. 'Hoe zag hij eruit?'

'Jong, blanke man, nogal mager. Een beetje een nerd. Ik weet dat het raar klinkt, zeker in het licht van wat er daarna is gebeurd, maar hij had iets sympathieks. Alsof hij een vriend van me was. Met zo'n glimlach waardoor ik me een beetje ontspande.'

Ze schonk de glazen vol.

'En toen?' vroeg Adam.

'Toen zegt hij opeens: "Weet je man het?" Ik schrik en zeg: "Pardon?", of iets van die strekking. Waarop hij zegt: "Weet je man dat je hebt gedaan alsof je zwanger was?"'

Suzanne pakte een van de glazen en nam een flinke slok. Adam stond op en liep naar haar toe. Ze gaf hem zijn glas en gebaarde dat hij met haar moest proosten. Hij deed wat ze vroeg.

'Ga door,' zei Adam.

'Hij vroeg of mijn man wist van mijn bedrog. Ik vroeg hem wie hij was. Dat wilde hij niet zeggen. Hij zei alleen iets over "de vreemde die de waarheid onthult", zoiets was het. Hij zegt dat hij kan bewijzen dat ik over mijn zwangerschap heb gelogen. Eerst dacht ik dat hij me misschien in Bookends of Starbucks had gezien, je weet wel, net als Corinne. Maar ik had hem nooit eerder gezien en door de manier waarop hij tegen me praatte... meende ik dat het iets anders moest zijn.'

Suzanne nam nog een slok. Adam nam ook een slokje. De wijn smaakte naar visafval.

'Toen zegt hij tegen me dat hij vijfduizend dollar van me wil. Hij zegt dat als ik hem betaal, hij me verder met rust zal laten en ik hem nooit meer zal zien, maar hij zegt ook – en dat vond ik heel raar – dat ik niet meer mag liegen.'

'Wat bedoelde hij daarmee?'

'Zo zei hij het. Hij zei: "De deal is als volgt. Jij betaalt me vijfduizend dollar en houdt op met te doen alsof je zwanger bent, en ik verdwijn voorgoed uit je leven." Maar als ik doorging met mijn bedrog – zo noemde hij het, "bedrog" – zou hij mijn man de waarheid vertellen. En hij beloofde me dat die vijfduizend eenmalig zou zijn.'

'Wat heb jij toen gezegd?'

'Eerst heb ik hem gevraagd hoe ik kon weten of ik hem kon vertrouwen. Als ik hem het geld gaf, hoe kon ik dan weten of hij niet terug zou komen voor meer?'

'En hoe reageerde hij daarop?'

'Hij glimlachte weer en zei: "Zo zijn wij niet, en zo werken we niet." En weet je, dat is het rare, ik geloofde hem. Misschien kwam het door die glimlach, of niet, ik weet het echt niet. Maar ik had de indruk dat hij de waarheid sprak.'

'Maar je hebt hem niet betaald.'

'Hoe weet jij dat? O, wacht, dat heb ik je al verteld. Grappig. Mijn eerste reactie was: hoe kom ik aan zo veel geld? Daarna, toen ik erover ging nadenken, dacht ik: wat doe ik eigenlijk verkeerd? Ik heb gelogen tegen een stel onbekenden. Ik had Harold toch niet echt bedrogen, of wel soms?'

Adam nam nog een slokje wijn, schrok opnieuw van de smaak. 'Precies.'

'Misschien... ik weet het niet, maar misschien dacht ik wel dat die gast blufte. Of misschien kon het me niks schelen. Of shit, misschien wilde ik wel dat hij het aan Harold vertelde. De waarheid werkt bevrijdend, nietwaar? Ja, misschien was dat wel wat ik wilde. Dat Harold het zou zien als een schreeuw om hulp en dat hij meer aandacht aan me zou schenken.'

'Maar zo ging het niet?' zei Adam.

'Nee, dat kun je wel zeggen,' zei ze. 'Ik weet niet wanneer hij het Harold heeft verteld, of wat hij precies heeft gezegd. Maar in elk geval heeft hij het gedaan. Ik denk dat hij Harold de link van die website heeft gegeven, zodat hij kon zien wat ik daar allemaal heb besteld. Harold werd woest. Ik had gedacht dat het zijn ogen zou openen voor de pijn die ik leed, maar het tegenovergestelde gebeurde. Het speelde in op al zijn onzekerheden. Al dat gedoe van geen echte man zijn kwam in één keer in hem omhoog. Dat ligt best ingewikkeld, weet je? Een man hoort zich voort te planten, maar als zijn zaad dan niet goed is, nou, dat is best een dreun, hoor. Stom, eigenlijk.'

Ze nam nog een slok wijn en keek hem recht aan.

'Het verbaast me,' zei Suzanne.

'Wat?'

'Dat Corinne hetzelfde heeft gedaan als ik. Ik had verwacht dat zij hem wel zou betalen.'

'Waarom denk je dat?'

Suzanne haalde haar schouders op. 'Omdat ze van je houdt. Omdat ze zo veel te verliezen had.'

25

K on het zo simpel zijn? Een doodsimpele poging tot chantage die uit de hand was gelopen? De vreemde was naar Suzanne Hope toe gestapt en had haar om geld gevraagd in ruil voor zijn stilzwijgen. Zij had geweigerd hem te betalen. Waarop de vreemde haar man had verteld dat ze niet echt zwanger was geweest.

Was hetzelfde met Corinne en Adam gebeurd? Aan de ene kant leek het volstrekt logisch. Het echtpaar Hope was gechanteerd. Waarom zou dat Corinne en hem niet kunnen overkomen? Je vraagt iemand om geld en als je het niet krijgt, vertel je wat je weet. Dat is het idee achter chantage. Maar toen Adam terugreed naar huis en alles wat hij had gehoord nog eens op een rij zette, voelde het niet goed. Hij kon er niet de vinger op leggen wat het precies was. Maar om de een of andere reden wilde de chantagetheorie er bij hem niet in.

Want Corinne was gedreven en intelligent. Ze was een piekeraar en een planner. Als de vreemde haar had gedreigd met chantage en zij had besloten hem niet te betalen, zou Corinne – altijd de beste van de klas – voorbereid zijn op de gevolgen daarvan. Maar toen Adam haar had geconfronteerd met wat de vreemde hem had verteld, was ze zich doodgeschrokken. Ze had geen antwoord klaar gehad. Ze had een paar zwakke pogingen gedaan om tijd te rekken. Hij twijfelde er geen seconde aan dat Corinne oprecht verbaasd was geweest.

Hoe kon dat? Als ze werd gechanteerd, had ze toch op z'n minst kunnen vermoeden dat de vreemde het aan Adam zou vertellen?

En uiteindelijk had ze erop gereageerd door – wat? – van de

aardbodem te verdwijnen? Sloeg dat ergens op? Ze was er zo snel en onvoorbereid vandoor gegaan dat ze hem en de school amper had ingelicht, en – het verrassendste van alles – dat ze de jongens aan hun lot had overgelaten.

Dat was niets voor Corinne.

Er was iets anders gaande.

Hij speelde in zijn hoofd de film van de bewuste avond in de American Legion Hall nog eens af. Hij dacht aan de vreemde. En aan de jonge, blonde vrouw die hun auto had bestuurd. Hij dacht aan de kalme, bijna bezorgde indruk die de vreemde op hem had gemaakt. De vreemde had er niet van genoten toen hij Adam vertelde wat Corinne had gedaan – Adam had geen aanwijzingen gezien dat het om een psychopaat of sociopaat zou gaan – maar aan de andere kant was hij ook niet bijzonder zakelijk geweest.

Voor de zoveelste keer die dag checkte Adam de Locator-app op zijn telefoon, in de hoop dat Corinne inmiddels haar telefoon had opgeladen. En hij vroeg zich af, ook voor de zoveelste keer, of Corinne had besloten in Pittsburgh te blijven of dat het alleen een tussenstop was geweest. Adam gokte op het laatste. Het was natuurlijk ook mogelijk dat ze zich op een zeker moment had herinnerd dat de app op haar telefoon zat, dat de jongens haar daarmee konden opsporen en dat ze gewoon haar telefoon uit had gezet, of een manier had bedacht om de app uit te schakelen.

Goed, dus als Corinne van Cedarfield naar Pittsburgh was gereden, waar zou ze dan daarna naartoe gaan?

Hij had geen idee. Maar het was duidelijk dat er iets heel erg mis was. Goh, echt, meneer de analist? Aan de andere kant, Corinne had hem gevraagd haar een paar dagen met rust te laten. Moest hij dat dan niet doen? Moest hij zich niet gewoon gedeisd houden en afwachten hoe alles zich ontwikkelde? Of was de dreiging te reëel om die te negeren?

Moest hij hulp inroepen? Moest hij naar de politie stappen of afwachten?

Adam kon onmogelijk zeggen aan welke kant hij liever van het hek zou vallen – beide kanten kenden hun voor- en nadelen – maar toen hij hun straat in reed, leek dat er opeens ook niet meer toe te doen. Want toen hij zijn huis naderde, zag hij drie mannen aan het begin van zijn oprit staan. De ene was zijn buurman, Cal Gottesman, die weer met zijn bril aan het worstelen was. De andere twee waren Tripp Evans en Bob 'Gaston' Baime.

Wat kregen we verdomme...

Heel even, een fractie van een seconde, vermoedde Adam het ergste: dat Corinne iets vreselijks was overkomen. Maar nee, dan zouden het niet deze jongens zijn die hem het nieuws kwamen vertellen. Dat zou worden gedaan door Len Gilman, de stadssmeris die twee kinderen op de high school had.

Alsof iemand zijn gedachten had gelezen, kwam er op dat moment een patrouillewagen met de woorden POLITIE CEDARFIELD op de zijkant vanaf de andere kant de straat in rijden, die stopte op de plek waar de drie mannen stonden. Achter het stuur van de patrouillewagen zat Len Gilman.

Adams hart sprong in zijn keel.

Hij stopte langs de stoeprand, zette de auto op de handrem en wierp het portier open. Gilman deed hetzelfde. Toen Adam was uitgestapt, zakte hij bijna door zijn knieën. Op wankele benen liep hij naar de plek waar de vier mannen zich hadden verzameld, op de stoep voor Adams huis.

Alle vier keken ze hem met een ernstige blik aan.

'We moeten praten,' zei Len Gilman.

26

Johanna Griffin, chef van de plaatselijke politie van Beachwood, Ohio, was nooit eerder op de plaats delict van een moord geweest.

Ze had in de loop der jaren natuurlijk wel genoeg doden gezien. Mensen belden de politie wanneer ze ontdekten dat hun geliefden een natuurlijke dood waren gestorven. Hetzelfde gold voor zelfmoorden en drugsgebruikers die een overdosis hadden genomen, dus nee, dode mensen waren absoluut niet nieuw voor Johanna. Ernstige auto-ongelukken waren er in de afgelopen jaren ook meer dan genoeg geweest. Twee maanden geleden nog, toen een vrachtwagen op de andere weghelft was geraakt en frontaal op een Ford Fiesta was gebotst, waarbij de bestuurder was onthoofd en de schedel van zijn vrouw was verbrijzeld als een piepschuimen koffiebeker.

Dus bloed, lichaamsdelen en de dood deden Johanna niet zo veel. Maar dit was wel even wat anders.

Waarom? Ten eerste: het was moord. Alleen het woord al. Moord. Zeg het hardop en de rillingen lopen over je lijf. Het viel eigenlijk met niets te vergelijken. Het was al erg genoeg wanneer je het leven verloor door ziekte of een ongeluk. Maar als je met opzet van het leven werd beroofd, als een ander mens daadwerkelijk had besloten een eind aan je bestaan op deze aarde te maken, was dat ronduit schokkend te noemen. Het was obsceen. Het was iets wat verder ging dan een misdaad. Het was voor God spelen op de meest goddeloze manier.

Maar ook daarmee had Johanna leren leven.

Johanna deed haar best regelmatig adem te halen, maar toch kwam die hortend en stotend haar mond uit. Ze keek naar het lijk op de vloer. Heidi Dann staarde met glazige ogen naar het plafond. Er zat een kogelgat in Heidi's voorhoofd. Een tweede kogel – of de eerste, dat lag meer voor de hand – had haar knieschijf verbrijzeld. Heidi was doodgebloed op het oosterse tapijt dat ze voor een habbekrats had gekocht van ene Ravi, die ze vanuit de laadbak van zijn pick-up voor de ingang van de Whole Foods verkocht. Johanna had hem daar meer dan eens weggestuurd, maar Ravi, die zijn klanten waar voor hun geld en een brede glimlach bood, was altijd weer teruggekomen.

De agent die haar assisteerde, een jonge knul die Norbert Pendergast heette, deed zijn best zijn opwinding te verbergen. Hij kwam naast Johanna staan en zei: 'De districtspolitie is onderweg. Die gaan deze zaak inpikken, hè?'

Ja, wist Johanna, dat zouden ze zeker doen. De plaatselijke politie mocht zich bezighouden met verkeersovertredingen, fietsverlichting en af en toe een gevalletje van huiselijk geweld. Echte misdaden, zoals moord, werden afgehandeld door de districtspolitie. Dus ja, over een paar minuten zouden de grote jongens komen binnenstormen, zwaaiend met hun kleine piemeltjes om iedereen te laten weten dat zij nu de leiding hadden. Ze zouden haar als oud vuil buiten de deur zetten en Johanna wilde niet melodramatisch doen, maar dit was háár stad. Johanna was hier opgegroeid. Ze kende de omgeving als haar broekzak. En ze kende de mensen. Ze wist bijvoorbeeld dat Heidi altijd graag had gedanst, dat ze een prima partij bridge kon spelen en dat ze een ondeugende, aanstekelijke lach had gehad. Ze wist ook dat Heidi graag experimenteerde met rare kleuren nagellak, dat haar favoriete tv-series *The Mary Tyler Moore Show* en *Breaking Bad* waren – yep, Heidi ten voeten uit – en dat ze het oosterse tapijt waarop ze was doodgebloed voor vierhonderd dollar van Ravi bij de Whole Foods had gekocht.

'Norbert?'

'Ja?'

'Waar is Marty?' vroeg Johanna.

'Wie?'

'De echtgenoot.'

Norbert wees achter zich. 'In de keuken.'

Johanna hees haar broek op – welke maat ze ook had geprobeerd, uniformbroeken pasten nooit goed om haar taille – en liep naar de keuken. Toen ze binnenkwam, keek Marty's bleke gezicht naar haar op alsof het aan een touwtje omhoog werd getrokken. Zijn ogen waren groot, leeg en bloeddoorlopen.

'Johanna?'

Zijn stem klonk hol, als van een geest.

'Ik vind het zo erg voor je, Marty.'

'Ik begrijp niet wat...'

'Laten we dit stap voor stap doen.' Johanna pakte een keukenstoel – ja, dit was Heidi's stoel geweest – en ging tegenover hem zitten. 'Ik moet je een paar vragen stellen, Marty. Kun je dat aan?'

De districtsjongens zouden Marty lange tijd als de dader blijven zien. Hij had het niet gedaan. Johanna wist dat, maar het had geen enkele zin om te proberen dat aan die gasten uit te leggen, want de waarheid was dat Johanna het wist omdat... nou, omdat ze het wist. De districtsjongens zouden haar uitlachen en zeggen dat een aanzienlijk percentage van dit soort moorden door de echtgenoot werd gepleegd. Nou, van haar mochten ze. En wie weet? Misschien hadden ze wel gelijk – wat niet zo was –, maar ze zouden hoe dan ook in die richting blijven zoeken. Johanna wilde andere richtingen proberen.

Marty knikte net zichtbaar. 'Ja, best,' zei hij.

'Je was net thuisgekomen, hè?'

'Ja. Ik was naar een beurs in Columbus geweest.'

Niet nodig om naar bewijs te vragen. Dat zouden de districtsjongens wel doen. 'En toen?'

'Ik parkeerde op de oprit.' Zijn stem klonk vlak en afstandelijk, alsof die van heel ver weg kwam. 'Ik opende de voordeur met mijn sleutel. Ik riep Heidi... Ik wist dat ze thuis was want haar auto stond er. Ik liep de woonkamer in en...' Marty's gezicht vertrok, kreeg bijna iets onmenselijks, wat algauw overging in een uitdrukking die maar al te menselijk was.

Normaliter zou Johanna hem de kans hebben gegeven om tot zichzelf te komen, maar de districtsjongens konden elk moment hier zijn. 'Marty?'

Hij deed zijn best zich groot te houden.

'Mis je iets?'

'Wat?'

'Is er iets gestolen?'

'Nee, dat denk ik niet. Zo te zien niet. Maar ik heb nog niet goed gekeken.'

Een roofmoord, wist ze, was onwaarschijnlijk. Ten eerste waren er nauwelijks dingen van waarde in huis. En ten tweede zat Heidi's verlovingsring, waarvan Johanna wist dat die van haar grootmoeder was geweest en het meest waardevolle was wat ze bezat, nog om haar vinger. Een dief zou die zeker hebben meegenomen.

'Marty?'

'Ja?'

'Wie is de eerste persoon die in je opkomt?'

'Hoe bedoel je?'

'Wie zou het gedaan kunnen hebben?'

Marty keek op en dacht na. Toen vertrok zijn gezicht weer. 'Je kent Heidi, Johanna.'

'Kent'. Hij gebruikte de tegenwoordige tijd nog.

'Heidi heeft geen vijanden, op deze hele wereld niet.'

Johanna haalde haar notitieboekje tevoorschijn. Ze sloeg het open op een onbeschreven bladzijde en keek ernaar in de hoop dat niemand zou zien dat er tranen in haar ogen kwamen. 'Denk goed na, Marty.'

'Dat doe ik.' Hij kreunde. 'O mijn god, ik moet het aan Kimberly en de jongens vertellen. Wat moet ik in godsnaam zeggen?'

'Dat kan ik wel voor je doen, als je dat wilt.'

Marty greep die reddingsboei onmiddellijk vast. 'Zou je dat willen doen?' Marty was best een goeie vent, maar bij lange na niet goed genoeg voor iemand als Heidi. Heidi was bijzonder. En Heidi was iemand die iedereen om zich heen het gevoel gaf dat zij ook bijzonder waren. Kortom, Heidi was speciaal.

'De kinderen zijn dol op je, dat weet je,' zei Marty. 'Heidi ook. Zij zou gewild hebben dat jij het hun zou vertellen.'

Johanna bleef naar de blanco bladzijde staren. 'Is er in de afgelopen tijd iets gebeurd?'

'Hoe bedoel je? Iets als dit?'

'Iets bijzonders, bedoel ik. Is een van jullie telefonisch bedreigd? Heeft Heidi ruzie gehad met iemand bij Macy's? Heeft ze iemand gesneden op de 271? Heeft ze haar middelvinger naar iemand opgestoken? Iets, wat dan ook.'

Uiteindelijk schudde hij zijn hoofd.

'Kom op, Marty, denk na.'

'Nee, niks,' zei hij, en hij keek naar haar op met zijn van pijn vertrokken gezicht. 'Ik kan niks bedenken.'

'Wat is hier aan de hand?'

De autoritaire stem kwam van achter haar, en Johanna wist dat haar tijd op was. Ze stond op, liep naar de twee districtsjongens en stelde zich voor. Ze namen haar op alsof ze het zilveren bestek gestolen kon hebben en zeiden dat zij de plaats delict nu zouden overnemen.

En dat deden ze. Johanna liet ze hun gang gaan. Zij hadden ervaring met dit soort zaken en Heidi verdiende het beste. Johanna liep de keuken uit en liet de twee rechercheurs van moordzaken hun werk doen.

Maar dat betekende verdomme nog niet dat zij haar werk niet ook zou doen.

27

'**Z**ijn je jongens thuis?' vroeg Len Gilman. Adam schudde zijn hoofd. Ze stonden nog steeds met z'n vijven op de stoep. Gilman zag er niet uit als een smeris, hoewel hij de norse autoriteit die bij zijn functie hoorde tot een soort kunst had verheven. Hij deed Adam denken aan een oude biker, die niet meer meereed maar zich nog wel in leer kleedde en in ongure cafés kwam. Gilman had een grijze snor in de vorm van een fietsstuur, die vol gele nicotinevlekken zat. Hij had een voorkeur voor shirts met korte mouwen, ook als hij in uniform was, en hij had genoeg haar op zijn armen om voor een beer aangezien te worden.

Even verroerde niemand zich, waardoor ze eruitzagen als een groepje huisvaders die op een donderdagavond op straat een praatje met elkaar maakten.

Dit sloeg nergens op, bedacht Adam, maar misschien was dat wel gunstig.

Als Len Gilman hier was in zijn functie als politieman om Adam het ergst mogelijke nieuws te brengen, zou hij dan Tripp, Gaston en Cal meegebracht hebben?

'Misschien kunnen we beter naar binnen gaan,' zei Len, 'en daar praten.'

'Waar gaat het over?'

'Dat kunnen we beter in de privacy van je huis bespreken.'

Even had Adam de neiging om te zeggen dat er niets mis was met de privacy van waar ze nu stonden, op zijn oprit waar niemand ze kon horen, maar Len liep al naar het huis en Adam wilde zo snel mogelijk weten wat hij te zeggen had. De andere drie waren bij Adam blijven staan. Gaston met gebogen hoofd, terwijl hij het grind bestudeerde. Cal licht nerveus, maar dat was hij altijd. Tripp liet niets blijken.

Adam liep Len achterna en de anderen volgden hem. Toen ze bij de deur kwamen, deed Len een stap opzij zodat Adam die met zijn sleutel kon openen. Jersey de hond kwam de gang in rennen en de nagels van haar poten tikten hard op de houten vloer, maar misschien voelde ze aan dat er iets niet in de haak was, want haar begroeting was aarzelend en vluchtig. Ze schatte de situatie in en trok zich terug in de keuken.

Het werd weer stil in huis, een soort opzettelijke stilte, alsof de muren en het meubilair met elkaar hadden afgesproken vooral geen geluid te maken. Adam was niet van plan voor gastheer te spelen. Hij vroeg ze niet te gaan zitten en of ze iets wilden drinken. Len Gilman liep de woonkamer in alsof hij de huiseigenaar was, of alsof hij daar als politieman het volste recht toe had.

'Wat is er aan de hand?' vroeg Adam.

Len deed het woord namens de groep. 'Waar is Corinne?'

Adam voelde twee dingen tegelijk. Ten eerste: opluchting. Als Corinne gewond was geweest, of erger, zou Len weten waar ze was. Dus wat er ook gaande was, hoe erg ook, het was niet het ergst denkbare. Ten tweede voelde hij angst. Want, oké, Corinne mocht op dit moment dan misschien in veiligheid zijn, maar wat de reden van dit bezoek ook was, door de grootte van het gezelschap en de toon van Lens stem moest er wel iets aan de hand zijn.

'Ze is er niet,' zei Adam.

'Nee, dat zien wij ook. Zou je ons willen vertellen waar ze dan wel is?'

'Zou jij me willen vertellen waarom je dat wilt weten?'

Len Gilman bleef Adam recht aankijken. De andere drie mannen stonden opgelaten met hun voeten te schuifelen. 'Zullen we gaan zitten?' zei Len.

Adam wilde protesteren, zeggen dat het zíjn huis was en dat hij wel zou uitmaken waar en wanneer ze gingen zitten, maar hij wist dat het zinloos en verspilling van energie was. Met een zucht plofte Len neer in de grote fauteuil waar Adam altijd in zat. Adam bedacht dat ook dit waarschijnlijk een staaltje van machtsvertoon was, maar opnieuw besloot hij zijn mond te houden. De drie andere mannen gingen naast elkaar op de bank zitten, als de horen-zien-en-zwijgen-aapjes. Adam bleef staan.

'Wat is er verdomme aan de hand?' vroeg Adam voor de zoveelste keer.

Len Gilman aaide de punten van zijn snor alsof het kleine huisdiertjes waren. 'Laat ik beginnen met te zeggen dat ik hier ben als vriend en als buur, niet als korpschef.'

'O, dat is buitengewoon geruststellend.'

Len negeerde het sarcasme en vervolgde: 'Dus als vriend en als buur zeg ik je dat we op zoek zijn naar Corinne.'

'En als vriend en als buur, én als bezorgde echtgenoot, vraag ik je waarom.'

Len Gilman knikte, leek tijd te rekken om te bedenken hoe hij het moest zeggen. 'Ik weet dat Tripp gisteren bij je langs is geweest.'

'Dat klopt.'

'En dat hij tegen je heeft gezegd dat we een bestuursvergadering van de lacrossebond hebben gehouden.'

Len Gilman stopte met praten, haalde die smerissentruc uit waarin ze wachten in de hoop dat de verdachte uit zichzelf iets zegt. Adam kende de truc maar al te goed uit zijn tijd als openbaar aanklager. Hij wist ook dat iemand die de bal terugkaatste en net zo lang wachtte tot de smeris iets zei, meestal iets te verbergen had. Adam had niets te verbergen. Bovendien wilde hij de zaak niet ophouden, dus hij zei: 'Ook dat klopt.'

'Corinne was niet op de vergadering. Ze is niet komen opdagen.'

'Ja, en? Wat wil je, een absentiebriefje van de ouders?'

'Doe niet zo bijdehand, Adam.'

Len had gelijk. Hij moest proberen zijn sarcasme in toom te houden.

'Ben jij ook bestuurslid, Len?' vroeg Adam.

'Ik ben districtsvertegenwoordiger.'

'Wat houdt dat in?'

Len glimlachte en spreidde zijn armen. 'God mag het weten. Tripp is de voorzitter, Bob is vicevoorzitter en Cal is secretaris.'

'Dat weet ik. Tjonge, ik ben diep onder de indruk.' Opnieuw riep hij zichzelf tot de orde. Het was nu niet het moment voor sarcasme. 'Maar ik weet nog steeds niet waarom jullie naar Corinne op zoek zijn.'

'En wij weten niet waarom we haar nergens kunnen vinden,' pareerde Len, en hij hield zijn grote handen op. 'Dat is vreemd, nietwaar? We hebben haar ge-sms't, we hebben haar gemaild, we hebben haar gebeld, op haar mobiel en hier thuis... Man, ik ben zelfs bij haar school langs geweest. Wist je dat?'

Adam wilde iets zeggen maar hield zich in.

'Corinne was niet op school. Ze was absent... en ja, zonder absentiebriefje van de ouders. Dus ben ik met Tom gaan praten.' Tom Gorman was het hoofd van de school. Hij woonde ook in Cedarfield en had drie kinderen. In stadjes als dit wist iedereen alles van elkaar. 'Hij zegt dat Corinne wat aanwezigheid betreft de beste staat van dienst van het hele district heeft, en opeens komt ze niet meer opdagen. Hij maakt zich zorgen.'

'Len?'

'Ja?'

'Kun je alsjeblieft ter zake komen en me vertellen waarom jullie alle vier zo naarstig naar mijn vrouw op zoek zijn?'

Len keek naar de drie aapjes op de bank. Bobs gezicht leek uit steen gehouwen. Cal zat zijn bril schoon te poetsen. Dan bleef alleen Tripp Evans over. Tripp schraapte zijn keel en zei: 'Er schijnen enige discrepanties in de financiën van de lacrossebond te zijn.'

Kaboem.

Of misschien het tegenovergestelde van 'kaboem'. Het werd nog stiller in huis dan het al was. Adam was ervan overtuigd dat hij het kloppen van zijn hart in zijn borstkas kon horen. Hij tastte achter zich, voelde een stoelzitting en liet zich erop zakken.

'Waar heb je het over?'

Maar dat wist hij al, nietwaar?

Bob scheen zijn stem teruggevonden te hebben. 'Waar denk je dat we het over hebben?' vroeg hij, net iets scherper dan nodig was. 'Er is geld van de bankrekening verdwenen.'

Cal knikte, om ook iets bij te dragen.

'En jullie denken...' Adam maakte de vraag niet af. Want het was overduidelijk wat ze dachten. Bovendien weigerde hij de belachelijke aantijging uit te spreken.

Maar was die wel zo belachelijk?

'Laten we niet op de feiten vooruitlopen,' zei Len, een en al redelijkheid. 'Op dit moment willen we Corinne alleen spreken. Zoals ik al zei ben ik hier als vriend en als buur, en misschien als bestuurslid. Hetzelfde geldt voor Bob, Cal en Tripp. We zijn vrienden van Corinne. En van jou. We willen dit tussen ons houden.'

Er werd alom geknikt.

'En dat houdt in?'

'Dat houdt in,' zei Len terwijl hij zich samenzweerderig naar voren boog, 'dat als de boeken weer kloppen, de zaak daarmee is afgedaan. Het blijft binnenskamers. Er zullen geen vragen worden gesteld. Als de discrepantie wordt opgehelderd en het saldo weer klopt... nou, dan zijn we niet langer geïnteresseerd in het hoe of het waarom. Dan vergeten we de hele kwestie.'

Adam zei niets. Het was ook altijd hetzelfde, binnen elke organisatie. Er werd gelogen en er werden dingen in de doofpot gestopt. Voor het grotere goed, het algemeen belang. Naast schrik en verbazing voelde Adam, onwillekeurig, ook afkeer en walging. Maar daar ging het nu niet om. Hij moest voorzichtig zijn. Want Len Gilman mocht dan als vriend, buur en bestuurslid gekomen zijn, wat hij al een paar keer had benadrukt, maar hij was en bleef een smeris. Hij was hier niet uit empathie. Hij was hier om informatie in te winnen. Adam moest voorzichtig zijn met hoeveel hij prijsgaf.

'Deze discrepantie,' zei hij. 'Hoe groot is die?'

'Aanzienlijk,' zei Len Gilman.

'Over hoeveel heb je het dan?'

'Sorry, dat is vertrouwelijk.'

'Maar je gelooft toch niet echt dat Corinne...'

'Op dit moment,' zei Len Gilman, 'willen we alleen met haar praten.'

Adam zei niets.

'Waar is ze, Adam?'

Daar had hij natuurlijk geen antwoord op. Hij hoefde niet eens te proberen het uit te leggen. De advocaat in hem nam de leiding. Hoe vaak had hij zijn eigen cliënten niet op het hart gedrukt niets meer te zeggen? Hoeveel zaken had hij niet gewonnen omdat een of andere idioot had geprobeerd zich onder de aanklacht uit te kletsen?

'Adam?'

'Ik denk dat jullie nu beter kunnen gaan.'

28

Dan Molino probeerde zijn ogen droog te houden toen zijn zoon Kenny zich opstelde voor de veertig meter sprint. Kenny zat in het laatste jaar van high school en was een van de grote American football-beloften van Wisconsin. Het was zijn cruciale jaar, hij werd al bewonderd en gevolgd door diverse topscouts en nu was hij hier, bezig met zijn warming-up voor het laatste onderdeel van de selectie. Dan stond langs de zijlijn en beleefde die bekende, ouderlijke roes terwijl zijn boomlange zoon – Kenny woog inmiddels 130 kilo – zijn voeten in de startblokken zette. Dan was zelf ook groot, één vijfentachtig lang en honderdtwintig kilo. Hij had in zijn tijd ook football gespeeld, als lijnverdediger in de All-State-competitie, maar hij was een stapje te langzaam en een maatje te klein geweest om te kunnen doorstoten naar de eerste divisie. Hij was vijfentwintig jaar geleden zijn eigen meubeltransportbedrijfje begonnen, eerst freelance, maar nu was hij eigenaar van twee grote trucks en had hij negen man in dienst. De grotere meubelzaken hadden vaak hun eigen besteldienst. Dan richtte zich vooral op de kleine familiezaken, hoewel die de laatste jaren steeds verder terugliepen in aantal. Ze werden op een zijspoor gezet door de grote winkelketens, net zoals grote jongens als UPS en FedEx hem op een zijspoor probeerden te zetten.

Maar Dan kon er nog van leven. Een paar grote matrassenfabrikanten hadden onlangs besloten hun eigen bezorgdienst in te krimpen. Die vonden het goedkoper om het transport door een plaatselijk bedrijf zoals dat van Dan te laten doen. Dat hielp. Dus oké, Dan werd er niet rijk van, maar hij deed het best goed. Carly en hij hadden een leuk huis in Sparta, niet ver van het meer.

Ze hadden drie kinderen. Ronald was de jongste. Hij was twaalf. Karen zat in het eerste jaar van high school en was in de fase beland dat de eerste tekenen van de pubertijd zich aandienden, wat ook door de jongens op school werd opgemerkt. Dan hoopte dat hij ertegen zou kunnen. En ten slotte was er Kenny, zijn eerstgeborene, in het laatste jaar van high school en helemaal klaar voor een carrière in het collegefootball. Alabama en Ohio State hadden al interesse getoond.

Kenny hoefde alleen nog maar een goede tijd op de veertig meter sprint neer te zetten.

Dan keek naar zijn zoon en voelde dat zijn ogen vochtig werden. Dat gebeurde elke keer. Het was wel een beetje gênant dat hij zo reageerde, maar hij kon er niets aan doen. Hij had gedacht het op te lossen door een zonnebril op te zetten als hij naar Kenny's wedstrijden kwam kijken, zodat niemand het zou zien, maar dat kon hij niet doen als ze binnenshuis waren en Kenny weer een of andere onderscheiding kreeg, zoals toen hij tijdens het teamdiner werd uitgeroepen tot beste speler van het team, en als Dan daar dan bij zat was het meteen raak, schoten zijn ogen vol en liepen er soms zelfs een of twee traantjes over zijn wangen. Als iemand er iets van zei, antwoordde Dan dat hij hooikoorts had, of dat hij een koutje had opgelopen. En wie weet, misschien geloofden ze hem wel. Carly vond het prachtig dat hij zo was, noemde hem 'haar gevoelige teddybeer' en gaf hem een stevige omhelzing. Wat Dan verder ook had gedaan, welke fouten hij in zijn leven ook had gemaakt, hij had absoluut de jackpot gewonnen toen Carly Applegate hem als haar levenspartner had gekozen.

Dan moest bekennen dat hij niet geloofde dat Carly net zo veel geluk had gehad als hij. Eddie Thompson was toentertijd verliefd op haar geweest. Eddies familie was al vroeg in de McDonald's-keten gestapt en had een fortuin verdiend. Tegenwoordig stonden ze vaak in de krant, Eddie en zijn vrouw Melinda, als ze weer eens iets voor een goed doel hadden gedaan. Carly had er nooit iets over gezegd, maar Dan wist dat het nog altijd aan haar knaagde. Of misschien maakte hij dat ervan. Hij wist het echt niet. Dan wist alleen dat als hij zijn kinderen iets bijzonders zag doen, zoals football spelen of een prijs winnen, de tranen hem in de ogen sprongen. Hij raakte gemakkelijk ontroerd en probeerde dat te verbergen achter zijn zonnebril, maar Carly kende de waarheid en hield daarom des te meer van hem.

Vandaag had Dan zijn zonnebril op. Dat stond vast.

Onder de waakzame blik van diverse topscouts had Kenny het prima gedaan in de andere tests: de verticale sprong en de zeven tegen zeven, een soort loopgravenoorlog op het veld. Maar het was de veertig meter sprint die de doorslag gaf. Die zou zijn toegangsbewijs zijn voor een van de vooraanstaande universiteiten. Ohio State, Penn State, Alabama of misschien zelfs – o man, Dan schoot al vol als hij er alleen maar aan dacht – Notre Dame. De scout van Notre Dame was er, en het was Dan niet ontgaan dat de man veelvuldig naar Kenny had gekeken.

Alleen nog die laatste sprint. Als Kenny onder de 5,2 seconden bleef, zat hij gebakken. Dat zei iedereen. Als een belofte langzamer dan 5,2 was, verloren de scouts hun interesse, hoe goed hij ook was geweest in de andere tests. Wat zij eisten, was 5,2 of minder. Als Kenny dat voor elkaar kreeg, als hij vandaag zijn beste tijd kon lopen...

'Je weet het, hè?'

Dan schrok even van de onbekende stem, maar meteen daarna ging hij ervan uit dat de man het niet tegen hem had gehad. Maar toen Dan een snelle blik opzij wierp, zag hij een onbekende man die hem recht aankeek door de donkere glazen van zijn zonnebril.

Klein kereltje, dacht Dan, hoewel bijna iedereen er klein uitzag voor iemand zoals Dan. Niet heel klein, maar van gemiddelde lengte. Slanke handen, magere armen, bijna fragiel ogend. De man die hem aankeek viel op omdat hij hier duidelijk niet thuishoorde. Hij had niets wat je met American football associeerde. Daar was hij te klein en te sullig voor, met die grote honkbalpet waarvan hij de klep ver over zijn ogen had getrokken. En dan die vriendelijke, zachtaardige glimlach.

'Heb je het tegen mij?' vroeg Dan.

'Ja.'

'Hoor eens, ik heb even geen tijd.'

De man bleef glimlachen terwijl Dan zich langzaam omdraaide naar het veld. Daar zette Kenny zijn beide voeten in de startblokken. Dan keek naar hem en wachtte op de tranen die zouden komen.

Maar vreemd genoeg gebeurde dat vandaag niet.

Dan waagde weer een blik opzij. De man stond hem nog steeds glimlachend aan te kijken.

'Wat wil je van me?'

'Het kan wachten tot na de sprint, Dan.'

'Wat kan wachten? En hoe weet je hoe ik...'

'Sst. Laten we eerst kijken hoe hij het doet.'

Op het veld riep iemand: 'Op uw plaatsen, klaar...' en toen klonk de knal van het startpistool. Met een ruk draaide Dan zijn hoofd in de richting van het veld. Kenny veerde op uit de startblokken en schoot vooruit als een op hol geslagen vrachtwagen. Dan glimlachte. Probeer die maar eens tegen te houden, dacht hij. Kenny maait je omver als een graspriet.

De sprint duurde maar een aantal seconden, maar voor Dans gevoel was het veel langer. Een van Dans nieuwe chauffeurs, een student die iets wilde bijverdienen, had hem een artikel gestuurd waarin stond dat de tijd vertraagt als je iets nieuws ervaart. Nou, dit was zeker iets nieuws. Misschien tikten de seconden daarom zo langzaam weg. Dan zag zijn jongen afstevenen op een persoonlijk record op de veertig, zijn toegangsbewijs tot die bijzondere plek die Dan nooit had gehaald, en toen Kenny met een recordtijd van 5,07 seconden over de finish kwam, was Dan ervan overtuigd dat de tranen zouden komen.

Alleen gebeurde dat niet.

'Prima tijd,' zei de kleine man. 'Je zult wel trots zijn.'

'Reken maar.'

Dan draaide zich om naar de vreemde. Die kon de pest krijgen. Dit was een van de belangrijkste momenten – zo niet het belangrijkste – van Dans leven en hij verdomde het om dit door een of andere sukkel te laten verstoren. 'Ken ik jou?'

'Nee.'

'Ben je een scout?'

De vreemde glimlachte. 'Zie ik eruit als een scout, Dan?'

'Hoe kan het dat je weet hoe ik heet?'

'Ik weet veel dingen. Hier.'

De vreemde gaf hem een grote envelop.

'Wat is dit?'

'Je weet wat het is, of niet soms?'

'Ik weet niet wie je verdomme denkt dat je...'

'Ik kan bijna niet geloven dat niemand je er ooit eerder op heeft aangesproken.'

'Aangesproken waarop?'

'Ik bedoel, moet je je zoon zien.'

Dan draaide zich weer naar het sportveld. Kenny had een brede glimlach op zijn gezicht en hij keek naar de zijlijn om de reactie van zijn vader te zien. Nu sprongen de tranen wel degelijk in Dans ogen. Dan zwaaide, en zijn jongen, die 's avonds nooit uitging, die niet dronk, geen wiet rookte en niet met slechte mensen omging, die er – geloof het of niet – de voorkeur aan gaf 's avonds thuis te blijven en met zijn ouweheer naar een sportwedstrijd of een film op Netflix te kijken, zwaaide terug.

'Een jaar geleden woog hij – hoeveel? – honderdvijf kilo?' zei de vreemde. 'Hij komt meer dan vijfentwintig kilo aan en dat valt niemand op?'

Dan fronste zijn wenkbrauwen, ook al sloeg de schrik hem om het hart. 'Dat heet de pubertijd, sukkel. Dat heet keihard trainen.'

'Nee, Dan. Dat heet Winstrol. Dat heet PBM's.'

'Wat?'

'Prestatiebevorderende middelen. Bij de gewone man beter bekend als "steroïden".'

Dan draaide zich weer om en ging vlak voor de vreemde staan.

'Wat zei je daar?'

'Ik hoef het niet te herhalen, Dan. Al het bewijs zit in die envelop. Je zoon is op Silk Road geweest. Weet je wat dat is? De *deep web*? De online onderwereldeconomie? Bitcoins? Ik weet niet of je Kenny je zegen hebt gegeven of dat je zoon het zelf heeft betaald, maar je weet dat het waar is, hè?'

Dan stond daar en zei niets.

'Wat denk je dat al die scouts zullen zeggen als deze informatie openbaar wordt gemaakt?'

'Je kletst uit je nek. Je hebt dit verzonnen. Dit slaat...'

'Tienduizend dollar, Dan.'

'Wat?'

'Ik ga nu niet in op de details. Al het bewijs zit in die envelop. Kenny is begonnen met Winstrol. Dat was zijn voornaamste PBM, maar hij heeft ook Anadrol en Deca Durabolin gebruikt. Je kunt zien hoe vaak hij het heeft besteld en hoe hij het heeft betaald. Zelfs het IP-adres van jullie huiscomputer staat erbij. Hij is er als tweedejaars mee begonnen, dus al die bekers, al die overwinningen, al die statistieken... Nou, als de waarheid aan het licht komt, tellen die allemaal niet meer, Dan. Al die bewonderende klappen op je schouder als je O'Malley's Pub binnenkomt, al die fans, al die stadgenoten die vinden dat je oudste zoon zo'n prima jongen is... Wat zullen al die mensen van jou denken als ze ontdekken dat Kenny vals heeft gespeeld? En wat zullen ze van Carly vinden?'

Dan zette zijn wijsvinger op het borstbeen van de kleine man. 'Bedreig je me?'

'Nee, Dan. Ik vraag je om tienduizend dollar. Eenmalig. Je weet dat ik veel meer kan vragen, met die schoolgelden van tegenwoordig... Dus eigenlijk heb je geluk, hou dat in gedachten.'

Rechts van Dan vroeg de stem die altijd tranen in zijn ogen bracht: 'Pa?'

Kenny kwam met een hoopvolle, gelukzalige uitdrukking op zijn gezicht hun kant op lopen. Dan schrok, staarde naar zijn zoon en was even niet in staat zich te bewegen.

'Ik laat jullie nu alleen, Dan. Alle informatie zit in de envelop die ik je heb gegeven. Kijk er maar eens goed naar als je thuis bent. Wat er morgen gebeurt is aan jou, maar voor het zover is...' De vreemde gebaarde naar de naderende Kenny. '... laat ik jou en je zoon nog even genieten van dit bijzondere moment.'

29

De American Legion Hall was niet zo ver van het centrum van Cedarfield. Het grote parkeerterrein maakte het voor de buurtbewoners verleidelijk om er hun auto neer te zetten, aangezien het aantal plekken in de straten beperkt was en er overal parkeermeters stonden. Om hier iets tegen te doen, hadden de bazen van het American Legion ene John Bonner ingehuurd om het parkeerterrein te 'bewaken'. Bonner was opgegroeid in Cedarfield, was als laatstejaars zelfs aanvoerder van het basketbalteam geweest, maar op een zeker moment waren er diverse mentale stoornissen aan zijn geest gaan knagen, om zich vervolgens een weg naar binnen te vreten en zich er voorgoed te nestelen. Tegenwoordig was Bonner wat voor Cedarfield het dichtst in de buurt van een dorpsgek kwam. Hij sliep 's nachts in het Pines Mental Health Center en overdag zwierf hij door de stad terwijl hij zich bezighield met allerlei complottheorieën waarin de huidige burgemeester en Stonewall Jackson meestal een rol speelden. Sommige van Bonners oude klasgenoten van Cedarfield High hadden zich zijn lot aangetrokken en hadden hem willen helpen. Rex Davies, de voorzitter van het American Legion, was gekomen met het idee om Bonner een baantje als terreinwachter te geven, vooral om een eind te maken aan diens dagelijkse zwerftochten door de stad.

Bonner, wist Adam, nam zijn nieuwe werk heel serieus. Té serieus. Met zijn natuurlijke aanleg voor dwangstoornissen hield hij in een groot notitieboek een gedetailleerd verslag bij van enerzijds de vruchten van zijn paranoia en anderzijds het merk, het model, de kleur en het kentekennummer van elke auto die zijn parkeerterrein op en af reed. Als je niets te zoeken had in de American Legion Hall en je zette je auto op het terrein, dan gaf Bonner je een waarschuwing, soms met iets te veel bombarie, of hij liet je je auto parkeren, wachtte totdat hij had vastgesteld dat je niet de Legion Hall maar de Stop & Shop of Backyard Living was binnengegaan en belde dan zijn vroegere teamgenoot Rex Davies, die toevallig een garage en een autosleepbedrijf had.

De ene hand wast de andere.

Bonner nam Adam argwanend op toen hij het parkeerterrein van het American Legion op reed. Hij was zoals altijd gekleed in een blauwe blazer met te veel gouden knopen, waardoor die eruitzag als een uniformjas uit de Burgeroorlog, en een rood-met-wit shirt in een theedoekdessin. De pijpen van zijn broek waren gerafeld en aan zijn voeten droeg hij een paar Chucks zonder veters.

Adam had besloten dat hij niet langer zonder iets te doen kon afwachten tot Corinne terugkwam. Er waren te veel leugens en onduidelijkheden waar hij nog steeds niets van begreep, maar wat er de afgelopen dagen ook allemaal was misgegaan, het was hier begonnen, in de American Legion Hall, toen de vreemde hem had verteld over die verdomde website.

'Hallo, Bonner.'

Misschien herkende Bonner hem, of misschien ook niet. 'Hallo,' zei hij behoedzaam.

Adam zette de auto op de handrem en stapte uit. 'Ik zit met een probleem.'

Bonners wenkbrauwen – zo borstelig dat ze Adam aan Ryans hamsters deden denken – gingen omhoog. 'O ja?'

'Ik hoopte dat jij me kunt helpen.'

'Hou je van kipvleugeltjes?'

Adam knikte. 'Nou, reken maar.' Er werd gezegd dat Bonner ooit een genie was geweest, maar was dat niet altijd zo met mensen die later mentaal doordraaiden? 'Zal ik een portie voor je gaan halen bij Bub's?'

Vol afgrijzen keek Bonner hem aan. 'Bub's is shit!'

'O, juist, sorry.'

'Ach, ga toch weg.' Hij maakte een wuivend gebaar naar Adam. 'Wat weet jij daar nou van, man?'

'Sorry. Ik meen het. Hoor eens, ik heb je hulp nodig.'

'Er zijn zo veel mensen die mijn hulp nodig hebben. Maar ik kan niet overal tegelijk zijn, of wel soms?'

'Nee. Maar hier kun je wel zijn, toch?'

'Huh?'

'Op dit parkeerterrein? Je kunt helpen met een probleem op dit parkeerterrein, toch? Hier?'

Bonners wenkbrauwen gingen zo ver omlaag dat Adam zijn ogen niet meer kon zien. 'Een probleem? Op míjn parkeerterrein?'

'Ja. Want zie je, ik was hier onlangs.'

'Dat weet ik,' zei Bonner. 'Voor de teamselectie van het lacrosse.'

Bonners plotselinge scherpzinnigheid had Adam moeten verbazen, maar om de een of andere reden gebeurde dat niet. 'Precies. Maar goed, mensen van buiten de stad hebben een deuk in mijn auto gereden.'

'Wat?'

'Een flinke deuk.'

'Op míjn parkeerterrein?'

'Ja. Een jong stel, van buiten de stad, volgens mij. Ze reden in een grijze Honda Accord.'

Bonners gezicht werd rood van verontwaardiging. 'Heb je het kentekennummer?'

'Nee. Ik had gehoopt dat jij dat voor me had. Dan kan ik een schadeclaim indienen. Het was ongeveer kwart over tien toen ze wegreden.'

'Ah, ja, ik herinner me dat stel.' Bonner haalde zijn grote notitieboek uit zijn zak en begon erin te bladeren. 'Dat was maandag.'

'Ja.'

Hij sloeg nog een paar bladzijden om, deed dat steeds sneller. Adam keek mee over Bonners schouder. Elke bladzijde was van boven tot onder en van uiterst links tot uiterst rechts volgeschreven met heel kleine lettertjes. Bonner bleef in een furieus tempo bladzijden omslaan.

Toen, opeens, stopte Bonner.

'Heb je het gevonden?'

Langzaam plooiden Bonners lippen zich in een grijns. 'Hé, Adam?'

'Ja?'

Bonners grijns richtte zich op Adam. Toen dansten zijn hamsterwenkbrauwen op en neer en hij vroeg: 'Heb je tweehonderd dollar bij je?'

'Tweehonderd dollar?'

'Ja, want je liegt tegen me.'

Adam deed alsof hij verbaasd was. 'Waar heb je het over?'

Bonner sloeg zijn notitieboek dicht. 'Want zie je, ik was hier. Ik had de klap van de aanrijding moeten horen.'

Adam wilde iets terugzeggen, maar Bonner stak zijn hand op.

'En voordat je me gaat vertellen dat het al laat was, dat het rumoerig was of dat het maar een kras in je lak was, je auto staat daar en ik zie nergens schade. En voordat je me probeert wijs te maken dat je met de auto van je vrouw was, of andere leugens voor me hebt...' Bonner hield zijn notitieboek op en grijnsde nog steeds. '... alle gegevens van die avond staan hierin.'

Betrapt. Betrapt op een domme leugen door Bonner.

'Dus denk ik,' vervolgde Bonner, 'dat jij het kentekennummer van die gast om een andere reden wilt hebben. Van hem en dat leuke blondje dat bij hem was. Ja, ik herinner me die twee, want jou en al die andere clowns heb ik al een miljoen keer gezien. Het waren onbekenden. Niet van hier. Ik vroeg me al af wat ze kwamen doen.' Hij grijnsde weer. 'Nu weet ik voor wie ze kwamen.'

Adam aarzelde tussen wel tien dingen die hij wilde zeggen, maar hij koos de simpelste optie. 'Tweehonderd dollar, zei je?'

'Lijkt me een redelijke prijs. O, en ik accepteer geen cheques. Ook geen kleingeld.'

30

D e oude Rinsky zei: 'Het is een huurauto.'
Ze zaten in Rinsky's computerkamertje naast de keuken. Rinsky was vandaag helemaal in het beige: beige corduroy broek, beige wollen shirt en een beige vest. Eunice zat thee te drinken aan de keukentafel, gekleed alsof ze naar een kinderfeestje ging. Haar make-up zag eruit alsof die met een verfspuit was aangebracht. Toen Adam binnenkwam zei ze: 'Goeiemorgen, Norman.' Adam had haar willen corrigeren, maar Rinsky had zijn hoofd geschud. 'Niet doen,' zei hij. 'Dat heet bevestigingstherapie. Laat haar maar.'

'Enig idee wie die auto afgelopen maandag heeft gehuurd?' vroeg Adam.

'Die info heb ik hier.' Rinsky tuurde naar het scherm. 'De auto is gehuurd op naam van Lauren Barna, maar dat is een pseudoniem. Ik heb wat graafwerk gedaan en Barna heet in werkelijkheid Ingrid Prisby. Ze woont in Austin, Texas.' Er zat een kettinkje aan zijn leesbril. Hij liet de bril op zijn borst vallen en draaide zich om. 'Zegt die naam je iets?'

'Nee.'

'Het kost wat tijd, maar ik zou haar kunnen natrekken.'

'Goed idee.'

'Oké, geen probleem.'

Adam dacht: en wat nu? Hij kon niet zomaar naar Austin vliegen. Moest hij Rinsky om haar telefoonnummer vragen en haar bellen? Maar wat moest hij dan zeggen? Hallo, mijn naam is Adam Price. Jij en een of andere gast met een honkbalpet hebben me een geheim over mijn vrouw verteld...

'Adam?'

Hij keek op.

Rinsky had zijn handen op zijn buik gelegd, met de vingers in-eengevlochten. 'Je hoeft me natuurlijk niet te vertellen waar dit over gaat. Dat weet je, hè?'

'Ja.'

'Maar, voor de zekerheid, alles wat je me wel zou vertellen, komt niet buiten de muren van dit huis. Dat weet je ook, hè?'

'Sorry, maar dat beslis jij, niet ik,' zei Adam.

'Ja, maar ik ben een oude man. Ik heb een belabberd geheugen.'

'O, dat betwijfel ik ten zeerste.'

Rinsky glimlachte. 'Oké, wat je wilt.'

'Nee, wacht, eigenlijk, als ik je er niet te veel mee belast, zou ik heel graag willen weten hoe je hierover denkt.'

'Ik ben een en al oor.'

Adam wist niet precies hoeveel hij Rinsky moest vertellen, maar de oude smeris kon goed luisteren. Waarschijnlijk had hij in zijn tijd een Oscarwaardige *good cop* neergezet, want Adam kon bijna niet ophouden met praten. Uiteindelijk vertelde hij Rinsky het hele verhaal, vanaf het moment dat de vreemde de American Legion Hall was binnengekomen tot en met zijn gesprek met Bonner.

Toen Adam uitgepraat was, zaten de twee mannen even zwijgend tegenover elkaar. Eunice, in de keuken, nam een slokje thee.

'Vind jij dat ik naar de politie moet stappen?' vroeg Adam ten slotte.

Rinsky fronste zijn wenkbrauwen. 'Jij bent toch openbaar aanklager geweest?'

'Ja.'

'Dan zou je beter moeten weten.'

Adam knikte.

'Jij bent de echtgenoot,' zei Rinsky, alsof dat alles verklaarde. 'Je hebt net ontdekt dat je vrouw je op een tamelijk gruwelijke manier heeft bedrogen. Vervolgens is ze ervandoor gegaan. Vertel mij eens, meneer de openbaar aanklager, wat zou u daarvan denken?'

'Dat ik haar iets heb aangedaan.'

'Dat als eerste. En een tweede optie is dat je vrouw... hoe heet ze ook alweer?'

'Corinne.'

'Juist, Corinne. Optie nummer twee is dat Corinne het geld van die sportclub heeft gestolen om bij jou weg te kunnen gaan. Bovendien zul je jullie plaatselijke smeris moeten vertellen dat ze heeft gedaan alsof ze zwanger was. Is die man getrouwd?'

'Ja.'

'Dan weet in een mum van tijd de hele stad het. Niet dat dit iets aan de feiten verandert. Maar laten we reëel zijn: de politie zal denken dat jij je vrouw hebt vermoord, of dat je vrouw er met de clubkas vandoor is.'

Rinsky had bijna woordelijk uitgesproken wat Adam al had gedacht.

'Maar wat moet ik nu doen?'

Rinsky zette zijn leesbril weer op. 'Laat me die sms eens zien die je vrouw je stuurde voordat ze spoorloos verdween.'

Adam pakte zijn telefoon en zocht hem op. Hij gaf het toestel aan Rinsky en las het bericht nog eens mee over de schouder van de oude man.

Ik heb even wat tijd voor mezelf nodig. Zorg jij voor de kinderen? Probeer geen contact met me op te nemen. Het komt wel weer goed.

En daaronder:

Geef me een paar dagen de tijd. Alsjeblieft.

Rinsky las de sms, haalde zijn schouders op en zette zijn bril weer af. 'Tja, wat kun je doen? Voor zover je weet wil je vrouw je even niet zien. Ze vraagt je geen contact met haar op te nemen. Dat kun je dan ook beter niet doen.'

'Maar ik kan toch niet blijven duimendraaien?'

'Nee, natuurlijk niet. Maar als de politie je ernaar vraagt, is dat wel wat je antwoordt.'

'Waarom zou de politie me daarnaar vragen?'

'Geen idee. Maar in de tussentijd doe je alles wat je kunt. Je hebt dat kentekennummer achterhaald en je bent naar mij toe gekomen. Daar heb je goed aan gedaan, op beide punten. Waarschijnlijk zal Corinne een dezer dagen uit zichzelf wel weer naar huis komen. Maar hoe het ook zij... je hebt gelijk, we moeten proberen haar terug te vinden. Ik ga die Ingrid Prisby doorlichten. Misschien levert het een aanwijzing op.'

'Oké, bedankt. Ik stel je hulp erg op prijs.'

'Adam?'

'Ja?'

'Er is een kans dat jouw Corinne dat geld heeft gestolen. Dat weet je, hè?'

'Als dat zo is, heeft ze het met een reden gedaan.'

'Om bij jou weg te gaan, bijvoorbeeld. Of om die chanteur te betalen.'

'Of om een andere reden die we nog niet kennen.'

'Maar wat het ook is,' zei Rinsky, 'jij wilt de politie geen reden geven om haar te verdenken.'

'Nee.'

'Zei je dat ze in Pittsburgh was?'

'Dat geeft die Phone Locator aan, ja.'

'Ken je daar iemand?'

'Nee.' Hij keek naar Eunice. Ze glimlachte naar hem en bracht haar theekopje naar haar mond. Een volstrekt normaal huiselijk tafereel, voor een buitenstaander, maar als je wist hoe ze er geestelijk aan toe was...

Adam moest opeens aan iets denken.

'Wat is er?' vroeg Rinsky.

'De ochtend voordat ze verdween, toen ik beneden kwam en de jongens in de keuken aan hun ontbijt zaten, stond Corinne in de achtertuin te telefoneren. Toen ze me zag, maakte ze snel een eind aan het gesprek.'

'Enig idee wie ze belde?'

'Nee, maar dat kan ik opzoeken op internet.'

De oude Rinsky stond op en bood Adam zijn stoel aan. Adam ging zitten en opende de website van Verizon. Hij typte het telefoonnummer en het wachtwoord in. Hij kende het uit zijn hoofd, niet omdat hij zo'n geweldig geheugen had, maar omdat Corinne en hij voor dit soort zaken altijd hetzelfde wachtwoord gebruikten. Dat was BARISTA, in hoofdletters, altijd. Waarom? Omdat ze, toen ze een wachtwoord moesten bedenken, in een koffieshop waren, om zich heen zaten te kijken terwijl ze naar een willekeurig woord zochten, en er een barista achter de toonbank stond. Het woord was een perfecte keus omdat het helemaal niets met hen te maken had. En als het wachtwoord langer moest zijn dan zeven tekens, gebruikten ze BARISTABARISTA, of als het niet alleen uit letters maar ook uit cijfers moest bestaan, werd het BARISTA77. Zoiets.

Bij zijn tweede poging – BARISTA77 – werd Adam binnengelaten.

Hij klikte een paar links aan en checkte eerst haar meest recente uitgaande gesprekken, in de hoop dat hij geluk zou hebben en dat ze in de afgelopen uren of gisteravond laat iemand had gebeld. Maar dat was niet zo. Sterker nog, het laatste gesprek dat ze had gevoerd was hetgeen waarnaar hij op zoek was, het telefoontje van 7.53 uur op de dag dat ze was verdwenen.

Het gesprek had maar drie minuten geduurd.

Ze had in de achtertuin zachtjes in haar toestel staan praten en had de verbinding verbroken zodra ze hem zag. Hij had haar gevraagd wie ze had gebeld, had zelfs aangedrongen, maar Corinne had geweigerd antwoord te geven. Maar nu…

Adams blik ging meteen naar het telefoonnummer op het scherm. Hij zag het en verstrakte.

'Herken je het nummer?' vroeg de oude Rinsky.

'Ja.'

31

K untz dumpte de twee pistolen in de Hudson. Hij had er nog meer, dus het maakte niet uit.

Hij nam de A-lijn naar 168th Street. Hij stapte uit op Broadway, liep drie blokken door en kwam bij de ingang van het ziekenhuis dat vroeger het Columbia Presbyterian heette. Nu stond het bekend als het Morgan Stanley Children's Hospital of New York-Presbyterian.

Morgan Stanley. Yep, als je aan medische zorg voor kinderen denkt, is de eerste naam die je te binnen schiet die van de multinationale financiële reus Morgan Stanley.

Maar geld is alles. Geld maakt de dienst uit.

Kuntz nam niet de moeite zich te legitimeren. De beveiligingsmensen achter de balie kenden hem allang van zijn talloze eerdere bezoeken. Ze wisten ook dat hij ooit bij de politie van New York had gezeten. De meeste mensen wisten zelfs waarom hij daar had moeten vertrekken. Het had breed uitgemeten in de kranten gestaan. Die fatsoensrakkers van de pers hadden hem aan het kruis genageld, hadden niet alleen gewild dat hij zijn baan en zijn inkomen kwijtraakte, maar ook dat hij de gevangenis in zou gaan op beschuldiging van moord, hoewel zijn maten – de jongens op straat – het voor hem hadden opgenomen. Die begrepen wel dat Kuntz was genaaid.

Ze hadden het bij het rechte eind gehad.

De zaak had in alle kranten gestaan. Een grote zwarte man had zich verzet tegen zijn arrestatie. Hij was betrapt op het stelen van een pakje sigaretten in een buurtsuper in 93rd Street, en toen de Koreaanse eigenaar hem daarop aansprak, had de grote zwarte man hem tegen de grond geslagen en hem een schop gegeven.

Kuntz en zijn partner Scooter hadden hem op straat aangehouden. De man was niet onder de indruk geweest. Hij had iets gegromd en zei doodleuk: 'Ik ga niet met jullie mee. Als ik een pak peuken wil, pak ik het.' Daarna wilde de grote zwarte man weglopen. Zomaar. Hij was aangehouden door twee smerissen wegens winkeldiefstal en wilde gewoon doen waar hij zin in had. Toen Scooter hem bij zijn arm wilde pakken, had de grote zwarte man hem omvergeduwd en was hij doorgelopen.

Dus was Kuntz hem op zijn nek gesprongen en had hij hem met geweld tegen de grond gewerkt.

Hoe had hij nou kunnen weten dat de grote zwarte man een of ander gezondheidsprobleem had? Een ernstig gezondheidsprobleem. Wordt er serieus van je verwacht dat je een dief zomaar laat lopen? Wat moet je doen als een arrestant niet naar je wil luisteren? Hem vragen of hij alsjeblieft mee wil gaan? Of iets doen wat het leven van jou en je partner in gevaar kan brengen?

Welke stomme klootzakken bedenken dit soort regels?

Om een lang verhaal kort te maken: de man overleed en de fatsoensrakkers van de pers kregen een collectief orgasme. Die lesbische bitch van de kabel-tv was ermee begonnen. Ze had Kuntz een racistische moordenaar genoemd. Al Sharpton had olie op het vuur gegooid en was begonnen met de demonstraties. De rest is bekend. Het maakte niet uit hoe brandschoon Kuntz' staat van dienst was, hoeveel onderscheidingen voor moedig gedrag hij had gekregen, of hoeveel vrijwilligerswerk hij met zwarte kinderen in Harlem had gedaan. Het maakte ook niet uit dat hij zijn eigen problemen had, waaronder een zoontje van tien met botkanker. Dat kon niemand een zier schelen.

Hij was nu een racistische moordenaar, minstens even slecht als al het tuig dat hij ooit had opgepakt.

Kuntz nam de lift naar de zevende verdieping. Hij knikte naar de verpleegsters achter de balie en liep door naar kamer 715. Barb zat in dezelfde stoel als altijd. Ze keek op en glimlachte vermoeid naar hem. Ze had donkere wallen onder haar ogen. Haar haar zag eruit alsof ze door een windtunnel was gelopen. Maar toen ze naar hem glimlachte, was dat het enige wat hij zag.

Zijn zoontje sliep.

'Hoi,' fluisterde hij.

'Hoi,' fluisterde Barb terug.

'Hoe gaat het met Robby?'

Barb haalde haar schouders op. Kuntz liep naar het bed en keek naar zijn zoontje. Het brak zijn hart wat hij zag. Het maakte hem vastbesloten.

'Waarom ga je niet naar huis,' zei hij tegen zijn vrouw. 'Je een beetje ontspannen.'

'Zo meteen,' antwoordde Barb. 'Ga zitten en kom even met me praten.'

Je hoort vaak zeggen dat persmensen bloedzuigers zijn, maar het gebeurde zelden dat dit meer waar was dan in het geval van John Kuntz. Ze klemden zich aan hem vast en zogen hem helemaal leeg. Hij raakte zijn baan kwijt. Hij raakte zijn pensioen en zijn andere arbeidsvoorwaarden kwijt. Maar het ergste van alles was dat hij zich niet langer de best beschikbare behandeling voor zijn zoontje kon veroorloven. Dat viel hem het zwaarst. Wat je ook bent in het leven, smeris of brandweerman of indiaans opperhoofd, een vader zorgt voor zijn gezin. Hij blijft niet toekijken terwijl zijn zoontje pijn lijdt, niet zolang hij daar iets aan kan doen.

En toen, op zijn allerdiepste dieptepunt, vond John Kuntz verlossing.

Maar gaat het zo niet altijd?

Een vriend van een vriend bracht Kuntz in contact met ene Larry Powers, een jonge Ivy Leaguer die een of andere telefoonapp had ontwikkeld waarmee je christelijke jongemannen kon vinden om klusjes in huis te doen. Zoiets was het. 'Goed doen en goed werk', was de slogan. De waarheid gebiedt te zeggen dat Kuntz niet echt geïnteresseerd was in het zakelijke aspect van het gebeuren. Het was zijn taak om zowel het personeel als het bedrijf te beveiligen – belangrijke personeelsleden beschermen en ervoor zorgen dat bedrijfsgeheimen ook bedrijfsgeheimen bleven – dus dat was het enige waarmee hij zich bezighield.

En hij was er goed in.

Het was een jong bedrijf, was hem uitgelegd, dus zijn aanvangssalaris was belabberd. Maar het was tenminste iets, een baan, een manier om zijn hoofd boven water te houden. En hij had bij zijn aanstelling nog iets gekregen: een pakketje aandelen. Riskant, natuurlijk, maar zo werden grote fortuinen gemaakt. Als de zaken goed gingen, wachtte hem aan het eind een grote, sappige verrassing.

En de zaken gingen goed.

De app sloeg aan op een manier die niemand had voorzien. Nu, na drie jaar, had de Bank of America hun beursgang goedgekeurd, en als de zaken goed bleven gaan – het hoefde niet super te zijn, gewoon goed was al genoeg – zouden de aandelen over twee maanden op de markt worden gebracht en zou John Kuntz' pakketje om en nabij de zeventien miljoen dollar waard zijn.

Laat dat getal maar even bezinken. Zeventien miljoen dollar.

Zijn comeback en eerherstel konden de boom in. Met zo veel geld kon hij zich 's werelds beste artsen voor zijn zoontje veroorloven. Ze zouden Robby thuis laten verplegen en hem het beste van het beste geven. Hij zou hun andere twee kinderen, Kari en Harry, op goede scholen kunnen doen, de beste scholen, en ze later kunnen helpen een eigen bedrijf te beginnen. Hij zou Barb een hulp in de huishouding geven en misschien konden ze weer eens op vakantie gaan. Naar de Bahama's misschien. Hij had Barb al zo vaak naar die advertenties van het Atlantis Hotel zien kijken, en ze waren nergens meer naartoe geweest sinds die driedaagse Carnival-cruise van zes jaar geleden.

Zeventien miljoen dollar. Al hun dromen stonden op het punt werkelijkheid te worden.

En nu, voor de zoveelste keer, probeerde iemand hem dat allemaal af te nemen.

En zijn gezin.

32

Adam reed langs MetLife Stadium, waar zowel de New York Giants als de New York Jets speelden. Een kleine halve kilometer verderop parkeerde hij de auto op het terrein van een kantoorgebouw. Het gebouw, en alles eromheen, stond op oud moerasland. Het rook er naar het New Jersey van weleer – en die geur was de reden dat New Jersey nooit erg populair was geweest: het rook er deels naar moerasland, wat logisch was, deels naar de chemicaliën die ze hadden gebruikt om het droog te krijgen, en deels naar een wietpijp die nooit werd uitgespoeld.

Kortom, best smerig.

Het kantoorgebouw uit de jaren zeventig zag eruit alsof de architect zich had laten inspireren door het huis van de Brady Bunch. Veel bruin houtwerk en rubber coatings op de muren en voetpaden, die er in één keer op gespoten leken. Adam klopte op de deur van een kantoor op de begane grond, dat uitzicht bood op een laadperron.

Tripp Evans deed open. 'Adam?'

'Waarom heeft mijn vrouw jou gebeld?'

Het was vreemd om Tripp buiten zijn natuurlijke habitat te zien. In Cedarfield was hij populair, mocht iedereen hem graag en werd hij, in hun eigen kleine wereldje, als een belangrijk man gezien. Hier zag hij er opvallend gewoon uit. Adam was vaag op de hoogte van Tripps achtergrond. In de tijd dat Corinne opgroeide in Cedarfield was Tripps vader de eigenaar van Evans Sporting Goods in het centrum van de stad, waar nu Rite Aid was. Dertig jaar lang was Evans de zaak waar alle kinderen van de stad hun sportartikelen kochten. Ze verkochten ook highschooljacks en trainingskleding voor de sportteams van de scholen. Evans opende nog twee zaken in naburige stadjes. Toen Tripp klaar was met zijn studie, kwam hij terug naar huis en nam hij de marketing van het familiebedrijf op zich. Hij liet elke zondag folders bezorgen en bedacht speciale evenementen om Evans 'in the picture' te houden. Plaatselijke profsporters werden betaald om een middag naar de zaak te komen, artikelen te signeren en met de klanten te praten. Het waren gouden tijden.

En toen ging het, net als met de meeste familiebedrijfjes, bergafwaarts. Herman's World of Sporting Goods vestigde zich in Cedarfield. Modell's opende een zaak langs de snelweg, en daarna Dick's en nog een paar andere. Het familiebedrijf kwijnde langzaam weg, totdat het uiteindelijk de geest gaf. Tripp kwam echter nog goed terecht. Dankzij zijn contacten wist hij een baan te bemachtigen bij een groot reclamebureau op Madison Avenue, maar de rest van de familie maakte zware tijden door. Een paar jaar geleden was Tripp teruggekomen naar Cedarfield om er, om in het reclamejargon te blijven, 'zijn eigen toko' te openen, hier in het moerasland van New Jersey.

'Zullen we gaan zitten en erover praten?' vroeg Tripp.

'Graag.'

'Verderop is een koffieshop. Kom, we gaan een eindje wandelen.'

Adam wilde protesteren – hij had helemaal geen zin om te wandelen – maar Tripp ging hem al voor.

Tripp Evans droeg een offwhite shirt met korte mouwen, van een stof zo dun dat je kon zien dat hij er een t-shirt met een v-hals onder aanhad. De broek van zijn pak was van het saaie bruin dat je van het hoofd van een middelbare school zou verwachten. Zijn schoenen leken te groot voor zijn voeten... geen orthopedische schoenen maar van die comfortabele, minder dure gezondheidsstappers. In de stad zag Adam hem meestal rondlopen in een outfit die hem duidelijk prettiger zat: een poloshirt met een Cedarfield Lacrosse-logo, een sportieve kakibroek, honkbalpet en een fluit aan een bandje om zijn nek.

Het verschil was opmerkelijk te noemen.

De koffieshop was ouderwets en smoezelig, compleet met een

serveerster met opgestoken haar waar ze haar potlood doorheen had gestoken. Ze bestelden allebei koffie. Gewone koffie. Dit was geen tent voor macchiato's of lattes.

Tripp legde zijn handen op het kleverige tafeltje. 'Zou je me willen vertellen wat er aan de hand is?'

'Mijn vrouw heeft je gebeld.'

'Hoe weet je dat?'

'Ik heb haar telefoonstaten gecheckt.'

'Je hebt wat?' Tripps wenkbrauwen maakten een sprongetje. 'Meen je dat?'

'Waarover belde ze je?'

'Waarover denk je?' pareerde Tripp.

'Ging het over dat vermiste geld?'

'Natuurlijk ging het daarover. Waar zou het anders over moeten gaan?'

Tripp verwachtte een antwoord. Adam had dat niet voor hem.

'Wat zei ze tegen je?'

De serveerster kwam naar hun tafeltje en zette hun kopjes nogal ruw neer, zodat er wat koffie over de rand klotste.

'Ze zei dat ze meer tijd nodig had. Toen zei ik dat het al lang genoeg had geduurd.'

'Wat bedoelde je daarmee?'

'De andere bestuursleden begonnen ongeduldig te worden. Ze wilden haar op een meer directe manier met de feiten confronteren. Er waren er zelfs een paar die naar de politie wilden stappen.'

'Hoe lang was het al gaande?' vroeg Adam.

'Wat, ons onderzoek?'

'Ja.'

Tripp deed een schepje suiker in zijn koffie. 'Ongeveer een maand.'

'Een maand?'

'Ja.'

'Waarom heb je nooit iets tegen me gezegd?'

'Dat heb ik bijna gedaan. Die avond van de selectie in de American Legion Hall. Maar toen je zo uitvoer tegen Bob, dacht ik dat je het al wist.'

'Ik had geen idee.'

'Nee, dat begrijp ik nu.'

'Toch had je iets tegen me kunnen zeggen, Tripp.'

'Dat had ik kunnen doen,' gaf hij toe. 'Alleen...'

'Alleen wat?'

'Corinne had me gevraagd dat niet te doen.'

Adam verroerde zich niet. Uiteindelijk zei hij: 'Laten we even kijken of ik je goed begrijp.'

'Laat ik dan eens kijken of ik je daarmee kan helpen,' zei Tripp. 'Corinne wist dat we haar van diefstal verdachten en zij drukte me op het hart niks tegen jou te zeggen. Begrijp je het zo beter?'

Adam leunde achterover en keek hem aan.

'Maar toen Corinne je die ochtend belde, wat zei ze toen tegen je?'

'Ze vroeg me haar meer tijd te geven.'

'Heb je dat gedaan?'

'Nee. Ik heb gezegd dat ze tijd genoeg had gehad. Dat ik het niet langer kon verantwoorden tegenover het bestuur.'

'En met "het bestuur" bedoel je...'

'Het hele bestuur: Bob, Cal en Len.'

'Hoe reageerde Corinne daarop?'

'Ze vroeg me... nee, ik kan beter zeggen "smeekte me"... ze smeekte me haar nog één week te geven. Ze zei dat ze een manier wist om te bewijzen dat ze onschuldig was, maar dat ze daar nog een week tijd voor nodig had.'

'Geloofde je haar?'

'Wil je een eerlijk antwoord?'

'Ja, graag.'

'Nee, ik geloofde haar niet meer.'

'Wat dacht je?'

'Ik dacht dat ze een manier probeerde te bedenken om het geld terug te betalen. Ze wist dat we niet naar de politie zouden stappen. Wij wilden alleen dat het geld terugkwam. Dus ja, ik ging ervan uit dat ze familie en vrienden zou benaderen om het bedrag bij elkaar te sprokkelen.'

'Waarom is ze niet naar mij toe gekomen?'

Tripp zei niets, nam een slokje koffie.

'Tripp?'

'Die vraag kan ik niet beantwoorden.'

'Dit slaat nergens op.'

Tripp bleef kleine slokjes koffie nemen.

'Hoe lang ken je mijn vrouw al, Tripp?'

'Dat weet je. We zijn allebei in Cedarfield opgegroeid. Ze zat twee klassen onder me, in hetzelfde jaar als mijn Becky.'

'Dan weet je dat ze zoiets nooit zou doen.'

Tripp staarde in zijn kopje. 'Dat heb ik ook lange tijd gedacht.'

'Waardoor ben je van gedachten veranderd?'

'Kom op, Adam, jij bent vroeger openbaar aanklager geweest. Ik geloof niet dat Corinne doelbewust van plan was dat geld te stelen. Maar je weet hoe het gaat. Als je leest dat een lief, oud dametje de kas van de kerk heeft leeggehaald, of dat iemand van een sportbestuur zich niet heeft kunnen beheersen, dan is het niet zo dat ze dat al lang van plan waren. Je begint op zo'n post met de beste bedoelingen, nietwaar? Maar het besluipt je.'

'Corinne niet.'

'Niemand niet. We verwachten het van niemand. We zijn altijd hogelijk verbaasd, waar of niet?'

Adam had de sterke indruk dat Tripp op het punt stond weer een van zijn filosofische verhandelingen te beginnen. Even overwoog hij in te grijpen, maar misschien moest hij hem zijn gang laten gaan. Hoe meer hij Tripp liet praten, hoe meer hij misschien te weten zou komen.

'Een voorbeeld,' vervolgde Tripp. 'Stel, jij bent tot 's avonds laat bezig het rooster van de lacrossetraining uit te werken. Dat is nog een heel gepuzzel, en misschien zit je in een of andere koffieshop, zoals deze, dus je bestelt een kop koffie, net zoals wij zonet hebben gedaan, maar je portefeuille ligt nog in de auto, dus je denkt, ach wat, ik doe het toch voor de club? Laat die het maar betalen. Een gerechtvaardigde uitgave, waar of niet?'

Adam zei niets.

'En dan, een paar weken later, heb je een uitwedstrijd in – laten we zeggen – Toms River en de scheidsrechter komt niet opdagen. Het kost jou drie uur van je tijd om voor hem in te vallen, dus hé, het minste wat de club kan doen is je benzine voor de rit heen en terug betalen. Of misschien moet je wel ergens iets gaan eten omdat je ver van huis bent en de wedstrijd is uitgelopen. Of je moet pizza's voor de coaches laten brengen omdat jullie allemaal te laat zijn voor het avondeten vanwege een uitgelopen bestuursvergadering. Of je hebt jongeren nodig om de wedstrijden van de pupillen te fluiten, dus je probeert jouw kind naar voren te schuiven. Ja, waarom niet? Mag jouw gezin niet een beetje profiteren van al het vrijwilligerswerk dat je doet?'

Adam zei nog steeds niets.

'Zo sluipt het erin. En zo begint de ellende, want op een dag ben je achter met de aflossingen van je auto, maar hé, jouw club heeft geld zat. Mede dankzij jou. Dus je leent wat. Heeft niks te betekenen, want je bent van plan het terug te storten. Wie doe je er kwaad mee? Niemand. Tenminste, dat maak je jezelf wijs.'

Tripp stopte met praten en keek Adam aan.

'Je kunt dit niet menen,' zei Adam.

'Ik ben bloedserieus, vriend.' Tripp keek nadrukkelijk op zijn horloge. Hij gooide een paar dollarbiljetten op het tafeltje en stond op. 'En wie weet? Misschien hebben we Corinne allemaal wel verkeerd ingeschat.'

'Jij schat haar verkeerd in.'

'Het zou me mateloos gelukkig maken als dat zo was.'

'Ze had je om een week tijd gevraagd,' zei Adam. 'Kun je die haar niet gewoon geven?'

Tripp slaakte een geluidloze zucht en hees zijn broek op. 'Ik zal mijn best doen.'

33

Het was uiteindelijk Audrey Fine die iets zei waar ze iets aan had. Johanna's eerste echte aanknopingspunt.

Politiechef Johanna Griffin had het bij het rechte eind gehad met de jongens van de districtspolitie. Die hadden hun oogkleppen opgezet en zich vastgebeten in Marty Dann voor de moord op zijn vrouw Heidi. Zelfs het feit dat de arme Marty een rotsvast alibi had voor het tijdstip van de moord kon ze niet overtuigen. Nog niet. Ze gingen ervan uit dat de moord het werk van een prof was, dus nu waren ze de telefoonstaten, sms'jes en e-mails van de arme Marty aan het doorspitten. Ze hadden al bij TTI Floor Care geïnformeerd hoe hij zich de laatste tijd had gedragen, met wie hij contact had gehad en waar hij naartoe ging om te lunchen of iets te drinken, al dat soort dingen, in de hoop een verband tussen Marty en een mogelijke huurmoordenaar te vinden.

'Lunchen' was het sleutelwoord.

Niet waar Marty ging lunchen – ook hier zaten de districtsjongens op het verkeerde spoor – maar waar Heidi had geluncht.

Johanna wist dat Heidi eens per week met haar vriendinnen ging lunchen. Ze was zelfs een paar keer mee geweest. Eerst had Johanna het gezien als best leuk, maar toch een vorm van tijdverspilling. Daar zat wel iets in. Maar het ging hier ook om vrouwen die het belangrijk vonden om hun lunchuurtje wat langer te laten duren zodat ze uitgebreid met hun vriendinnen konden praten, ook over andere dingen dan alleen hun werk en hun familie.

Wat was daar mis mee?

De afgelopen week hadden Heidi, Audrey Fine, Katey Brannum en Stephanie Keiles geluncht in The Red Lobster. Niemand had iets bijzonders aan haar gemerkt. Volgens alle drie was Heidi, minder dan vierentwintig uur voordat ze thuis werd vermoord, helemaal zichzelf geweest, sprankelend en aimabel als altijd. Het was vreemd om met deze vrouwen te praten. Ze waren er alle drie kapot van. Stuk voor stuk hadden ze het gevoel dat ze met Heidi hun beste vriendin hadden verloren, die ene persoon die ze volledig hadden vertrouwd en die ze als de sterkste vrouw van hun groepje hadden beschouwd. Johanna had dat gevoel ook. Ja, Heidi was inderdaad bijzonder geweest. Ze was een van die zeldzame mensen in wier gezelschap je je op de een of andere manier beter dan anders voelde.

Hoe was het mogelijk, vroeg Johanna zich af, dat één kogel daar een eind aan kon maken?

Dus had Johanna de hele lunchgroep bij elkaar geroepen om te luisteren naar wat ze haar konden vertellen, maar veel was dat niet. Ze wilde net een eind aan de bijeenkomst maken en kijken of ze een andere manier kon bedenken om een aanwijzing te vinden, een die de districtsjongens over het hoofd zouden zien, toen Audrey zich iets herinnerde.

'Heidi stond op het parkeerterrein met een jong stel te praten.'

Johanna was afgeleid geweest, met haar gedachten bij iets van vroeger. Twintig jaar geleden was ze, na talloze mislukte pogingen, als door een wonder – en door kunstmatige bevruchting – zwanger geraakt. Heidi was bij haar geweest toen de gynaecoloog haar het goede nieuws vertelde. En Heidi was ook de eerste geweest die Johanna had gebeld toen ze haar miskraam kreeg. Heidi was in haar auto gesprongen en naar haar toe gereden. Johanna was aan de passagierskant in de auto gestapt en had haar verteld wat er was gebeurd. Vervolgens hadden de twee vrouwen lange tijd naast elkaar een potje zitten janken. Johanna zou nooit vergeten dat Heidi haar voorhoofd op het stuur had gelegd, dat Heidi's haar er als een waaier overheen had gehangen en dat ze had zitten huilen om Johanna's verlies. Op de een of andere manier hadden ze allebei geweten dat dit het einde van Johanna's kinderwens betekende.

Want wonderen zouden er niet meer geschieden. Deze zwangerschap was Johanna's enige kans geweest. Zij en Ricky zouden het in het leven zonder kinderen moeten doen.

'Wacht,' zei Johanna. 'Wat voor jong stel?'

'We hadden elkaar gedag gezegd en waren in onze auto's gestapt. Ik wilde het parkeerterrein af rijden en afslaan in de richting van Orange Place, toen er opeens een truck langs kwam rijden, zo rakelings langs me dat ik dacht dat hij de grille eraf zou rijden. Toen ik in mijn achteruitkijkspiegel keek, zag ik Heidi met een jong stel praten.'

'Kun je me vertellen hoe ze eruitzagen?'

'Nee, niet echt. Het meisje had blond haar. De man had een honkbalpet op. Ik nam aan dat ze haar de weg vroegen of zoiets.'

Audrey herinnerde zich verder niets. Waarom zou ze ook? Maar de hele wereld, met name parkeerterreinen van grootwinkelbedrijven en restaurants, was uitgerust met beveiligingscamera's. Een gerechtelijk bevel zou tijd kosten, dus stapte Johanna gewoon zelf naar The Red Lobster. Hun beveiligingsman had de beelden voor haar op een dvd gezet, wat een beetje ouderwets aandeed, en had gevraagd of hij die naderhand kon terugkrijgen. 'Zo is ons beleid,' zei hij tegen Johanna. 'We willen hem graag terug.'

'Komt voor elkaar.'

Ze had een dvd-speler in haar computer op het politiebureau van Beachwood. Johanna haastte zich naar haar kantoor, deed de deur dicht en schoof de dvd in de gleuf. Het beeldscherm kwam tot leven. De beveiligingsman had goed werk geleverd. Al na twee seconden kwam Heidi vanaf de rechterkant het beeld in lopen. Johanna hapte naar adem toen ze haar zag. Dat ze haar dode vriendin opeens weer in leven zag, licht wankelend op die hakken, maakte de tragedie maar al te echt.

Heidi was dood. Voor altijd uit haar leven verdwenen.

Er was geen geluid bij de beelden. Heidi liep door. Opeens bleef ze staan en keek ze op. Tegenover haar stonden een man met een honkbalpet en een blonde vrouw. Ze zagen er inderdaad jong uit. Later, als Johanna de beelden voor de tweede, derde en vierde keer zou bekijken, zou ze proberen de gelaatstrekken van de twee te onderscheiden, maar vanaf deze hoogte en vanuit deze beeldhoek zou dat niet veel opleveren. Uiteindelijk zou ze de dvd naar de districtsjongens sturen, dan konden hun computermensen en forensisch experts kijken of ze er iets van konden maken.

Maar nu nog niet.

Terwijl Johanna zwijgend toekeek, leek het er eerst inderdaad op dat de twee Heidi de weg vroegen. Voor een onbevooroordeelde toeschouwer zag het er zo uit. Maar naarmate de tijd verstreek, leek het killer te worden in Johanna's kantoor. Ten eerste duurde het gesprek veel te lang voor mensen die alleen maar de weg vroegen. Maar meer nog dan dat, Johanna kende haar vriendin. Ze kende Heidi's maniertjes en lichaamstaal, en toen ze zich daarop concentreerde, voorspelden beide weinig goeds.

Naarmate het gesprek langer voortduurde, nam Johanna's concentratie evenredig toe. Op een zeker moment was ze er zelfs van overtuigd dat ze haar vriendin zag wankelen. Een minuut later stapte het jonge stel in hun auto en reden ze weg. Bijna een volle minuut lang bleef Heidi naast haar auto staan, roerloos, verward en verloren, voordat ze uiteindelijk instapte. Vanaf dit camerastandpunt kon Johanna haar niet meer helemaal zien. Maar de tijd tikte door en er gebeurde niets. Tien, twintig, dertig seconden... Toen, opeens, zag ze iets bewegen in de auto. Johanna kneep haar ogen tot spleetjes en boog zich dichter naar het beeldscherm. Het was bijna niet te zien, maar toch herkende Johanna het.

Heidi's haar, als een waaier uitgespreid om haar hoofd.

O nee...

Heidi liet haar voorhoofd op het stuur van de auto rusten, net zoals ze twintig jaar geleden had gedaan, toen Johanna haar had verteld over haar miskraam.

En, daar was Johanna zeker van, ze huilde.

'Wat hebben ze verdomme tegen je gezegd?' riep Johanna door haar kantoor.

Ze spoelde de beelden terug naar het moment dat de auto van het jonge stel het parkeerterrein af reed. Ze speelde ze heel langzaam af en klikte op de pauzeknop. Ze zoomde in, pakte haar telefoon en toetste een nummer in.

'Hé, Norbert,' zei ze. 'Je moet een kentekennummer voor me nagaan. Nu meteen.'

34

Thomas wachtte zijn vader op in de keuken.
'Al nieuws over ma?'
Adam had gehoopt dat zijn zoons nog niet thuis zouden zijn. Nadat hij zich de hele rit naar huis had afgevraagd wat hij in godsnaam moest doen, was er in zijn hoofd een soort plan geboren. Hij moest research doen op de computer.
'Ze zal een dezer dagen wel thuiskomen,' zei Adam. En daarna, om zo snel mogelijk van onderwerp te veranderen, vroeg hij: 'Waar is je broer?'
'Naar drumles. Hij loopt er altijd naartoe na schooltijd, maar ma haalt hem naderhand op.'
'Hoe laat?'
'Over drie kwartier.'
Adam knikte. 'Dat is dat gebouw aan Goffle Road, toch?'
'Ja.'
'Oké, cool. Hoor eens, ik moet nog wat werk doen. Misschien kunnen we wat bij Café Amici gaan eten als ik je broer heb opgehaald?'
'Ik was van plan met Justin naar de sportschool te gaan om een beetje te trainen.'
'Nu?'
'Ja.'
'Maar je moet toch eten?'
'Ik maak wel wat als ik thuiskom. Pa?'
'Ja?'
Ze stonden tegenover elkaar in de keuken, vader en zoon, de zoon al bijna een man. Thomas was nog maar een paar centimeter kleiner dan zijn vader en door die krachttraining van de afge-

lopen paar jaar vroeg Adam zich af of zijn zoon hem al aankon. Een half jaar geleden had Thomas hem uitgedaagd voor een partijtje basketbal, een tegen een, en voor het eerst had Adam zijn uiterste best moeten doen om er een 11-8-overwinning uit te persen. De score zou nu wel eens omgekeerd kunnen zijn, en hij vroeg zich af hoe hij dat zou ervaren.

'Ik maak me zorgen om ma,' zei Thomas.

'Dat moet je niet doen.'

Een puur vaderlijke reactie, die eigenlijk nergens op gebaseerd was, zeker niet op de waarheid.

'Ik begrijp niet waarom ze er zomaar vandoor is gegaan.'

'Dat heb ik je verteld. Luister, Thomas, je bent oud genoeg om het te begrijpen. Je moeder en ik houden heel veel van elkaar, maar soms moeten ouders een beetje afstand van elkaar nemen.'

'Ja, van elkaar,' zei Thomas met een licht hoofdknikje. 'Maar niet van Ryan en mij.'

'Nou, ja en nee. Soms is het nodig dat we een beetje afstand van alles nemen.'

'Pa?'

'Ja?'

'Ik geloof er niks van,' zei Thomas. 'Ik wil niet bijdehand doen of zo, en ik begrijp best dat jullie je eigen leven hebben. Dat het niet allemaal om ons draait. Dus ik zou misschien kunnen begrijpen dat ma – weet ik het – even van alles weg wil om stoom af te blazen of wat ook. Maar ma is ma. Begrijp je wat ik bedoel? Ze zou het ons eerst vertellen, en als ze het in een opwelling had gedaan zou ze op de een of andere manier contact met ons opnemen. Ze zou onze sms'jes beantwoorden. Ze zou zeggen dat we ons geen zorgen hoefden te maken. We kunnen van ma zeggen wat we willen, maar sorry, hoor, ze is en blijft onze ma.'

Adam wist niet goed hoe hij daarop moest reageren, dus zei hij iets doms. 'Het komt allemaal goed.'

'Wat mag dat dan wel betekenen?'

'Ze heeft mij gevraagd voor jullie te zorgen en haar een paar dagen de tijd te geven. En ze heeft me gevraagd geen contact met haar op te nemen.'

'Maar waarom?'

'Dat weet ik niet.'

'Ik ben bang, echt,' zei Thomas, en opeens klonk de bijna volwassen man weer als een kind. Het was de taak van de vader om die angst bij hem weg te nemen. Thomas had gelijk. Corinne was in de eerste plaats zijn moeder, net zoals Adam zijn vader was. En ouders beschermen hun kinderen.

'Het komt allemaal goed,' zei hij weer, en hij hoorde zelf hoe hol het klonk.

Thomas – en weer even snel had het kind plaatsgemaakt voor de bijna volwassen man – schudde zijn hoofd en zei: 'Nee, pa, het komt niet goed.' Hij draaide zich om, veegde de tranen van zijn wangen en liep naar de deur. 'Ik ga naar Justin.'

Adam wilde hem terugroepen, maar wat zou hij daarmee opschieten? Hij kon Thomas geen troost of geruststelling bieden en misschien gaf het zijn zoon wel wat afleiding als hij naar zijn vriend ging. De enige oplossing – de enige echte geruststelling – zou zijn dat hij Corinne terugvond. Adam moest dieper graven, uitzoeken wat er aan de hand was en Thomas echte antwoorden op zijn vragen geven. Dus liet hij Thomas gaan en liep de trap op. Hij had nog wat tijd voordat hij Ryan van drumles moest halen.

Voor de zoveelste keer vroeg hij zich af of hij de politie moest inschakelen. Hij was niet langer bang dat ze zouden denken dat hij zijn vrouw iets had aangedaan – van hem mochten ze – maar hij wist uit ervaring dat de politie uitsluitend in feiten geïnteresseerd was. Feit één: Corinne en Adam hadden ruzie gehad. Feit twee: Corinne had Adam ge-sms't dat ze een paar dagen voor zichzelf wilde en dat hij geen contact met haar moest opnemen.

Zou de politie hem vragen om een feit drie?

Hij ging achter de computer zitten. Bij de oude Rinsky had Adam een vluchtige blik geworpen op de lijst met gesprekken van Corinnes mobiele telefoon. Hij wilde die lijst nog eens goed bekijken om te zien of hij in haar telefoontjes en sms'jes een patroon kon ontdekken. Had de vreemde of die Ingrid Prisby haar misschien gebeld of ge-sms't? Het leek een slag in de lucht – de vreemde had hem immers zonder enige waarschuwing benaderd – maar er was een kans dat Corinnes telefoonstaten hem een aanwijzing zouden opleveren.

Maar het duurde niet lang voordat hij tot de conclusie kwam dat er niets te ontdekken viel. Zijn vrouw was, op grond van haar recente communicaties, een open boek. Geen enkele verrassing. De meeste nummers kende Adam uit zijn hoofd... telefoontjes en sms'jes naar hem, naar de jongens, naar vriendinnen, naar collega's, naar leden van het lacrossebestuur, en dat was het zo'n beetje. Er stonden nog een paar andere nummers tussen, maar die bleken van restaurants te zijn, om een tafel te reserveren, of van de stomerij, om kleding op te halen, dat soort dingen.

Geen aanwijzingen.

Adam leunde achterover en dacht na over wat hij moest doen. Ja, Corinne was een open boek. Althans, zo leek het op grond van haar recente telefoontjes en sms'jes.

Het sleutelwoord hier was 'recente'.

Zijn gedachten gingen terug naar de verrassing op het maandoverzicht van zijn creditcard: de betaling aan Novelty Funsy van twee jaar geleden.

Corinne had in die tijd verrassender dingen gedaan, waar of niet?

Er moest iets aan die aankoop voorafgegaan zijn. Maar wat? Je besluit niet van de ene op de andere dag om te doen alsof je zwanger bent. Er moest iets gebeurd zijn. Ze moest iemand gebeld hebben. Of iemand had haar gebeld of ge-sms't.

Er moest iets te vinden zijn.

Het kostte Adam wat tijd om de telefoonstaten van twee jaar geleden te vinden, maar het lukte. Hij wist dat Corinne haar eerste bestelling bij FAKE-EEN-ZWANGERSCHAP.COM in februari had gedaan. Dus begon hij daar. Hij nam de nummers door en werkte achteruit.

Eerst zag hij alleen de bekende nummers: gesprekken en sms'jes naar hem, de jongens, vriendinnen en collega's...

Totdat hij een bekend nummer zag en zijn hart een slag oversloeg.

35

Sally Perryman zat alleen aan het eind van de bar, met een biertje en *The New York Post*. Ze was gekleed in een witte blouse en een grijze kokerrok. Haar haar zat in een paardenstaart. Ze had haar jasje over de kruk naast die van haar gehangen, om die voor hem vrij te houden. Toen Adam kwam aanlopen, haalde ze het weg zonder van haar krant op te kijken. Adam ging op de kruk zitten.

'Dat is lang geleden,' zei ze.

Sally had nog steeds niet opgekeken van haar krant.

'Zeg dat wel,' zei Adam. 'Hoe gaat het op je werk?'

'Druk, veel cliënten.' Nu keek ze eindelijk naar hem op.

Adams hart maakte een sprongetje en kwam toen weer tot rust.

'Maar daar heb je me niet voor gebeld.'

'Nee.'

Het was zo'n moment waarop alle andere geluiden naar de achtergrond verdwenen en ze alleen op de wereld leken te zijn.

'Adam?'

'Ja?'

'Ik heb geen zin om over vroeger te praten. Dus vertel me gewoon wat je wilt weten.'

'Heeft mijn vrouw jou ooit gebeld?'

Sally knipperde met haar ogen en leek even uit het veld geslagen. 'Wanneer?'

'Dat maakt niet uit.'

Ze keek naar haar bierglas. 'Ja,' zei ze. 'Eén keer.'

Ze zaten aan de bar van zo'n rumoerig ketenrestaurant waar alle hapjes uit de frituur kwamen en waar op de talloze flatscreens aan de wanden hooguit twee sportevenementen te zien waren. De barkeeper kwam aanlopen en vond het nodig zich persoonlijk aan Adam voor te stellen. Adam bestelde snel een biertje in de hoop dat de man weer zou weggaan.

'Wanneer was dat?' vroeg hij.

'Een jaar of twee geleden. Tijdens de grote zaak.'

'Dat heb je me nooit verteld.'

'Ze heeft maar één keer gebeld.'

'Maar toch.'

'Wat maakt het nu nog uit, Adam?'

'Wat zei ze?'

'Ze wist dat je bij mij thuis was geweest.'

Adam had bijna gevraagd hoe ze dat kon weten, maar dat wist hij natuurlijk allang, nietwaar? Zij was degene die die Locator-app op hun telefoons had gezet. Ze kon op elk willekeurig moment zien waar haar jongens uithingen.

En waar hij uithing.

'En toen?'

'Ze wilde weten waarom je daar was geweest.'

'Wat heb je toen gezegd?'

'Dat het voor het werk was,' zei Sally Perryman.

'Je hebt haar toch wel gezegd dat het niks te betekenen had?'

'Het had ook niks te betekenen, Adam. We waren geobsedeerd door die zaak.' En na een korte stilte: 'Maar het had bijna wel iets betekend.'

'Bijna telt niet.'

Er verscheen een bedroefde glimlach om Sally's mond. 'Ik geloof dat jouw vrouw daar toen anders over dacht.'

'Geloofde ze je?'

Sally haalde haar schouders op. 'Ik heb nooit meer iets van haar gehoord.'

Adam bleef haar aankijken. Hij opende zijn mond om iets te zeggen, hoewel hij niet wist wat, maar ze stak haar hand op en zei: 'Niet doen.'

Ze had gelijk. Hij liet zich van de barkruk glijden en liep naar buiten.

36

Toen de vreemde de garage binnenkwam dacht hij, zoals hij vrijwel elke keer dacht als hij hier binnenkwam, aan al die beroemde bedrijven die op deze zelfde manier waren begonnen. Steve Jobs en Steve Wozniak – waarom hadden ze hun bedrijf niet 'de Steve's' genoemd? – waren Apple begonnen door vijftig exemplaren van Wozniaks Apple i-computer te verkopen vanuit een garage in Cupertino, Californië. Jeff Bezos was Amazon begonnen door op internet boeken te verkopen vanuit zijn garage in Bellevue, Washington. Google, Disney, Mattel, Hewlett-Packard en Harley-Davidson hadden allemaal, als je de verhalen mocht geloven, het eerste levenslicht aanschouwd in kleine, obscure garages.

'Nog nieuws over Dan Molino?' vroeg de vreemde.

Er waren drie mensen aanwezig in de garage, die alle drie achter krachtige computers met grote beeldschermen zaten. Op de plank, naast de verfblikken die Eduardo's vader er meer dan tien jaar geleden had neergezet, stonden vier wifirouters. Eduardo, die met gemak de beste it'er van hun kwartet was, had een systeem bedacht waarmee hun wifisignaal niet alleen over de hele aardbol heen en weer werd gestuurd, waardoor ze zo anoniem waren als op internet maar mogelijk is, maar dat ook, mochten ze op de een of andere manier toch getraceerd worden, de routers automatisch aanstuurde en ze naar een andere host verhuisde. Eerlijk gezegd begreep de vreemde er niets van. Maar dat hoefde ook niet.

'Hij heeft betaald,' zei Eduardo.

Eduardo had lang haar en het soort ongeschoren uiterlijk dat hem eerder armoedig dan hip maakte. Hij was een hacker van de oude stempel, die net zo veel genoot van de jacht als van de morele verontwaardiging of het geld dat het opleverde.

Naast hem zat Gabrielle, een alleenstaande moeder van twee kinderen en met haar vierenveertig jaar de oudste van het stel. Twee decennia geleden had ze gewerkt bij een sekslijn, waar het de bedoeling was dat ze de man zo lang mogelijk aan de praat hield, à $3,99 per minuut. Recenter had ze zich in een soortgelijke business voorgedaan als 'hete huisvrouw', op een 'geheel vrijblijvende' website waar het haar taak was de nieuwe cliënt te doen geloven dat ze seksueel alleen in hem geïnteresseerd was, totdat zijn gratis proefperiode voorbij was en hem een lidmaatschap voor een heel jaar werd aangesmeerd, te betalen met zijn creditcard.

Merton, hun nieuwste collega, was negentien en broodmager, zat onder de tatoeages en zag er met zijn kaalgeschoren hoofd en lichtblauwe ogen uit alsof hij ze niet alle vijf op een rijtje had. Hij droeg baggy spijkerbroeken met kettingen die uit de zakken hingen, alsof hij lid van een motorbende was, of van bondage hield, welke van de twee was niet helemaal duidelijk. Hij maakte zijn nagels altijd schoon met een stiletto en werkte in zijn vrije tijd voor een tv-evangelist die zijn diensten hield in een sportstadion met twaalfduizend zitplaatsen. Ingrid had Merton meegebracht van haar werk voor een website van een bedrijf dat The Five heette.

Merton wendde zich tot de vreemde. 'Het lijkt wel of je teleurgesteld bent.'

'Nu komt hij ermee weg.'

'Waarmee? Steroïdengebruik in American football? Nou en? Volgens mij gebruikt tachtig procent van die jongens wel een of ander spulletje.'

Eduardo knikte. 'We blijven trouw aan onze principes, Chris.'

'Ja,' zei de vreemde. 'Dat weet ik.'

'Jouw principes, beter gezegd.'

De vreemde, die Chris Taylor heette, knikte. Chris was de oprichter van hun beweging, ook al was dit Eduardo's garage. Eduardo was de eerste geweest die zich bij hem had aangesloten. De beweging was begonnen als een spelletje als een poging om foute dingen recht te zetten. Maar algauw was het Chris duidelijk geworden dat hun beweging zowel ideëel als winstgevend kon zijn. Maar om dat te bereiken en te voorkomen dat het een het ander zou overschaduwen, moesten ze zich allemaal houden aan de principes die ze met elkaar hadden afgesproken.

'Wat is er dan mis?' vroeg Gabrielle aan Chris.

'Hoe kom je erbij dat er iets mis is?'

'Je komt hier alleen als er problemen zijn.'

Wat maar al te waar was.

Eduardo leunde achterover. 'Heb je problemen gehad met Dan Molino of zijn zoon?'

'Ja en nee.'

'We hebben het geld binnen,' zei Merton. 'Dus zo erg kan het niet geweest zijn.'

'Nee, maar ik moest het alleen doen.'

'En?'

'Ingrid zou erbij zijn.'

De anderen keken elkaar aan. Gabrielle verbrak de stilte. 'Waarschijnlijk heeft ze gedacht dat een vrouw te veel zou opvallen bij een football-try-out.'

'Dat kan,' zei Chris. 'Heeft een van jullie iets van haar gehoord?'

Eduardo en Gabrielle schudden hun hoofd. Merton stond op en zei: 'Wacht eens, wanneer heb je haar voor het laatst gesproken?'

'In Ohio. Toen we Heidi Dann deden.'

'En jullie hadden afgesproken dat ze naar de try-out zou komen?'

'Dat zei ze. We hebben ons aan het protocol gehouden, dus we hebben apart gereisd en geen contact met elkaar gehad.'

Eduardo typte iets op zijn toetsenbord. 'Momentje, Chris. Even iets checken.'

Chris. Het was raar om iemand zijn naam te horen uitspreken. Hij was de afgelopen paar weken volstrekt anoniem geweest, de vreemde. Niemand had hem Chris genoemd. Zelfs met Ingrid was het protocol duidelijk geweest. Geen namen. Totale anonimiteit. Waar wel een zekere ironie in zat, natuurlijk. De mensen die hij had benaderd waren in de veronderstelling geweest dat zij anoniem waren, zonder te beseffen dat echte anonimiteit zelfs voor hen niet bestond.

Voor Chris – voor de vreemde – bestond die wel.

'Volgens de planning,' zei Eduardo terwijl hij op zijn beeldscherm keek, 'zou Ingrid gisteren naar Philadelphia rijden en de huurauto terugbrengen. Even kijken of ze...' Hij keek op. 'Verdomme.'

'Wat is er?'

'Ze heeft de auto niet teruggebracht.'

Het werd een paar graden kouder in de garage.

'We moeten haar bellen,' zei Merton.

'Dat is riskant,' zei Eduardo. 'Als ze gepakt is, is haar telefoon misschien in verkeerde handen.'

'We moeten breken met het protocol,' zei Chris.

'Als we het maar voorzichtig doen,' zei Gabrielle.

Eduardo knikte. 'Weet je wat, ik bel haar via Viber en laat de verbinding lopen via twee IP's in Bulgarije. Dat kost me hooguit vijf minuten.'

Het werden er drie.

De telefoon ging over. Eén keer, twee keer, en bij de derde keer werd er opgenomen. Ze hadden verwacht dat ze Ingrids stem zouden horen. Maar dat was niet zo.

Een mannenstem vroeg: 'Met wie spreek ik?'

Eduardo verbrak onmiddellijk de verbinding. Even verroerden ze zich geen van vieren en was het muisstil in de garage. Toen zei de vreemde – Chris Taylor – wat ze allemaal dachten.

'We zijn gesnapt.'

37

Z e hadden niets verkeerds gedaan. Sally Perryman was junior partner geweest en door het advocatenkantoor aangewezen als Adams directe assistent in een tijdrovende zaak waarin een immigrantenechtpaar en hun Griekse restaurant de hoofdrol speelden. De eigenaars waren gelukkig geweest op hun locatie in Harrison, waar ze hun restaurant al veertig jaar met succes draaiende hielden, totdat een groot hedgefonds aan het eind van de straat een nieuwe kantoortoren had gebouwd en degenen die de lakens uitdeelden hadden besloten dat de weg verbreed moest worden om de nieuwe verkeersstroom aan te kunnen. Wat inhield dat het restaurant met de grond gelijkgemaakt moest worden. Adam en Sally moesten het opnemen tegen de overheid, een stel bankiers en – uiteindelijk ook – verregaande corruptie.

Je hebt van die zaken waarbij je 's morgens nauwelijks kunt wachten tot je naar je werk kunt gaan en ervan baalt wanneer je werkdag om is. Je wordt er helemaal door in beslag genomen. De zaak wordt eten en drinken voor je. Dit was zo'n zaak. Je raakt heel vertrouwd met degenen die je bijstaan in wat jij ziet als een eervolle, zwaarbevochten strijd.

Adam en Sally Perryman waren naar elkaar toe gegroeid.

Heel dicht naar elkaar toe gegroeid.

Maar er was niets lichamelijks gebeurd... niet eens een kusje. Er waren geen grenzen overschreden, maar die waren wel heel dicht genaderd, en misschien hadden ze er zelfs wel op gestaan. Er komt een moment, had Adam ontdekt, dat je op die grens staat, aarzelend, met één leven aan de ene kant en een ander leven aan de andere, en je óf die grens moet overschrijden, óf iets moet

afkappen en laten doodbloeden. In dit geval was er iets doodgebloed. Twee maanden nadat de zaak was afgerond had Sally Perryman ontslag genomen en was ze bij een advocatenkantoor in
Livingston gaan werken.

Het was over geweest.

Maar Corinne had Sally gebeld.

Waarom? Het antwoord leek duidelijk. Adam dacht na over
het mogelijke verband, probeerde te komen tot theorieën en hypotheses over wat er met Corinne gebeurd kon zijn. Er waren een
paar stukjes die hij in elkaar kon passen. Maar het beeld dat begon
te ontstaan, was verre van aangenaam.

Het was na middernacht. De jongens lagen in bed. Er hing een
doodse stilte in het huis. Aan de ene kant wilde Adam dat de jongens hun angst en bezorgdheid uitspraken, maar aan de andere
kant – en die overheerste nu – wilde hij dat ze zich groothielden
en het nog een dag of twee volhielden, totdat Corinne weer thuis
zou zijn. Maar de realiteit was dat er maar één manier bestond om
dit recht te zetten.

Hij moest Corinne zien te vinden.

De oude Rinsky had hem alvast wat informatie over Ingrid
Prisby gemaild. Adam was tot nu toe niets tegengekomen wat
spectaculair of zelfs maar het vermelden waard was. Ze woonde in
Austin, was acht jaar geleden afgestudeerd aan Rice University in
Houston en had gewerkt voor twee beginnende internetbedrijfjes. Rinsky had het nummer van haar telefoon thuis meegestuurd.
Het toestel schakelde meteen door naar de voicemail en de ro-
botstem op het bandje. Adam sprak een boodschap in, vroeg Ingrid of ze hem wilde bellen. Rinsky had ook het telefoonnummer
en adres van Ingrids moeder meegestuurd. Adam overwoog haar
te bellen, maar hij wist niet goed wat hij tegen haar moest zeggen.
Bovendien was het erg laat. Hij zou er een nachtje over slapen.

Maar wat kon hij nu nog doen?

Ingrid Prisby had een Facebook-pagina. Hij vroeg zich af of
die hem misschien meer aanwijzingen zou opleveren. Adam had
zelf ook een Facebook-pagina, hoewel hij er zelden op keek. Corinne en hij hadden er allebei een geopend, een paar jaar geleden,
toen Corinne in een nostalgische bui een artikel had gelezen over

sociale media en hoe mensen van hun leeftijd er vrienden van vroeger mee konden terugvinden. Adam had niet zo veel met het verleden, maar hij was erin meegegaan. Nadat hij er echter een profielfoto op had gezet, had hij er niet vaak meer naar gekeken. Corinne was iets enthousiaster begonnen dan hij, hoewel hij betwijfelde of ze er vaker dan twee of drie keer per week op kwam.

Maar hoe kon hij dat zeker weten? Hij ging in gedachten terug naar deze zelfde kamer, toen Corinne en hij hun Facebook-profiel hadden aangemaakt. Daarna waren ze begonnen met het 'bevrienden' van familie en buren. Adam had de foto's van zijn vroegere studievrienden bekeken... breed glimlachend op het strand met hun gezin, tijdens het kerstdiner, sportwedstrijden van de kinderen, de skivakantie in Aspen, hun zongebruinde vrouw met haar armen om haar breed grijnzende man, dat soort dingen.

'Ze zien er allemaal zo gelukkig uit,' had hij tegen Corinne gezegd.

'O nee, begin jij ook al?'

'Hoezo?'

'Op Facebook ziet iedereen er gelukkig uit,' had Corinne gezegd. 'Facebook is een soort *greatest hits* van je leven.' Haar stem had een scherp randje gekregen. 'Het heeft niks met de werkelijkheid te maken, Adam.'

'Dat weet ik. Maar ik bedoel, ze zien er "ogenschijnlijk" gelukkig uit. Daar moest ik aan denken. Als je al die Facebook-koppen ziet, vraag je je af waarom er zo veel mensen prozac slikken.'

Corinne had daarna niet veel meer gezegd. Adam had er wat lacherig over gedaan en er verder geen aandacht aan besteed, maar nu hij er jaren later op terugkeek, door de schoongepoetste glazen van zijn nieuwe terugkijkbril, hadden zo veel dingen een donkerder, minder aangename glans gekregen.

Hij keek bijna een uur rond op Ingrid Prisby's Facebook-pagina. Eerst bekeek hij haar profiel – misschien had hij geluk en was de vreemde haar man of vriend – maar Ingrid betitelde zichzelf als single. Vervolgens nam hij de lijst van haar 188 vrienden door, in de hoop dat de vreemde erbij stond. Dat was niet zo. Hij ging op zoek naar bekende namen of gezichten, iemand uit Corinnes of zijn eigen verleden. Die vond hij ook niet. Adam scrolde omlaag en begon haar updates door te nemen, maar hij vond niets wat naar de vreemde verwees, of naar het veinzen van een zwangerschap, of wat dan ook. Vervolgens richtte hij zijn aandacht op de foto's, die hij met een kritische blik begon te bekijken. De indruk die hij van haar kreeg, was een positieve. Ingrid Prisby zag er blij en gelukkig uit op de foto's die op feestjes waren genomen, met een drankje in de hand, dansend en gekheid makend, maar ze zag er nog veel gelukkiger uit op de foto's waar ze vrijwilligerswerk deed. En ze deed veel vrijwilligerswerk: soepkeukens, het Rode Kruis, USO, Junior Achievement... En er viel Adam nog iets op. Al haar foto's waren groepsfoto's; ze stond er nooit alleen op, geen portretten, geen selfies.

Maar deze constateringen brachten hem niet dichter bij het terugvinden van Corinne.

Hij zag iets over het hoofd.

Het werd alsmaar later, maar Adam gaf het nog niet op. Om te beginnen: waar kende Ingrid de vreemde van? Ze moesten toch op de een of andere manier bevriend zijn? Hij dacht aan Suzanne Hope, die was gechanteerd toen ze had gedaan alsof ze zwanger was. Het meest voor de hand liggende scenario was dat Corinne ook was gechanteerd. Geen van beide vrouwen had het geëiste geld betaald...

Was dat wel zo? Hij wist dat Suzanne het niet had betaald. Dat had ze hem verteld. Maar misschien had Corinne het wel betaald. Adam leunde achterover en dacht erover na. Als Corinne het geld van de lacrossebond had gestolen, wat hij nog steeds niet geloofde, maar als ze het wel had gedaan, dan had ze dat geld misschien gebruikt om hun stilzwijgen af te kopen.

En misschien waren zij het soort afpersers die het geheim dan alsnog openbaar maakten.

Was dat mogelijk?

Nee, dat kon hij niet weten. Hij moest zich op de vraag van zoeven concentreren: waar kenden Ingrid en de vreemde elkaar van? Er waren natuurlijk diverse mogelijkheden, waarvan de ene waarschijnlijker was dan de andere.

Het meest waarschijnlijk: van hun werk. Ingrid had bij enkele internetbedrijfjes gewerkt. Degene die hierachter zat, had waarschijnlijk bij FAKE-EEN-ZWANGERSCHAP.COM gewerkt, of was een internetkenner, een hacker of zoiets, of allebei.

Tweede mogelijkheid: ze hadden elkaar tijdens hun studie leren kennen. Ze hadden de juiste leeftijd om elkaar op een universiteitscampus ontmoet te hebben, waarna ze bevriend waren gebleven. Dus misschien moest hij het antwoord op Rice University zoeken.

Derde mogelijkheid: ze kwamen allebei uit Austin, Texas.

Sloeg dit ergens op? Adam wist het niet, dus hij concentreerde zich weer op haar vrienden, met name op degenen die iets op internet deden. Dat waren er nogal wat. Hij keek op hun Facebookpagina's. Sommige daarvan waren geblokkeerd of hadden beperkte toegang, maar de meeste mensen gaan niet op Facebook om zichzelf te verstoppen. De klok tikte door. Daarna bekeek hij de vrienden van die vrienden, die iets op internet deden. En zelfs de vrienden van die vrienden. Hij bekeek hun profielen en hun werkverleden en toen, om 4.48 uur – hij zag de tijd op het digitale klokje in de werkbalk onder aan het beeldscherm – had Adam eindelijk geluk.

De eerste aanwijzing kwam van de website van FAKE-EEN-ZWANGERSCHAP.COM. Toen hij de link CONTACT aanklikte, kreeg hij een postadres in Revere, Massachusetts. Adam googelde het adres en kreeg een hit: een concern dat Downing Place heette, dat hostingfaciliteiten en diverse opmaakmodellen voor websites bood.

Nu had hij een spoor.

Want toen hij Ingrids vrienden doornam, was hij iemand tegengekomen die Downing Place als zijn werkgever had vermeld. Adam zocht de vriend weer op en opende zijn profielpagina. Daar was niet veel op te vinden, maar hij had wel twee vrienden die ook bij Downing Place werkten. Dus opende hij hun pagina's, bekeek hun vrienden en ga zo maar door, totdat hij uiteindelijk terechtkwam op de Facebook-pagina van een vrouw die Gabrielle Dunbar heette.

Volgens haar profiel had Gabrielle Dunbar bedrijfskunde gestudeerd aan Ocean County College in New Jersey en had ze daarvoor op Fair Lawn High School gezeten. Ze vermeldde geen huidige of vroegere werkgever – niets over Downing Place of een andere website – en ze had in de afgelopen acht maanden helemaal niets op haar pagina gezet.

Wat Adams aandacht had getrokken, was het feit dat ze drie vrienden had die wel bij Downing Place werkten. En dat Gabrielle Dunbar in Revere, Massachusetts woonde.

Dus begon hij op haar pagina rond te kijken en haar foto-albums door te nemen, totdat hij op een foto van drie jaar geleden stuitte. Die zat in een album met de naam UPLOADS MOBIEL, en het simpele onderschrift luidde: KERSTBORREL. Het was zo'n kantoorfoto met het idee: laten we snel een groepsfoto maken voordat iedereen te beschonken is, wanneer iemand zijn collega's vraagt bij elkaar te gaan staan, een foto van de groep maakt en die dan rondmailt of op zijn Facebook-pagina zet. De borrel was gehouden in een restaurant of bar met donkere houten lambriseringen. Er stonden wel twintig tot dertig mensen op de foto, van wie velen met een rood gezicht en rode ogen, van de drank en de flitser van de camera.

En daar, aan de uiterste linkerkant met een biertje in zijn hand en niet in de lens kijkend – zo te zien niet eens wetend dat de foto werd genomen – stond de vreemde.

38

Johanna Griffin had twee havanezers, die Starsky en Hutch heetten. In eerste instantie had ze geen havanezers willen nemen. Het leken wel speelgoedhondjes, en Johanna, die met Deense doggen was opgegroeid, beschouwde kleine honden – laten we het haar vergeven – als een soort knaagdieren. Maar Ricky had haar overgehaald en daar had ze verdorie geen spijt van gehad. Johanna had haar hele leven honden gehad en deze twee waren het liefst van allemaal.

Normaliter liet ze Starsky en Hutch 's morgens vroeg uit. Johanna sliep altijd goed, en daar was ze trots op. Wat ze overdag ook aan gruwelen en narigheid meemaakte, ze nam die nooit mee haar slaapkamer in. Die regel had ze voor zichzelf gesteld. In de woonkamer en de keuken mocht ze piekeren en treuren zo veel ze wilde, maar als ze de slaapkamer binnenging, moest er een knop worden omgezet. Dat deed ze. En dan waren haar problemen verdwenen.

Maar nu waren er twee dingen die haar slaap verstoorden. Het ene was Ricky. Misschien kwam het omdat hij een paar kilo was aangekomen of omdat het de leeftijd was, maar zijn gesnurk, waar ze redelijk goed tegen had gekund, was een constant, doordringend gezaag geworden. Hij had al diverse middelen geprobeerd – een strip, een speciaal kussen, medicijnen van de drogist – maar niets hielp. Het was zelfs zo erg geworden dat ze hadden overwogen in aparte kamers te gaan slapen, maar dat had voor Johanna te veel geleken op de handdoek in de ring werpen. Ze moest zich er maar doorheen worstelen, totdat zich een oplossing aandiende.

En ten tweede was er natuurlijk Heidi.

Haar vriendin bezocht Johanna in haar slaap. Niet op een gruwelijke, bloederige manier. En ook niet als geest, die sissend 'Wreek mij' fluisterde. Niets van dat alles. Hoe dan wel, dat kon Johanna niet precies zeggen. De dromen voelden normaal, als het echte leven. Dan verscheen Heidi, vrolijk lachend en helemaal zichzelf, en maakten ze leuke dingen mee, totdat Johanna zich op een zeker moment herinnerde wat er was gebeurd en dat Heidi in werkelijkheid vermoord was. Dan sloeg de paniek toe bij Johanna. De droom eindigde steeds met Johanna die haar armen uitstrekte in een wanhoopspoging om haar vriendin vast te grijpen en met zich mee te trekken, terug het leven in, alsof Johanna, als ze maar goed genoeg haar best deed, de moord ongedaan kon maken en Heidi haar leven kon teruggeven.

Vervolgens werd Johanna wakker met wangen nat van de tranen.

Daarom, in de hoop hier iets aan te veranderen, liet ze Starsky en Hutch de afgelopen dagen 's avonds laat uit. Johanna probeerde te genieten van de stilte, maar het was donker op straat en ondanks de straatlantaarns was ze altijd bang dat ze over een losse stoeptegel zou struikelen. Haar vader was zo gevallen toen hij vierenzeventig was, en was daar nooit helemaal van hersteld. Dat hoorde je vaak. Dus bleef Johanna tijdens het lopen naar de grond kijken en gebruikte ze op heel donkere stukken zoals deze, tussen twee straatlantaarns in, het lampje van haar smartphone om zich bij te lichten.

Het toestel trilde in haar hand. Op dit late uur moest het Ricky wel zijn. Misschien was hij wakker geworden en wilde hij weten hoe laat ze terug zou zijn, of hij had bedacht dat hij, met al die extra kilo's, zelf ook wel wat lichaamsbeweging kon gebruiken en met haar mee wilde. Wat ze prima vond. Ze was nog maar net van huis gegaan en vond het niet erg om met Starsky en Hutch weer even terug te lopen.

Ze nam de beide hondenriemen in haar linkerhand en bracht het toestel naar haar oor. Zonder op het schermpje te kijken drukte ze op de antwoordknop en zei: 'Ja?'

'Baas?'

Ze hoorde meteen aan de stem dat dit geen gewoon telefoontje was. Ze bleef staan. De twee honden bleven ook staan.

'Ben jij het, Norbert?'

'Ja. Sorry dat ik zo laat bel, maar...'

'Wat is er aan de hand?'

'Ik heb dat kentekennummer voor u gecheckt. Ik moest even speuren, maar het bleek om een huurauto te gaan, verhuurd aan een vrouw van wie de echte naam Ingrid Prisby is.'

Stilte.

'Ga door,' drong Johanna aan.

'En het is niet best,' zei Norbert. 'Helemaal niet best.'

39

A dam belde Andy Gribbel vroeg in de ochtend.
Andy kreunde: 'Wat is er?'
'Sorry, ik wilde je niet wakker bellen.'
'Het is zes uur in de ochtend,' zei Gribbel.
'Sorry.'
'We hebben gisteravond opgetreden met de band. Het is hartstikke laat geworden, met een afterparty met een stel lekkere groupies. Je weet hoe het gaat.'
'Ja. Hoor eens, weet jij iets van Facebook?'
'Neem je me in de maling? Natuurlijk weet ik iets van Facebook. De band heeft een eigen pagina voor de fans. We hebben al een stuk of tachtig volgers.'
'Mooi. Ik mail je een Facebook-link. Kijk wat je te weten kunt komen over de vier mensen die op de voorgrond van de foto staan... namen, adressen, waar de foto is genomen, wie er nog meer op staan, alles wat je te weten kunt komen.'
'Heeft het haast?'
'Topprioriteit. Ik heb de info gisteren nodig.'
'Begrepen. Trouwens, we hebben gisteravond een weergaloze versie van "The Night Chicago Died" gespeeld. Geen droog oog meer in de hele tent.'
'Je hebt geen idee hoe interessant ik dat op dit moment vind,' zei Adam.
'O, is het zo belangrijk?'
'Ja.'
'Oké, ik ga erachteraan.'
Adam beëindigde het gesprek en stapte uit bed. Hij wekte de jongens om zeven uur en nam een lange, hete douche. Daar knap-

te hij van op. Hij kleedde zich aan en keek hoe laat het was. De jongens hadden al beneden moeten zijn.

'Ryan? Thomas?'

Het was Thomas die antwoordde. 'Ja, ja, we zijn al op.'

Adams telefoon trilde. Het was Gribbel. 'Hallo?'

'We hebben geluk.'

'Vertel.'

'De link die je stuurde. Die komt van de profielpagina van ene Gabrielle Dunbar.'

'Dat weet ik. En?'

'Ze woont niet meer in Revere. Ze is naar huis teruggekomen.'

'Fair Lawn?'

'Precies.'

Fair Lawn was maar een half uur rijden van Cedarfield.

'Ik sms je het adres.'

'Bedankt, Andy.'

'Graag gedaan. Ga je vanochtend naar haar toe?'

'Ja.'

'Geef maar een gil als je me nodig hebt.'

'Bedankt.'

Adam beëindigde het gesprek. Toen hij de gang in liep, hoorde hij een geluid in Ryans kamer. Hij ging bij de gesloten deur staan en hield zijn oor ertegenaan. Door het hout hoorde hij het gedempte gesnik van zijn jongste zoon. Het geluid drong als glasscherven in zijn hart. Adam vermande zich, klopte op de deur en draaide de knop om.

Ryan zat op de rand van zijn bed, te snikken als een kind, wat hij in feite ook nog was. Adam bleef in de deuropening staan. De pijn in zijn borstkas en zijn gevoel van hulpeloosheid werden erger.

'Ryan?'

Door de tranen op zijn wangen zag hij er kleiner, kwetsbaarder en zo verdomde jong uit. Ryans schouders schokten en zijn keel zat dicht, maar hij wist uit te brengen: 'Ik mis mama.'

'Dat weet ik, knul.'

Even werd Adam verteerd door pure woede. Hij was woedend op Corinne omdat ze ervandoor was gegaan en niets van zich liet horen, omdat ze die verdomde zwangerschap had gefaket, omdat ze het lacrossegeld had gestolen, om alles wat ze had gedaan. Wat ze Adam zelf aandeed, telde niet. Daar ging het nu niet om. Maar dat ze de jongens op deze manier had laten barsten... Het zou een stuk moeilijker worden haar dat te vergeven.

'Waarom beantwoordt ze mijn sms'jes niet?' snikte Ryan. 'Waarom is ze niet gewoon thuis, bij ons?'

Adam stond op het punt weer te zeggen dat ze dingen te doen had, dat ze tijd voor zichzelf nodig had en dergelijke onzin. Maar dat waren dooddoeners, leugens die alles alleen maar erger maakten. Dus koos hij deze keer voor de waarheid.

'Ik weet het niet.'

Vreemd genoeg leek dit antwoord Ryans verdriet wat minder te maken. Het gesnik hield niet meteen op, maar het begon langzaam af te nemen totdat Ryan alleen nog zachtjes zat te sniffen. Adam kwam de kamer in en ging naast hem op het bed zitten. Hij wilde zijn arm om de schouders van zijn zoon slaan, maar hij had opeens het gevoel dat hij dat niet moest doen. Dus bleef hij gewoon naast Ryan zitten, liet hij hem weten dat hij er was. Het leek voldoende te zijn.

Even later verscheen Thomas in de deuropening. Nu waren ze samen... 'Mijn drie jongens' noemde Corinne ze altijd, met de grap dat Adam haar grootste kind was. Ze zwegen en verroerden zich geen van drieën, totdat Adam aan iets moest denken. Corinne hield van het leven dat ze leidde. Ze hield van haar gezin. Ze hield van het stukje wereld dat ze voor zichzelf had gecreëerd, waarvoor ze zo haar best had gedaan. Ze woonde zo graag in dit stadje, waar ze ooit was begonnen, in deze buurt waar ze zo veel van hield, in dit huis dat ze deelde met haar drie jongens.

Wat was er dan misgegaan?

Ze hoorden een autoportier dichtslaan. Ryan draaide zijn hoofd met een ruk om naar het raam. Adam schoot automatisch in zijn rol van beschermer, stond op en ging bij het raam staan om het zicht van zijn jongens te blokkeren. Lang hield hij het niet vol. De twee jongens kwamen naast hem staan, allebei aan een kant, en keken omlaag. Niemand slaakte een kreet. Niemand hapte naar adem. Niemand zei iets.

Het was een politiewagen. Een van de agenten was Len Gilman, wat onlogisch was omdat er DISTRICTSPOLITIE ESSEX op de zijkant van de auto stond. Len was van de politie van Cedarfield. De man die aan de bestuurderskant uitstapte was een districtsagent in uniform.

'Papa?' zei Ryan.

Corinne is dood.

Het was een korte gedachte, een flits, niet meer dan dat. Maar lag dit niet voor de hand? Je vrouw wordt vermist. Ze laat niets van zich horen, aan jou niet en zelfs niet aan haar kinderen. Dan staan er ineens twee politiemensen – de ene een vriend van de familie en de andere een districtsagent – met een grimmig gezicht op de stoep. En zeg nu zelf, was dit al die tijd niet de meest voor de hand liggende uitkomst, dat Corinne dood was, dat ze ergens dood in een greppel lag en dat deze mannen hem het slechte nieuws kwamen brengen? En dat het nu aan Adam was om de dreun te incasseren, om haar te rouwen, door te gaan met leven en zich groot te houden voor de jongens?

Hij rende de kamer uit en de trap af. De jongens kwamen hem achterna, eerst Thomas en daarna Ryan. Het leek wel alsof het zo was afgesproken, alsof er een stilzwijgend verbond was gesloten door de drie nabestaanden, om heel dicht bij elkaar te blijven en de klap samen te incasseren. Tegen de tijd dat Len Gilman wilde aanbellen, was Adam al bij de deur en rukte die open.

Len deed een stapje achteruit en knipperde met zijn ogen.

'Adam?'

Adam stond achter de halfopen deur en zei niets. Len keek langs hem heen en zag de jongens staan.

'Ik dacht dat ze al naar de ochtendtraining zouden zijn.'

'Ze wilden net gaan,' zei Adam.

'Oké. Misschien moeten we ze eerst laten gaan, dan kunnen wij...'

'Wat is er aan de hand?'

'Dat kunnen we beter op het bureau bespreken.' Daarna zei Len, om de jongens gerust te stellen: 'Alles is prima in orde, jongens. We hebben alleen een paar vragen voor jullie vader.'

Len keek Adam recht aan. Adam geloofde er niets van. Als het slecht nieuws was, waar ze kapot van zouden zijn, zou het na de training net zo hard aankomen als ervoor.

'Heeft het iets met Corinne te maken?' vroeg Adam.

'Nee, dat denk ik niet.'

'Dat denk je niet?'

'Alsjeblieft, Adam.' Lens stem had een bijna smekende klank gekregen. 'Laat de jongens naar de training gaan en kom met ons mee.'

40

Kuntz bracht de nacht door in de ziekenhuiskamer van zijn zoon, half slapend in een soort ligstoel die voor bed moest doorgaan maar daar niet in slaagde. Toen de verpleegster hem 's morgens zijn pijnlijke rug zag strekken zei ze: 'Niet bepaald comfortabel, hè?'

'Waar halen jullie die dingen vandaan? Guantánamo Bay?'

De verpleegster glimlachte naar hem en nam Robby's temperatuur, hartslag en bloeddruk op. Dat deden ze om de vier uur, of hij nu wakker was of sliep. Zijn kleine jongen was er inmiddels zo aan gewend dat hij er nauwelijks op reageerde. Iemand zo jong als hij zou niet aan dat soort dingen gewend mogen zijn. Nooit.

Kuntz ging naast het bed van zijn zoontje zitten en gaf zich over aan het bekende gruwelgevoel van hulpeloosheid. De verpleegster zag de pijn op zijn gezicht. Ze zagen het allemaal, maar ze waren wijs genoeg om er niets van te zeggen, of om niet te proberen hem te troosten met leugens. Ze zei alleen: 'Ik kom straks terug.' Hij stelde dat op prijs.

Kuntz bekeek zijn sms'jes, waaronder een paar dringende van Larry. Kuntz had dat wel verwacht. Hij wachtte totdat Barb hem kwam aflossen, gaf haar een kus op haar voorhoofd en zei: 'Ik moet een paar uur weg. Zaken.'

Barb knikte en vroeg niet voor wat voor zaken. Dat hoefde ze niet te weten.

Kuntz hield een taxi aan en liet zich naar het huis op Park Avenue brengen. Larry Powers' aantrekkelijke vrouw Laurie deed open. Kuntz had nooit begrepen waarom mannen hun vrouw bedrogen. Je vrouw was degene van wie je hield, meer dan van wat ook ter wereld, je enige echte metgezel, een deel van je. Dus of je hield met hart en ziel van haar, of je deed dat niet, en als je dat niet deed, was het tijd om een deurtje verder te gaan, sukkels.

Laurie Powers had een mooie glimlach die ze graag liet zien. Ze droeg een parelketting en een eenvoudige zwarte jurk die er duur uitzag... of misschien was het Laurie zelf wel die er duur uitzag. Laurie Powers kwam uit een familie met oud geld, en dat bleef je zien, al trok ze een aardappelzak aan.

'Hij verwacht je,' zei ze. 'Hij is in de bibliotheek.'

'Dank u.'

'John?'

Kuntz draaide zich naar haar om.

'Is er iets mis?'

'Dat denk ik niet, mevrouw Powers.'

'Laurie.'

'Goed dan,' zei hij. 'En met jou, Laurie?'

'Wat is er met mij?'

'Is met jou alles oké?'

Ze streek haar haar achter haar oor. 'Ja, best. Maar Larry... Hij is zichzelf niet. Ik weet dat het jouw taak is om hem te beschermen.'

'En dat zal ik ook doen. Daar hoef je nooit aan te twijfelen, Laurie.'

'Dank je, John.'

Even een kort levensfeitje: als iemand je in zijn bibliotheek ontvangt, heeft hij geld. Normale mensen hebben een werkkamer, een hoekje in de woonkamer of een hobbyschuurtje in de tuin. Rijke mensen hebben een bibliotheek. Deze was wel een heel chique, met in leer gebonden boeken, houten globes en Perzische tapijten. Het zag eruit als iets waar Bruce Wayne zijn tijd kon doorbrengen voordat hij naar de Batcave afdaalde.

Larry Powers zat in een bordeauxrode lederen leesfauteuil. Hij had een glas in zijn hand, zo te zien gevuld met cognac. Hij had gehuild.

'John?'

Kuntz liep naar hem toe en pakte het glas uit zijn hand. Hij hield de fles tegen het licht en zag dat die bijna leeg was. 'Je moet niet zo veel drinken.'

'Waar ben je geweest?'

'Ik heb ons probleem opgelost.'

Dat probleem was zowel doodsimpel als absoluut rampzalig. Vanwege het ietwat religieuze karakter van hun product had de bank die hun beursgang mogelijk moest maken gestaan op enkele morele clausules, en een van die clausules ging over overspel. Kortom, als bekend werd dat Larry Powers een regelmatige bezoeker van VINDJESNOEPJE.COM was en dat hij die website had gebruikt om seksuele diensten van jonge studentes te verkrijgen, nou, dan konden ze hun beursgang wel gedag zeggen. En dan kon Kuntz zijn zeventien miljoen dollar, de beste medische zorg voor Robby en zijn vakantie naar de Bahama's met Barb gedag zeggen.

Dan kon hij alles gedag zeggen.

'Ik heb een e-mail van Kimberly ontvangen,' zei Larry.

Hij begon weer te huilen.

'Wat staat erin?'

'Dat haar moeder is vermoord.'

'Vertelt ze dat aan jou?'

'Natuurlijk vertelt ze dat aan mij. Jezus, John, ik weet dat jij...'

'Stil.'

De scherpe toon van Kuntz' stem trof Larry als een klap in zijn gezicht.

'Luister even naar me.'

'Het had niet op deze manier gehoeven, John. We hadden opnieuw kunnen beginnen. Er hadden zich misschien wel andere kansen voorgedaan. Dan was alles goed gekomen.'

Kuntz keek hem alleen maar aan. Andere kansen. Dat kon hij gemakkelijk zeggen. Larry's vader was beurshandelaar geweest, had zijn hele leven goed geld verdiend en had zijn zoon op een Ivy League-school kunnen doen. Laurie kwam uit een steenrijke familie. Wat wisten die twee nou van het echte leven.

'We hadden kunnen...'

'Hou op, Larry.'

Larry deed wat hem gezegd werd.

'Wat had Kimberly je precies te zeggen?'

'Niet te zeggen. Het ging per e-mail. Dat zeg ik net. We bellen elkaar nooit. En het is niet mijn echte e-mailadres. Het loopt via mijn VINDJESNOEPJE-account.'

'Oké, goed dan. Wat stond er in die e-mail?'

'Dat haar moeder is vermoord. Ze gelooft dat het om een inbraak ging.'

'Dat was het waarschijnlijk ook,' zei Kuntz.

Stilte.

Larry ging rechtop zitten en zei: 'Kimberly vormt geen dreiging. Ze weet niet eens hoe ik heet.'

Kuntz had al overwogen om Heidi's dochter tot zwijgen te brengen, had de voor- en nadelen naast elkaar gezet maar had uiteindelijk besloten dat het te riskant was om haar te vermoorden. Tot op heden had de politie geen enkele reden om een verband te leggen tussen de moord op Heidi Dann en die op Ingrid Prisby. Ten eerste zat er een afstand van bijna zevenhonderd kilometer tussen. Bovendien had hij twee verschillende wapens gebruikt. Maar als Heidi's dochter nu ineens ook werd vermoord, zou dat te veel aandacht trekken.

Larry beweerde dat hij tegen Kimberly nooit zijn echte naam had gebruikt. De website leverde redelijk goed werk als het om de geheimhouding van de identiteit van hun klanten ging. Goed, Kimberly zou hem kunnen herkennen als zijn foto in de krant kwam. Daarom hadden ze besloten van Larry de 'verlegen bestuursvoorzitter' te maken en alle contacten met de pers, als hun beursgang officieel werd, aan de algemeen directeur over te laten. En als ze later moeilijk ging doen, nou, dan zou Kuntz wel een manier bedenken om haar het zwijgen op te leggen.

Larry stond op en begon wankelend door de bibliotheek te ijsberen. 'Hoe zijn deze mensen bij mij terechtgekomen?' vroeg hij jammerend. 'Die website heet anoniem te zijn.'

'Je hebt voor hun diensten moeten betalen, nietwaar?'

'Ja, natuurlijk, met mijn creditcard.'

'Dan heeft iemand die card moeten verifiëren. Zo hebben ze je gevonden.'

'En toen heeft iemand het aan Kimberly's moeder verteld?'

'Ja.'

'Waarom?'

'Waarom denk je, Larry?'

'Chantage?'

'Bingo.'

'Misschien moeten we ze gewoon betalen.'

Kuntz had daar ook aan gedacht, maar ten eerste waren ze nog door niemand benaderd, en ten tweede bleven er dan te veel onzekerheden over. Chanteurs, zeker als het ging om chanteurs die een soort moralistisch fanatisme aan de dag legden, waren zelden betrouwbaar. Toen hij in Ohio aankwam, had hij nog niet geweten hoe ernstig de dreiging was. Het enige wat hij wist was dat Heidi Dann zwaar aangeslagen was geweest door het nieuws dat haar dochter zich bezighield met iets wat verdacht veel op prostitutie leek. Heidi kende de echte namen van de klanten, maar die had ze gelukkig niet aan haar dochter voorgelegd. Na enig aandringen had ze Kuntz verteld over het jonge stel dat haar had aangesproken op het parkeerterrein van The Red Lobster. Kuntz had zijn oude legitimatie laten zien aan een jonge knul die bij de beveiliging van het restaurant werkte, had de dvd met de beelden van het gesprek op het parkeerterrein gekregen en had het kentekennummer van de auto genoteerd.

Vanaf dat punt was het doodsimpel geweest. Hij had de naam Lauren Barna van de autoverhuurder losgekregen en was na enig graafwerk te weten gekomen dat ze in werkelijkheid Ingrid Prisby heette. Vervolgens had hij de betalingen met haar creditcard gevolgd en haar gevonden in een motel bij de Delaware Water Gap.

'Dus hier blijft het bij?' vroeg Larry. 'Het is nu afgelopen, oké?'

'Nog niet.'

'Maar geen bloedvergieten meer. Alsjeblieft? Het kan me niet schelen als onze beursgang mislukt. Je kunt niet nog meer mensen iets aandoen.'

'Jij doet je vrouw iets aan.'

'Wat?'

'Je bedriegt haar. Daarmee doe je haar iets aan, of niet soms?'

Larry opende zijn mond, sloot hem weer en probeerde het opnieuw. 'Maar... ik bedoel, misschien doe ik haar wel iets aan, maar ik heb haar niet gedood. Je kunt die twee dingen niet met elkaar vergelijken.'

'Jazeker wel. Jij kwetst iemand van wie je houdt, maar tegelijkertijd neem je het op voor een stel vreemden die je geld willen afpersen.'

'Je hebt het over moord, John.'

'Ik heb het helemaal nergens over, Larry. Jíj hebt het over moord. Ik heb vernomen dat Kimberly's moeder is vermoord door een inbreker. Wat een goede zaak is, want stel dat iemand haar iets heeft aangedaan – laten we zeggen iemand die voor jou werkt – dan kan die persoon heel gemakkelijk een deal met de politie sluiten door te zeggen dat hij in opdracht van iemand anders heeft gehandeld. Kun je me volgen?'

Larry zei niets.

'Zijn er nog meer puinhopen die ik voor je moet opruimen, Larry?'

'Nee,' zei hij zacht. 'Niks anders.'

'Mooi zo. Want niets zal onze beursgang in de weg staan. Heb je dat goed begrepen?'

Larry Powers knikte.

'Dus hou op met drinken, Larry. Blijf bij de les.'

41

Met de twee politiemannen nog steeds voor de deur deden Thomas en Ryan iets wat Adam verbaasde. Ze deden zonder enige vorm van protest wat hij hun had opgedragen. Ze pakten hun spullen en maakten zich klaar om te vertrekken. Wel maakten ze er een hele show van toen ze hun vader omhelsden en op zijn wang kusten. Toen Len Gilman glimlachend zijn hand op Ryans schouder legde en zei: 'Jullie vader komt ons alleen met iets helpen,' moest Adam zich inhouden om zijn blik niet ten hemel te heffen. Hij zei tegen zijn jongens dat ze zich geen zorgen hoefden te maken en dat hij ze zou bellen of sms'en zodra hij meer wist.

Toen de jongens waren vertrokken liep Adam over het tuinpad naar de patrouillewagen. Hij vroeg zich af wat de buren ervan zouden denken, maar eigenlijk kon het hem geen barst schelen. Hij tikte Len Gilman op de schouder en zei: 'Als het over dat stomme lacrossegeld gaat...'

'Nee, dat is het niet,' zei Len, op een toon zo kortaf als een dichtslaande deur.

Tijdens de rit zeiden ze geen van drieën iets. Adam zat achterin. De andere politieman – een jonge vent die zichzelf niet had voorgesteld – zat achter het stuur en Len Gilman zat naast hem. Adam had verwacht dat ze naar het politiebureau van Cedarfield aan Godwin Road zouden gaan, maar toen ze de snelweg op reden, begreep hij dat ze naar Newark gingen. Ze namen de Interstate 280 en enige tijd later minderden ze vaart bij het districtsbureau in West Market Street.

De auto stopte. Len Gilman stapte uit. Adam wilde ook uitstappen, maar er zaten geen hendels aan de achterportieren van de patrouillewagen. Hij moest wachten tot Len het portier voor hem opende. Adam stapte uit en de auto reed door.

'Sinds wanneer werk jij voor de districtspolitie?' vroeg Adam.

'Ze hebben me om een gunst gevraagd.'

'Wat is er aan de hand, Len?'

'Alleen een paar vragen, Adam. Meer kan ik je op dit moment niet vertellen.'

Len hield een deur voor hem open en ze liepen een gang in. Adam werd naar een verhoorkamer gebracht.

'Neem plaats.'

'Len?'

'Ja?'

'Ik weet hoe dit werkt, dus doe me een lol. Laat me niet te lang wachten, oké? Daar word ik niet spraakzamer van.'

'Staat genoteerd,' zei Len, en hij deed de deur dicht.

Maar Len hield zich niet aan zijn woord. Nadat Adam een vol uur had zitten wachten, stond hij op en bonsde op de deur. Len Gilman deed hem open. Adam spreidde zijn armen en zei: 'Nou?'

'We spelen geen spelletje met je,' zei Len. 'We wachten nog op iemand.'

'Op wie?'

'Geef het nog een kwartier.'

'Best, maar laat me eerst even een plasje doen.'

'Geen probleem. Ik zal je naar de toiletten begeleiden...'

'Nee, Len. Ik ben hier vrijwillig. Ik ga zelfstandig naar de wc, als een grote jongen.'

Hij deed wat hij moest doen, kwam terug, ging weer op de stoel zitten en begon met zijn smartphone te spelen. Hij keek of er nog sms'jes waren binnengekomen. Andy Gribbel had de ochtend voor hem vrijgehouden. Adam zocht het adres van Gabrielle Dunbar op. Ze woonde vlak bij het centrum van Fair Lawn.

Kon zij hem naar de vreemde leiden?

Eindelijk ging de deur van de verhoorkamer open. Len Gilman kwam als eerste binnen en hij werd gevolgd door een vrouw die Adam begin vijftig schatte. Haar broekpak was van een onbestemde kleur die je het beste als 'overheidsgroen' kon omschrijven. De boord van haar blouse had lange, spitse punten. Ze had een zogenaamd onderhoudsvrij kapsel; een bruine helm van kroeshaar die Adam deed denken aan soulzangers uit de jaren zeventig.

'Sorry dat ik u heb laten wachten,' zei de vrouw.

Ze had een licht accent, mogelijk uit het Midwesten, maar in elk geval niet uit New Jersey. Ze had een groot gezicht met grove gelaatstrekken, wat Adam associeerde met boerinnen en lijndansen.

'Mijn naam is Johanna Griffin.'

Ze stak haar grote hand naar hem uit. Adam schudde die.

'Ik ben Adam Price, maar ik neem aan dat u dat al weet.'

'Gaat u zitten, alstublieft.'

Ze namen aan weerszijden van de tafel plaats. Len Gilman trok zich terug in de hoek van de kamer en probeerde te doen alsof hij er niet was.

'Fijn dat u vanochtend hebt kunnen komen,' zei Johanna Griffin.

'Wie bent u?' vroeg Adam.

'Sorry?'

'U hebt toch een rang of zoiets?'

'Ik ben korpschef,' zei ze, en na even te hebben nagedacht voegde ze eraan toe: 'Van de politie van Beachwood.'

'Ik ken Beachwood niet.'

'Dat ligt in Ohio. Niet ver van Cleveland.'

Dat had Adam niet verwacht. Hij wachtte totdat ze zou doorgaan.

Johanna Griffin legde een attachékoffertje op de tafel, maakte het open en haalde er een foto uit. 'Kent u deze vrouw?'

Ze schoof de foto naar Adam toe. Het was een ernstig gezicht tegen een egale achtergrond, waarschijnlijk een pasfoto. Het kostte Adam nog geen seconde om de blonde vrouw te herkennen. Hij had haar maar één keer gezien, in het donker en van een afstand, bovendien zat ze in een auto, maar hij herkende haar onmiddellijk.

Toch aarzelde hij.

'Meneer Price?'

'Het zou kunnen dat ik haar ken.'

'Dat zou kunnen?'
'Ja.'
'En wie zou ze dan kunnen zijn?'
Hij wist niet goed wat hij moest antwoorden. 'Waarom vraagt u dat?'
'Het is maar een vraag.'
'Ja, en ik ben maar een advocaat. Waarom wilt u dat weten?'
Johanna Griffin glimlachte. 'O, als u het zo wilt spelen.'
'Ik wil helemaal niks spelen. Ik wil gewoon weten...'
'Waarom wij dat willen weten. Daar hebben we het straks over.' Ze wees naar de foto. 'Dus, kent u haar, ja of nee?'
'We hebben nooit met elkaar kennisgemaakt.'
'O, nee hè,' zei Johanna Griffin.
'Wat is er?'
'Ga je je nu achter details verschuilen? Weet je wie ze is, ja of nee?'
'Ik denk dat ik het weet.'
'Fijn. Geweldig. Wie is ze?'
'Weten jullie dat zelf dan niet?'
'Het gaat hier niet om wat wij weten, Adam. En echt, ik heb geen tijd voor spelletjes, dus laten we spijkers met koppen slaan, zullen we? Haar naam is Ingrid Prisby. Jij hebt John Bonner, de parkeerwachter van het American Legion, tweehonderd dollar betaald voor haar kentekennummer. Daarna heb je dat nummer laten nagaan door een gepensioneerde rechercheur die Michael Rinsky heet. Zou je me willen vertellen waarom je dat hebt gedaan?'

Adam zei niets.
'Wat is jouw connectie met Ingrid Prisby?'
'Er is geen connectie,' zei hij behoedzaam. 'Ik wilde haar alleen iets vragen.'
'En wat is dat?'
Adams hoofd begon te tollen.
'Adam?'
Het was hem niet ontgaan dat ze van het formele 'meneer Price' was overgeschakeld naar het meer informele 'Adam'. Hij keek naar de hoek van de kamer. Len Gilman had zijn armen over

elkaar geslagen. Van zijn gezicht was niets af te lezen.

'Ik had gehoopt dat ze me kon helpen met een privékwestie.'

'Het is nu niet het moment voor privékwesties, Adam.' Johanna Griffin zocht weer in haar koffertje en haalde er een tweede foto uit. 'Ken je deze vrouw?'

Ze schoof de foto naar hem toe. Adam zag een glimlachende vrouw die ongeveer van Johanna Griffins leeftijd was. Hij schudde zijn hoofd.

'Nee, ik ken haar niet.'

'Weet je dat zeker?'

'Ik heb haar nooit eerder gezien.'

'Ze heet Heidi Dann.' Johanna Griffins stem klonk een beetje schor toen ze de naam uitsprak. 'Zegt die naam je iets?'

'Nee.'

Johanna bleef hem recht aankijken. 'Denk goed na, Adam.'

'Dat doe ik. Ik ken deze vrouw niet en haar naam zegt me niks.'

'Waar is je vrouw?'

De abrupte verandering van onderwerp bracht hem van de wijs.

'Adam?'

'Wat heeft mijn vrouw hiermee te maken?'

'Je hebt meer vragen dan antwoorden, hè?' Haar stem klonk opeens scherp als staal. 'Dat begint tamelijk irritant te worden. Ik heb begrepen dat je vrouw ervan wordt verdacht een groot geldbedrag te hebben gestolen.'

Adam keek weer naar Len. Die gaf nog steeds geen krimp.

'Gaat het daarover? Die valse beschuldiging?'

'Waar is ze?'

Adam koos zijn antwoord met zorg. 'Op reis.'

'Waarnaartoe?'

'Dat heeft ze niet gezegd. Wat is hier verdomme gaande?'

'Ik wil weten...'

'Het kan me niet schelen wat u wilt weten. Sta ik onder arrest?'

'Nee.'

'Dus ik kan opstaan en de deur uit lopen wanneer ik wil?'

Johanna Griffin bleef hem aankijken. 'Ja, dat klopt.'

'Dat is dus duidelijk, korpschef Griffin?'

'Ja.'

Adam ging wat meer rechtop zitten en probeerde zijn voordeel uit te buiten. 'Nu vraagt u me opeens naar mijn vrouw. Dus ik stel voor dat u me nu vertelt wat er gaande is, of ik...'

Johanna Griffin haalde een derde foto uit haar koffertje. Zonder iets te zeggen schoof ze die over de tafel naar hem toe. Adam schrok. Hij staarde naar de foto op het tafelblad. Niemand verroerde zich. Niemand zei iets. Adam had het gevoel dat zijn wereld instortte. Hij moest zijn best doen rechtop te gaan zitten en iets te zeggen.

'Is dit...'

'Ingrid Prisby?' vulde Johanna voor hem aan. 'Ja, Adam, dit is Ingrid Prisby, de vrouw die jij misschien kent.'

Adam had moeite met ademhalen.

'Volgens de lijkschouwer was de doodsoorzaak een kogel in het hoofd. Maar daarvoor... Wat je hier op de foto ziet? Voor het geval dat je het je afvraagt, wij denken dat de moordenaar haar met een stanleymes heeft bewerkt. We weten niet hoe lang ze heeft geleden.'

Adam kon zijn blik niet losmaken van het beeld.

Johanna Griffin schoof nóg een foto naar hem toe. 'Heidi Dann is eerst in haar knieschijf geschoten. We weten niet hoe lang de moordenaar haar heeft gemarteld, maar uiteindelijk is ze op dezelfde manier aan haar eind gekomen. Door een kogel in het hoofd.'

Adam slikte moeizaam. 'En jullie denken...'

'We weten niet wat we ervan moeten denken. Daarom willen we graag weten wat jij hiervan weet.'

Hij schudde zijn hoofd. 'Niks.'

'O nee? Dan zal ik je een chronologisch overzicht geven. Ingrid Prisby uit Austin, Texas, is vanuit Houston naar Newark Airport komen vliegen. Ze heeft één nacht alleen in het Courtyard Marriott bij het vliegveld doorgebracht. Tijdens haar verblijf heeft ze een auto gehuurd en is ze naar de American Legion Hall in Cedarfield gereden. Er zat toen een man bij haar in de auto. Deze man is de American Legion Hall binnengegaan en heeft daar met jou gepraat. We weten niet wat er is gezegd, maar wel dat jij kort daarna een parkeerwachter hebt omgekocht om het kentekennummer van hun auto te weten te komen, en we gaan ervan uit dat jij naar die twee op zoek bent gegaan. In de tussentijd is Ingrid met diezelfde huurauto helemaal naar Beachwood, Ohio gereden, waar ze een gesprek heeft gehad met deze vrouw.'

Met trillende vinger en iets wat eruitzag als amper ingehouden woede wees Johanna Griffin naar de foto van Heidi Dann.

'Enige tijd later werd deze vrouw, Heidi Dann, eerst in haar knieschijf en daarna in het hoofd geschoten. In haar eigen huis.

Niet lang daarna – we zijn nog bezig met de tijdlijn, maar het zal ergens tussen twaalf en vierentwintig uur daarna geweest zijn – werd Ingrid Prisby gemarteld en vermoord in een hotelkamer in Columbia, New Jersey, niet ver van de Delaware Water Gap.'

Ze leunde achterover.

'Dus, Adam, hoe pas jij in dit verhaal?'

'Jullie denken toch niet...'

Maar dat deden ze blijkbaar wel.

Adam had behoefte aan tijd. Hij moest dit zelf in zijn hoofd op een rij zetten, er goed over nadenken en proberen te bepalen wat hij moest doen.

'Heeft het iets met je huwelijk te maken?' vroeg Johanna Griffin.

Adam keek op. 'Wat?'

'Len vertelde me dat jij en Corinne enkele jaren geleden wat relatieproblemen hebben gehad.'

Adams blik ging onmiddellijk naar de hoek van de kamer. 'Len?'

'Dat waren de geruchten die gingen, Adam.'

'O, dus politiewerk wordt gebaseerd op geruchten?'

'Niet alleen op geruchten,' zei Johanna. 'Wie is Kristin Hoy?'

'Wat? Kristin is een vriendin van mijn vrouw.'

'En ook van jou, nietwaar? Jullie hebben de afgelopen tijd vaak contact met elkaar gehad.'

'Omdat...' Hij hield zich in.

'Omdat?'

Het ging Adam te snel, hij moest te veel tegelijk verwerken. Diep in zijn hart wilde hij deze twee smerissen vertrouwen, maar hij kon het niet. Ze hadden al een theorie en Adam wist dat als de politie eenmaal een theorie had, het verdomd moeilijk zo niet onmogelijk was om ze nog objectief naar de feiten te laten kijken, of te voorkomen dat ze die aanpasten aan hun theorie. Adam herinnerde zich dat de oude Rinsky hem had gewaarschuwd niet naar de politie te stappen. Er stond nu veel meer op het spel, dat was duidelijk, maar hield dit in dat hij zijn plan om Corinne zelfstandig terug te vinden overboord moest zetten?

Hij wist het echt niet.

'Adam?'

'We hebben het alleen over mijn vrouw gehad.'

'Jij en Kristin Hoy?'

'Ja.'

'Wat hadden jullie te bespreken over je vrouw?'

'Het ging over... dat ze op reis was.'

'"Op reis was". Ah, ik begrijp het. Je bedoelt die reis dat ze midden op de dag van school is weggegaan, niet meer is teruggekomen en nu weigert de sms'jes van jou en je kinderen te beantwoorden?'

'Corinne zei dat ze tijd voor zichzelf nodig had,' zei Adam. 'Maar aangezien jullie blijkbaar op de hoogte zijn van al mijn communicaties – en hou in gedachten dat ik advocaat ben en dat sommige van die communicaties voor mijn werk bedoeld kunnen zijn geweest – neem ik aan dat jullie die sms ook hebben gelezen.'

'Kwam dat even goed uit?'

'Wat?'

'Die sms van je vrouw aan jou. Dat hele verhaal over even weg moeten en dat je niet naar haar op zoek moest gaan. Dat geeft een mens de tijd, waar of niet?'

'Wat bedoelt u daarmee?'

'Iedereen kan je die sms gestuurd hebben, of niet soms? Misschien heb je die zelfs wel aan jezelf gestuurd.'

'Waarom zou ik...'

Hij stopte met praten.

'Ingrid Prisby was met een man naar de American Legion Hall

gekomen,' zei Johanna. 'Wie was die man?'

'Hij heeft niet gezegd hoe hij heette.'

'Wat had hij je te vertellen?'

'Dat heeft hier niks mee te maken.'

'Jazeker wel. Heeft hij je bedreigd?'

'Nee.'

'En Corinne en jij hebben geen huwelijksproblemen?'

'Dat zeg ik niet. Maar het heeft niks…'

'En je ontmoeting met Sally Perryman van gisteravond? Wil je ons daar iets over vertellen?'

Stilte.

'Is Sally Perryman ook een vriendin van je vrouw?'

Adam zei niets. Hij haalde een paar keer diep adem. Aan de ene kant wilde hij Johanna Griffin alles vertellen. Echt waar. Maar op dit moment leek Johanna erop uit hem of Corinne de schuld te geven van alle krankzinnige dingen die er waren gebeurd. Adam wilde graag helpen. Hij wilde weten hoe het zat met die moorden, maar hij was ook op de hoogte van de kardinale regel: woorden die je niet uitspreekt, hoef je nooit terug te nemen. Hij had plannen voor deze ochtend. Hij wilde naar Gabrielle Dunbars huis in Fair Lawn. Hij wilde haar vragen hoe de vreemde heette. Hij moest zich aan dat plan houden. Het was maar een half uurtje rijden.

En wat net zo belangrijk was, het zou hem de kans geven om na te denken.

Adam stond op. 'Ik moet nu gaan.'

'Dat meen je niet, hè?'

'Ja, dat meen ik wel. Als jullie mijn hulp willen, moeten jullie me een paar uur de tijd geven.'

'Maar er zijn twee vrouwen vermoord.'

'Dat weet ik,' zei Adam, en hij liep naar de deur. 'Maar jullie zoeken in de verkeerde richting.'

'Waar moeten we volgens jou dan naar zoeken?'

'Naar de man die bij Ingrid in de auto zat,' zei Adam, 'de man die in de American Legion Hall is geweest.'

'Waarom naar hem?'

'Weten jullie wie hij is?'

Ze keek achterom naar Len Gilman, en keek toen Adam weer aan. 'Nee.'

'Geen idee?'

'Geen idee.'

Adam knikte. 'Hij is de spil van dit hele gebeuren. Spoor hem op.'

42

Waarschijnlijk had Gabrielle Dunbars huis ooit een zekere charme gehad, maar in de loop der jaren was het door alle aanbouwen en zogenaamde verbeteringen getransformeerd in een compleet karakterloos bouwwerk. Alle bouwkundige vernieuwingen, zoals erkerramen en torentjes op het dak, hadden er een architectonisch rommeltje van gemaakt en hadden in feite meer schade aangericht dan dat het er mooier op was geworden.

Adam liep op de overdadig versierde voordeur af en drukte op de bel, die een ingewikkeld deuntje liet horen. Hij had niet willen wachten tot de politie hem naar huis zou brengen, dus had hij zijn Uber-app gebruikt om een taxi te bestellen en zich hier te laten afzetten. Andy Gribbel was onderweg om hem op te halen en terug te brengen naar kantoor. Adam verwachtte niet dat hij veel tijd nodig zou hebben.

Gabrielle Dunbar deed open. Adam herkende haar van de Facebook-foto's. Ze had ravenzwart haar zo steil dat het wel gestraight moest zijn. Ze had een uitnodigende glimlach op haar gezicht toen ze de deur opende, maar die verstilde zodra ze Adam zag.

'Kan ik iets voor u doen?' vroeg ze.

Haar stem trilde licht. Ze liet de hordeur dicht.

Adam kwam in actie. 'Het spijt me dat ik u moet lastigvallen. Mijn naam is Adam Price...' Hij wilde haar een visitekaartje geven, maar de hordeur was nog steeds dicht. Hij schoof het door de spleet bij de deurpost. 'Ik ben advocaat in Paramus.'

Gabrielle stond daar en zei niets. De kleur trok weg uit haar gezicht.

'Ik werk op dit moment aan een zaak rond een erfenis en...' Hij liet haar de Facebook-foto op zijn telefoon zien en gebruikte twee vingers om die te vergroten, zodat ze het gezicht van de vreemde beter kon zien. 'Kent u deze man?'

Gabrielle Dunbar trok het visitekaartje door de spleet bij de deurpost naar binnen. Ze keek er lange tijd naar. Toen, eindelijk, richtte ze haar aandacht op Adams iPhone. Na twee seconden schudde ze haar hoofd en zei: 'Nee.'

'Het was een kantoorfeestje, zo te zien. U moet hem toch...'

'Ik moet nu weer naar binnen.'

De trilling in haar stem was toegenomen en neigde nu naar paniek, of angst. Ze wilde de deur dichtdoen.

'Mevrouw Dunbar?'

Ze aarzelde.

Adam wist niet goed wat hij moest zeggen. Hij had haar aan het schrikken gemaakt. Dat was duidelijk. Hij had haar bang gemaakt, wat inhield dat ze iets moest weten.

'Alstublieft,' zei hij. 'Ik moet deze man zien te vinden.'

'Ik heb u al gezegd dat ik hem niet ken.'

'En ik denk dat u hem wel kent.'

'Gaat u nu weg.'

'Mijn vrouw wordt vermist.'

'Wat?'

'Mijn vrouw. Deze man heeft iets gedaan en nu wordt ze vermist.'

'Ik weet niet waar u het over hebt. Ga weg, alstublieft.'

'Wie is hij? Dat is het enige wat ik wil weten. Hoe hij heet.'

'Dat heb ik al gezegd. Ik ken hem niet. Alstublieft, ik moet nu echt weer naar binnen. Ik weet niks.'

Ze begon de deur dicht te doen.

'Ik blijf hem zoeken totdat ik hem heb gevonden. Zeg dat maar tegen hem. Ik ga net zo lang door totdat ik de waarheid heb achterhaald.'

'Ga weg of ik bel de politie.'

Ze smeet de deur voor zijn neus dicht.

Tien minuten lang bleef Gabrielle Dunbar achter de dichte voordeur staan terwijl ze alsmaar de woorden '*so… hum…*' herhaalde. Dat was Sanskriet, een mantra die ze op yoga had geleerd. Aan het eind van de sessie moesten ze van hun lerares allemaal op hun rug in de lijkhouding gaan liggen. Ze moesten hun ogen sluiten en vijf volle minuten lang zachtjes de woorden 'so… hum…' herhalen. De eerste keer dat de lerares hun dit had opgedragen, had Gabrielle het nogal stompzinnig gevonden. Maar op een zeker moment, na twee of drie minuten, had ze gevoeld dat alle stress uit haar lichaam begon te verdwijnen.

'So… hum…'

Gabrielle opende haar ogen. Vandaag werkte het niet. Er waren dingen die ze moest doen. Het zou nog uren duren voordat Missy en Paul van school kwamen. Dat kwam goed uit. Dat gaf haar de tijd om dingen voor te bereiden en haar koffers te pakken. Ze pakte haar telefoon, scrolde door haar contacten en klikte op iemand die ze Douchemuts had genoemd.

Het toestel ging twee keer over en toen antwoordde haar ex-man: 'Gabs?'

Zijn bijnaam voor haar – hij was de enige die haar zo noemde – werkte nog steeds op haar zenuwen. Toen ze elkaar pas kenden, had hij haar 'mijn Gabs' genoemd en had zij dat schattig gevonden, zoals je alles schattig vindt als je dolverliefd bent, ook al doen dezelfde woorden je enkele maanden later kokhalzen.

'Kun jij de kinderen hebben?' vroeg ze.

Hij deed geen moeite zijn verbazing te verbergen. 'Wanneer?'

'Ik was van plan ze vanavond te brengen.'

'Dat meen je toch niet, hè? Ik vraag je voortdurend of ik ze vaker mag zien…'

'En nu krijg je je zin. Kan ik ze vanavond brengen?'

'Ik zit tot morgenochtend in Chicago voor zaken.'

Verdomme. 'En eh… Dinges?'

'Je weet hoe ze heet, Gabs. Tami is hier bij me.'

Hij had Gabrielle nooit meegenomen op zakenreis, waarschijnlijk omdat hij dan met Tami of een van haar voorgangsters lag te rotzooien. 'Tami,' herhaalde Gabrielle. 'Schrijft ze dat met een puntje of met een hartje boven de i? Dat vergeet ik steeds.'

'Erg leuk,' zei hij. Het was niet leuk, dat wist ze zelf ook. Een domme opmerking. Ze had wel belangrijker dingen aan haar hoofd dan een huwelijk dat al jaren morsdood was. 'We komen morgenochtend vroeg terug.'

'Dan breng ik ze morgenochtend,' zei Gabrielle.

'Voor hoe lang?'

'Een paar dagen,' zei ze. 'Dat hoor je nog.'

'Verder alles oké, Gabs?'

'Kan niet beter. Groeten aan Tami.'

Gabrielle verbrak de verbinding. Ze keek uit het raam. Toen Chris Taylor haar voor het eerst had benaderd, had ze diep in haar hart al geweten dat dit moment ooit zou komen. De vraag was alleen wanneer. Het project had een enorme aantrekkingskracht op haar gehad, twee vliegen in één klap, de waarheid onthullen en geld verdienen, maar ze was nooit vergeten wat vanaf het eerste begin voor de hand had gelegen: dat ze met vuur speelden. Mensen zijn tot alles in staat om hun geheimen voor zichzelf te houden.

Ook tot moord.

'So... hum...'

Het werkte nog steeds niet. Ze liep de trap op en ging naar haar slaapkamer. Gabrielle wist dat ze alleen in huis was, maar toch deed ze de deur dicht. Ze ging in foetushouding op het bed liggen en begon op haar duim te zuigen. Gênant, maar als haar so-hum's niet hielpen, deed terugvallen op iets primitiefs en infantiels dat soms wel. Ze trok haar knieën op naar haar borst en begon zachtjes te huilen. Toen ze uitgehuild was, haalde ze haar mobiele telefoon tevoorschijn. Ze gebruikte een VPN voor haar privacy. Dat was niet honderd procent veilig, maar voor nu moest het genoeg zijn. Ze keek nog eens naar het visitekaartje.

ADAM PRICE - ADVOCAAT

Hij had haar gevonden. En als hij háár had gevonden, lag het ook voor de hand dat hij degene was die Ingrid had gevonden.

Om met Jack Nicholson in die film te spreken: sommige mensen kunnen de waarheid niet aan.

Gabrielle trok de onderste la van het nachtkastje open, haalde er een Glock 19 Gen4 uit en legde die op het bed. Merton had die aan haar gegeven, met de boodschap dat de Glock het ideale handwapen voor vrouwen was. Hij had haar meegenomen naar een schietbaan in Randolph en haar geleerd hoe ze ermee moest omgaan. Het pistool was geladen en klaar voor gebruik. Eerst had ze het niet prettig gevonden, een geladen pistool in een huis met jonge kinderen, maar de mogelijke dreigingen van buitenaf hadden het gewonnen van de veiligheid binnenshuis.

Dus wat nu?

Simpel. Volg de procedure. Ze maakte met haar iPhone een foto van Adams visitekaartje. Ze voegde de foto als bestand toe aan een e-mail en typte drie woorden in, waarna ze op VERZEND klikte.

Hij weet het

43

Adam ging eerder weg van zijn werk en reed naar het nieuwe trainingsveld van Cedarfield High. Het jongenslacrosseteam was aan het trainen. Hij parkeerde een straat verderop, uit het zicht, en ging achter de tribune staan om naar Thomas te kijken. Hij had dit nog nooit gedaan, bij een training kijken, en hij zou waarschijnlijk niet kunnen uitleggen waarom hij het nu wel deed. Hij wilde gewoon een tijdje naar zijn zoon kijken. Dat was alles. Adam dacht aan wat Tripp Evans in de American Legion Hall had gezegd op de avond dat het allemaal was begonnen, over dat hij amper kon geloven hoe goed ze het allemaal hadden.

We leven in een droom, besef je dat?

Tripp had natuurlijk gelijk, maar de vraag was of je je persoonlijke paradijsje wel een droom moest noemen. Dromen zijn vergankelijk. Dromen duren niet eeuwig. Op een dag word je wakker en weg is je droom. Je draait je om en voelt dat de droom in het niets oplost terwijl je ernaar grijpt alsof je een rookwolkje probeert vast te pakken. Wat natuurlijk geen enkele zin heeft. De droom is weg, voor altijd verdwenen. En nu Adam hier stond te kijken naar zijn zoon die trainde voor de sport waar hij zo veel van hield, had hij ongewild het gevoel dat ze sinds het bezoek van de vreemde allemaal op het punt stonden om uit hun droom te ontwaken.

De coach blies op zijn fluit en zei dat ze moesten uitlopen. Dat deden de jongens. Na een paar minuten zetten hun helm af en wandelden ze naar de kleedkamer. Adam kwam achter de tribune vandaan. Thomas bleef abrupt staan toen hij hem zag.

'Pa?'

'Alles is oké,' zei Adam, en meteen daarna, omdat Thomas zou kunnen denken dat hij bedoelde dat zijn moeder terug was: 'Ik bedoel, nog geen nieuws.'

'Wat kom je hier dan doen?'

'Ik was eerder klaar met werken. Ik dacht: ik geef je een lift naar huis.'

'Ik moet eerst douchen.'

'Best. Ik wacht wel.'

Thomas knikte en liep de kleedkamer in. In de tussentijd checkte Adam waar Ryan uithing. Hij was na school met Max mee naar huis gegaan. Adam sms'te hem en vroeg of hij klaar wilde staan als hij langskwam met Thomas, zodat zijn oude vader niet twee keer hoefde te rijden. GP, sms'te Ryan terug, en het duurde nog steeds even voordat Adam begreep dat dit 'geen probleem' betekende.

Tien minuten later, in de auto, vroeg Thomas wat de politie van hem wilde.

'Dat is op dit moment heel moeilijk uit te leggen,' zei Adam. 'Ik zeg dat niet om je in bescherming te nemen, maar je moet dit nog even aan mij overlaten.'

'Had het met ma te maken?'

'Dat weet ik niet.'

Thomas drong niet aan. Ze stopten bij Max' huis om Ryan op te halen. Ryan plofte op de achterbank en zei: 'Ah, gadver, wat stinkt er zo?'

'Mijn lacrossespullen,' zei Thomas.

'Echt smerig.'

'Mee eens,' zei Adam, en hij liet de raampjes zakken. 'Hoe ging het op school?'

'Goed,' zei Ryan, en meteen daarna: 'Nog nieuws over ma?'

'Nee, nog niet.' Adam vroeg zich af of hij meer moest zeggen en vond dat een deel van de waarheid waarschijnlijk geen kwaad kon. 'Maar het goede nieuws is dat de politie er nu ook werk van maakt.'

'Wat?'

'Zij gaan ook naar jullie moeder op zoek.'

'De politie?' zei Ryan. 'Waarom?'

Adam haalde licht zijn schouders op. 'Het is zoals Thomas gisteravond tegen me zei. Dit is niks voor haar. Daarom gaan ze ons helpen met zoeken.'

Hij wist zeker dat de jongens nog veel meer vragen voor hem zouden hebben, maar toen ze hun straat in reden, riep Ryan: 'Hé, wie is dat?'

Johanna Griffin zat op het stoepje voor de voordeur. Ze stond op toen Adam de oprit op stuurde en streek haar overheidsgroene broekpak glad. Ze glimlachte en zwaaide alsof ze de buurvrouw was die een kopje suiker kwam lenen. Adam bracht de auto tot stilstand terwijl Johanna, nog steeds glimlachend, achteloos en ontspannen hun kant op kwam lopen.

'Hallo, jongens,' riep ze.

Ze stapten uit de auto. De jongens keken bedenkelijk.

'Ik ben Johanna,' zei ze, en ze gaf beide jongens een hand. Thomas en Ryan keken om naar hun vader voor uitleg.

'Ze is van de politie,' zei Adam.

'Nou, niet officieel zolang ik hier ben,' zei Johanna. 'In Beachwood, Ohio, ben ik politiechef Griffin. Maar hier, buiten mijn jurisdictie, heet ik gewoon Johanna. Leuk met jullie kennis te maken, jongens.' Ze glimlachte nog steeds, maar Adam wist dat het alleen voor de show was. De jongens hadden dit waarschijnlijk ook wel door.

'Mag ik binnenkomen?' vroeg ze aan Adam.

'Ja, natuurlijk.'

Thomas opende de achterklep en haalde zijn lacrossetas uit de auto. Ryan hing een rugzak met een bibliotheek aan schoolboeken over zijn schouder. Terwijl zij naar de deur liepen, bleef Johanna even dralen. Adam draalde met haar mee. Zodra de jongens buiten gehoorsafstand waren vroeg Adam botweg: 'Wat kom je doen?'

'We hebben de auto van je vrouw gevonden.'

44

Adam en Johanna zaten in de woonkamer. De jongens waren in de keuken. Thomas kookte water voor de pasta en Ryan ontdooide een pak diepvriesgroente in de magnetron. Die waren nog wel even bezig.

'Waar hebben jullie Corinnes auto gevonden?' vroeg Adam.

'Eerst moet ik je iets bekennen.'

'En dat is?'

'Dat het waar is wat ik buiten zei. Ik ben hier in New Jersey niet in functie. Shit, ik ben in mijn eigen staat amper in functie. Ik doe geen moordzaken. Die worden door de districtspolitie gedaan. Maar zelfs als dat niet zo was, ben ik hier ver buiten mijn jurisdictie.'

'Maar ze hebben je wel op het vliegtuig hiernaartoe gezet om me meer vragen te stellen.'

'Nee, ik ben op eigen initiatief gekomen. Ik kende iemand bij de politie van Bergen die iemand bij de politie van Essex kende, en die was zo collegiaal om jou op te halen en mij op hun bureau met je te laten praten.'

'Waarom vertel je me dit?'

'Omdat de districtsjongens in Ohio ervan hebben gehoord en er flink de smoor inhadden. Dus ben ik officieel van de zaak gehaald.'

'Ik kan je niet volgen. Als dit jouw zaak niet is, waarom ben je dan hiernaartoe gekomen?'

'Omdat een van de slachtoffers een goede vriendin van me was.'

Nu begreep Adam het. 'Die Heidi?'

'Yep.'

'Dat vind ik heel erg voor je.'

'Dank je.'

'Maar waar hebben jullie Corinnes auto gevonden?'

'Meteen weer ter zake, huh?'

'Dat kwam je me toch vertellen?'

'Dat is waar.'

'Dus?'

'Op het parkeerterrein van een hotel bij Newark Airport.'

Adam trok een gezicht.

'Wat is er?'

'Daar begrijp ik niks van,' zei hij.

'Waarom niet?'

Adam vertelde haar over de Locator-app op Corinnes iPhone, die had aangegeven dat Corinne in Pittsburgh was.

'Misschien is ze ergens naartoe gevlogen en heeft ze daar een auto gehuurd,' zei Johanna.

'Welke stad zou dat moeten zijn, om van daaruit naar Pittsburgh te rijden? Op het parkeerterrein van een hotel, zei je?'

'Ja, bij het vliegveld. We vonden hem vlak voordat hij werd weggesleept. Ik heb het sleepbedrijf trouwens gevraagd de auto hiernaartoe te brengen. Over ongeveer een uur heb je hem terug.'

'Ik begrijp iets niet.'

'Wat?'

'Als Corinne met het vliegtuig ergens naartoe zou gaan, zou ze haar auto op het parkeerterrein van het vliegveld hebben gezet. Zo doen we het altijd.'

'Niet als niemand mag weten waar ze naartoe is gegaan. Misschien dacht ze dat jij daar naar haar auto zou zoeken.'

Adam schudde zijn hoofd. 'Dat zie ik mezelf niet doen. Dit slaat nergens op.'

'Adam?'

'Ja?'

'Ik weet dat je geen reden hebt om me te vertrouwen. Maar even off the record...'

'Je bent een smeris, geen reporter. Smerissen doen niks off the record.'

'Maar luister toch even naar me, wil je? Er zijn twee vrouwen vermoord. Ik zal nu niet uitweiden over hoe bijzonder Heidi was, maar… Hoor eens, laten we open kaart tegen elkaar spelen. Vertel me alles wat je weet, alsjeblieft.' Ze bleef hem recht aankijken. 'Ik beloof je… Ik zweer je op de ziel van mijn vermoorde vriendin dat ik niks van wat je me vertelt tegen jou of je vrouw zal gebruiken. Ik wil alleen gerechtigheid voor Heidi. Dat is het enige. Begrijp je dat?'

Adam betrapte zichzelf erop dat hij zat te draaien in zijn stoel.

'Ze kunnen je dwingen te getuigen.'

'Dat kunnen ze proberen.' Ze boog zich naar voren. 'Help me, alsjeblieft.'

Hij dacht erover na, maar niet lang. Hij had geen keus. Ze had gelijk. Er waren twee vrouwen vermoord en Corinne kon diep in de problemen zitten. Hij had geen bruikbare aanknopingspunten meer, alleen een wantrouwend gevoel over Gabrielle Dunbar.

'Vertel jij me eerst wat jij weet,' zei hij.

'Het meeste heb ik je al verteld.'

'Niet wat de connectie tussen Ingrid Prisby en jouw vriendin is.'

'Dat is heel simpel,' zei Johanna. 'Ingrid en die man wachten Heidi op bij The Red Lobster. Ze praten met haar. De volgende dag is Heidi dood. Een dag daarna is Ingrid dood.'

'En daar verdenk je de man die bij Ingrid was van?'

'Ik weet zeker dat hij ons verder zou kunnen helpen,' zei Johanna. 'Maar ze hebben jou ook aangesproken, toch? In de American Legion Hall?'

'Die man, ja.'

'Heeft hij gezegd hoe hij heette?'

Adam schudde zijn hoofd. 'Alleen dat hij de vreemde was.'

'En nadat ze waren weggereden, heb jij geprobeerd hem op te sporen. Of allebei. Je hebt die parkeerwachter zover gekregen dat hij je het kentekennummer van hun auto gaf. Je hebt haar getraceerd.'

'Ik heb uitgevonden hoe ze heet,' zei Adam. 'Meer niet.'

'Maar wat heeft die man, die vreemde, tegen je gezegd in de American Legion Hall?'

'Dat mijn vrouw heeft gedaan alsof ze zwanger was.'

Johanna knipperde met haar ogen. 'Pardon?'

Adam vertelde haar het hele verhaal. Toen hij eenmaal was begonnen, kwam alles er in één keer uit. En toen hij uitgepraat was, stelde Johanna hem de vraag die voor de hand lag, maar die hem toch verraste.

'En jij denkt dat het waar is? Dat ze echt heeft gedaan alsof ze zwanger was?'

'Ja, dat denk ik.'

Zomaar. Zonder aarzeling. Niet meer. Eigenlijk had hij al meteen vermoed dat het waar was, vanaf het moment dat de vreemde het hem vertelde, maar hij had enkele puzzelstukjes in elkaar moeten passen voordat hij het durfde uit te spreken.

'Waarom?' vroeg Johanna.

'Waarom ik denk dat het waar is?'

'Nee, waarom denk je dat ze zoiets zou doen?'

'Omdat ik haar onzeker had gemaakt.'

Ze knikte. 'Met die Sally Perryman?'

'Ja, dat vooral. Corinne en ik waren uit elkaar gegroeid. Ze was bang dat ze me zou kwijtraken, dat ze haar hele leven hier zou kwijtraken. Maar dat doet niet ter zake.'

'Nou, misschien wel.'

'Op welke manier?'

'Zeg jij het maar,' zei Johanna. 'Hoe stond jullie leven ervoor toen zij naar die zwangerschapssite ging?'

Adam begreep niet waar ze naartoe wilde, maar hij had ook geen reden om het haar niet te vertellen. 'Zoals ik al zei waren we uit elkaar gegroeid. Het is het bekende verhaal, nietwaar? Alles draaide om de jongens en het gezin… wie de boodschappen zou doen, wie de vaat deed, wie de rekeningen betaalde. Ik bedoel, het is zo'n cliché. Echt. En ik zat in een soort midlifecrisis, denk ik.'

'Voelde je je ondergewaardeerd?'

'Ik voelde me – hoe moet ik het zeggen? – ik had het gevoel dat ik geen echte man meer was. Ik weet hoe het klinkt. Ik was een vader geworden, een kostwinner…'

Johanna Griffin knikte. 'En opeens was daar Sally Perryman die een en al aandacht voor je was.'

'Niet opeens, maar inderdaad, ik werkte aan een heel grote zaak, met Sally als assistent, en ze was mooi en vol vuur, en ze keek naar me zoals Corinne vroeger naar me keek. Ja, ik weet hoe stompzinnig het allemaal klinkt.'

'Normaal,' zei Johanna. 'Niet stompzinnig.'

Adam vroeg zich af of ze dit meende, of dat ze hem naar de mond praatte. 'Maar goed, ik denk dat Corinne bang was dat ik bij haar zou weggaan. Ik zag dat toentertijd niet, of ik nam het niet serieus, ik weet het echt niet. Maar toen heeft ze dus die app op mijn iPhone gezet.'

'Die waarmee jij hebt gezien dat ze in Pittsburgh was?'

'Precies.'

'En jij wist niks van die app?'

Hij schudde zijn hoofd. 'Pas toen Thomas me erop wees.'

'Jeetje.' Johanna schudde haar hoofd. 'Dus je vrouw bespioneerde je?'

'Dat weet ik niet, misschien. Maar volgens mij is het zo gegaan. Ik had haar een paar keer achter elkaar verteld dat ik tot laat moest werken. Dus het is mogelijk dat ze die Locator-app heeft gebruikt en heeft gezien dat ik vaker bij Sally thuis was dan ik hoorde te zijn.'

'Waarom heb je haar niet verteld waar je was?'

Adam schudde zijn hoofd. 'We waren gewoon aan het werk.'

'Dan had je het haar toch kunnen vertellen? Waarom heb je dat niet gedaan?'

'Omdat ik, hoe ironisch het misschien ook klinkt, niet wilde dat ze zich zorgen zou maken. Ik wist hoe ze zou reageren. Of misschien besefte ik dat het niet helemaal koosjer was wat ik deed. We hadden gewoon op kantoor kunnen blijven, maar ik vond het leuker om bij Sally thuis te werken.'

'En Corinne kwam daarachter.'

'Ja.'

'Maar er is niks gebeurd tussen jou en Sally Perryman?'

'Nee.' Terugdenkend voegde hij eraan toe: 'Maar het scheelde niet veel.'

'Wat mag dat dan wel betekenen?'

'Dat weet ik niet precies.'

'Werd het lichamelijk? Zoenen? Vrijen?'
'Wat? Nee.'
'Heb je haar niet eens gekust?'
'Nee.'
'Waarom voelde je je dan schuldig?'
'Omdat ik het wel wilde.'
'Shit, ik zou Hugh Jackman wel in bad willen doen. Nou en? Tegen dat soort verlangens kun je niks doen. Je bent maar een mens. Verzet je er niet tegen.'
Adam zei niets.
'En toen heeft je vrouw Sally Perryman daarmee geconfronteerd.'
'Ze heeft haar gebeld. Ik weet niet of het echt tot een confrontatie is gekomen.'
'En Corinne heeft er tegen jou nooit iets over gezegd?'
'Nee.'
'Ze heeft Sally gevraagd wat er gaande was, maar bij jou vond ze dat niet nodig?'
'Nee, blijkbaar niet.'
'En toen?'
'Nou, toen raakte Corinne dus zwanger,' zei Adam.
'Je bedoelt, ze deed alsof dat zo was.'
'Ja.'
Johanna schudde haar hoofd en zei: 'Jezus.'
'Het is niet wat je denkt.'
'Het is precies wat ik denk.'
'Haar zwangerschap maakte me aan het schrikken, begrijp je? Maar op een goede manier. Die floot me terug. Die herinnerde me aan wat belangrijk was. Ook dat is ironisch te noemen. Maar het had effect. Dus Corinne had het recht het te doen.'
'Nee, Adam, dat had ze niet.'
'Het bracht me terug naar de werkelijkheid.'
'Niet waar. Ze heeft je gemanipuleerd. Je zou anders ook wel naar de werkelijkheid teruggekeerd zijn. En zo niet, dan wilde je dat misschien wel niet. Sorry, maar wat Corinne heeft gedaan was een rotstreek. Ronduit verwerpelijk.'
'Misschien was ze wanhopig.'

'Dat is geen excuus.'

'Dit hier is háár wereld. Haar gezin. Haar hele leven. Ze heeft er zo voor moeten knokken om dat leven te creëren, en toen werd het opeens bedreigd.'

Johanna schudde haar hoofd. 'Wat jij hebt gedaan is niet te vergelijken met wat zij heeft gedaan, Adam. Dat weet jij ook.'

'Ik heb er ook schuld aan.'

'Dit gaat niet over schuld. Jij had je twijfels. Je had wat afstand genomen. Je vroeg je af wat het leven je misschien nog meer te bieden had. Je bent niet de enige die door deze fase gaat. En je komt erdoorheen, of je komt er niet doorheen. Maar Corinne heeft je daar niet de kans voor gegeven. Ze heeft ervoor gekozen je een streek te leveren en met die leugen verder te leven. Ik verdedig of veroordeel jullie geen van beiden. Elk huwelijk heeft zijn eigen verhaal. Maar jij hebt zelf het licht niet gezien. Iemand heeft je met een zaklantaarn recht in je ogen geschenen.'

'Misschien had ik daar behoefte aan.'

Johanna schudde haar hoofd weer. 'Niet op deze manier. Het was gewoon fout. Jij moet dat ook inzien.'

Adam dacht hierover na. 'Ik hou van Corinne. Ik geloof niet dat die gefakete zwangerschap iets veranderd zou hebben.'

'Maar dat zul je nooit zeker weten.'

'Dat ben ik niet met je eens,' zei Adam. 'Ik heb er de afgelopen dagen veel over nagedacht.'

'En je weet zeker dat je bij haar gebleven zou zijn?'

'Ja.'

'Voor de kinderen?'

'Ook.'

'Voor wat nog meer?'

Adam boog zich voorover en staarde enige tijd naar de vloer. Daar lag het blauw-met-gele Perzische tapijt dat Corinne en hij in een antiekwinkeltje in Warwick hadden gekocht. Ze waren op een oktoberdag naar Warwick gegaan om appels te plukken, maar uiteindelijk hadden ze alleen appelcider gedronken, een kilo McIntoshes gekocht en waren ze dat antiekwinkeltje binnengegaan.

'Ondanks alle rottigheid die Corinne en ik elkaar hebben aangedaan,' begon hij, 'ondanks alle momenten van ontevredenheid, teleurstelling en soms zelfs afkeer die we samen hebben beleefd, kan ik me gewoonweg geen leven zonder haar voorstellen. Ik kan me gewoon niet voorstellen dat ik niet samen met haar oud zou worden. Dat ik geen deel zou uitmaken van haar leven.'

Johanna wreef over haar kin en knikte. 'Ik begrijp wat je bedoelt. Echt. Mijn man Ricky snurkt zo erg dat ik soms denk dat ik naast een helikopter slaap. Maar ik denk er hetzelfde over als jij.'

Ze zeiden enige tijd niets, lieten hun gevoelens bezinken.

Toen vroeg Johanna: 'Waarom heeft die vreemde jou over die gefakete zwangerschap verteld, denk je?'

'Ik heb geen idee.'

'Wilde hij geld?'

'Nee. Hij zei dat hij het voor mij deed. Hij gedroeg zich alsof hij met een of andere heilige kruistocht bezig was. En jouw vriendin Heidi? Heeft zij ook gedaan alsof ze zwanger was?'

'Nee.'

'Dan begrijp ik er niks meer van. Wat heeft de vreemde haar dan verteld?'

'Dat weet ik niet,' zei Johanna. 'Maar wat het ook was, het heeft haar wel het leven gekost.'

'Heb je helemaal geen idee?'

'Nee,' zei Johanna. 'Maar ik denk dat ik nu weet wie me verder kan helpen.'

45

Hij weet het

Chris Taylor las het bericht en vroeg zich weer af hoe en op welk punt het fout was gegaan. De Price-klus was een betaalde geweest. Misschien zat daar de fout, hoewel klussen in opdracht – en dat waren er nog maar een paar geweest – meestal het veiligst waren. De betalingen kwamen van een puur zakelijke derde partij, in dit geval een groot onderzoeksbureau. In zekere zin was de klus ook respectabeler, omdat er geen – en ja, Chris durfde het woord best te gebruiken – chantage bij kwam kijken. Het normale protocol was heel simpel: je was via internet een vreselijk geheim over een zekere persoon te weten gekomen. Die persoon had twee opties. Hij of zij kon betalen om het geheim stil te houden, of hij of zij kon ervoor kiezen niet te betalen, en dan werd het geheim onthuld. Chris vond beide opties bevredigend. Het eindresultaat was ofwel winst, wanneer de persoon het gevraagde bedrag betaalde, ofwel een bevrijding, omdat die persoon met zichzelf in het reine kwam. Eigenlijk zouden mensen voor beide moeten kiezen. Ze hadden het geld nodig om hun organisatie draaiende te houden. En ze wilden dat de waarheid boven water kwam, want daar ging het allemaal om, dat was wat hun werk juist en gerechtvaardigd maakte.

Want een onthuld geheim is geen geheim meer.

Misschien, bedacht Chris, was dat het probleem met klussen in opdracht. Eduardo had daarop aangedrongen. Ze zouden, had Eduardo gesteld, alleen voor een select groepje vooraanstaande onderzoeksbureaus werken. De klussen zouden veilig, gemakkelijk en altijd winstgevend zijn. De werkwijze was ook bedrieglijk eenvoudig. Het onderzoeksbureau kwam met een naam. Eduardo dook in al hun databanken om te zien of er iets over die persoon te vinden was. In het geval van Corinne Price was dat een hit op FAKE-EEN-ZWANGERSCHAP.COM geweest. Vervolgens kregen ze een bedrag betaald en werd het geheim onthuld.

Maar dat betekende natuurlijk wel dat Corinne Price nooit de kans had gekregen om tussen de twee opties te kiezen. Ja, het geheim was uiteindelijk onthuld. Hij had Adam Price de waarheid verteld. Maar hij had het uitsluitend voor het geld gedaan. Degene met een geheim had niet de kans gekregen schoon schip te maken.

Dat zat hem niet lekker.

Chris gebruikte de allesomvattende term 'geheim', maar in werkelijkheid waren het niet alleen geheimen. Het waren leugens en bedrog, of dingen die nog erger waren. Corinne Price had tegen haar man gelogen toen ze had gedaan alsof ze zwanger was. Kimberly Dann had tegen haar hardwerkende ouders gelogen over de manier waarop ze wat bijverdiende tijdens haar studie. Kenny Molino had vals gespeeld met steroïden. Michaela's verloofde Marcus had iets nog veel ergers gedaan toen hij die seksvideo van zijn beste vriend en zijn uiteindelijke vrouw op het net had gezet.

Geheimen, meende Chris, waren als kankergezwellen. Geheimen woekerden voort. Geheimen vraten je van binnenuit op totdat er alleen een lege huls van je overbleef. Chris had van dichtbij gezien hoeveel schade geheimen konden aanrichten. Toen Chris zestien was, had zijn dierbare vader, de man die hem had leren fietsen, die hem elke dag lopend naar school had gebracht en die de coach van zijn pupillenteam was geweest, een vreselijk, jarenlang voortwoekerend geheim ontdekt.

Hij was Chris' biologische vader niet.

Een paar weken voordat ze trouwden had Chris' moeder nog een laatste onderonsje met een ex-vriendje gehad en was ze zwanger geraakt. Zijn moeder had de waarheid altijd vermoed, maar pas toen Chris na een auto-ongeluk in het ziekenhuis terechtkwam en zijn vader, zijn dierbare vader, bloed voor hem wilde afstaan, was de waarheid boven water gekomen.

'Mijn hele leven,' had pa tegen hem gezegd, 'is één grote leugen geweest.'

Chris' vader had vervolgens geprobeerd het 'juiste' te doen. Hij had zichzelf voorgehouden dat een vader niet alleen een spermadonor is. Een vader ís er voor zijn kind, hij houdt van zijn kind, zorgt voor zijn kind en brengt het groot. Maar uiteindelijk bleek dat het geheim te lang had voortgewoekerd.

Chris had de goede man al drie jaar niet gezien. Dat deden geheimen met mensen, met gezinnen en met een leven.

Toen Chris zijn studie had afgerond, ging hij werken bij een internetbedrijfje dat Downing Place heette. Het beviel hem daar goed. Hij dacht dat hij een nieuw thuis had gevonden. Maar alle mooie bedrijfspraatjes ten spijt maakte Downing Place zich in feite schuldig aan het creëren van de ergst mogelijke geheimen. Chris deed voornamelijk werk voor een website die FAKE-EEN-ZWANGERSCHAP.COM heette. De website hield niet alleen zijn bezoekers maar ook zichzelf voor de gek door te doen alsof siliconenbuiken een soort feestartikel waren of voor gekostumeerde party's konden worden gebruikt. Maar ze wisten allemaal wel beter. Goed, in theorie zou iemand als zwangere vrouw naar een gekostumeerde party kunnen gaan. Maar nep-echo's? Nepzwangerschapstests? Wie probeerden ze voor de gek te houden?

Het was verkeerd.

Chris had meteen beseft dat het geen zin had om het bedrijf aan het kruis te nagelen. Dat was onbegonnen werk en bovendien, hoe bizar het ook klinkt, FAKE-EEN-ZWANGERSCHAP.COM had concurrenten. Al dit soort websites hadden concurrenten. Dus als je de ene om zeep hielp, werden de andere daar alleen maar beter van. Dus had Chris teruggedacht aan iets wat zijn 'vader' hem had geleerd toen hij jong was: je doet wat je kunt. Als je de wereld wilt redden, begin je met één persoon.

Hij had een paar geestverwanten gevonden bij soortgelijke bedrijfjes, die allemaal toegang hadden tot dit soort geheimen, net als hij. Sommigen waren vooral geïnteresseerd in de financiële kant van de onderneming. Anderen meenden dat het goed en rechtvaardig was wat ze deden, en hoewel Chris van het gebeuren geen heilige missie wilde maken, spraken de morele motieven van hun nieuwe beweging hem toch het meest aan.

De groep bestond uit vijf man: Eduardo, Gabrielle, Merton, Ingrid en Chris. Eduardo had alles via het internet willen doen. De slachtoffers online bedreigen. Het geheim onthullen door middel van een niet traceerbare e-mail. Om alles compleet anoniem te houden. Maar Chris was het daar niet mee eens geweest. Wat zij namelijk deden, of ze het leuk vonden of niet, was levens ruïneren. Je zette in één keer een heel mensenleven op zijn kop. Je kon het aankleden zo mooi als je wilde, maar de persoon die je aansprak was na je bezoek een heel ander mens dan daarvoor. Chris had gevonden dat je dit persoonlijk moest doen. En dat je het met mededogen en een menselijke touch moest doen. De bron van de geheimen waren anonieme websites, machines en robots.

Zij zouden dat niet zijn.

Chris keek weer naar Adam Price' visitekaartje en Gabrielles korte boodschap eronder: HIJ WEET HET.

In zekere zin waren de rollen nu omgekeerd. Want nu was Chris degene met een geheim, of niet soms? Nee, zijn situatie was anders. Zijn geheim was niet bedoeld om iemand te bedriegen maar om iets te beschermen… of maakte hij dat zichzelf wijs? Praatte hij, net als al die mensen die hij had opgezocht, zijn geheim alleen goed?

Chris had geweten dat het gevaarlijk was wat ze deden, dat ze vijanden zouden maken, dat sommige slachtoffers de bevrijdende kant van de zaak niet zouden begrijpen en wraak zouden willen nemen, of zouden willen blijven voortleven in hun luchtbel vol bedrog.

En nu was Ingrid dood. Vermoord.

Hij weet het

Dus de reactie lag voor de hand: Adam Price moest gestopt worden.

46

Kimberly Danns studentenkamer bevond zich in het meest trendy deel van Greenwich Village in New York City. Beachwood was geen dorp, absoluut niet. Veel inwoners waren vanuit New York naar Beachwood gekomen om aan de herrie en drukte te ontsnappen en financieel een wat comfortabeler leven te leiden dankzij de lagere huizenprijzen en belastingtarieven. Maar Beachwood was zeker ook geen Manhattan. Johanna was bereisd genoeg – het was al de zesde keer dat ze hier kwam – om te weten dat er geen plek op aarde bestond als deze landtong. De stad sliep 's nachts heus wel, maar je zintuigen waren altijd klaarwakker. Je was ingeplugd. Je hoorde en voelde het constante geknetter en gezoem alsof je onder stroom stond.

De deur zwaaide open zodra Johanna aanklopte, alsof Kimberly erachter had staan wachten.

'O, tante Johanna!'

Kimberly's wangen waren nat van de tranen. Ze wierp zich in Johanna's armen en begon te snikken. Johanna hield haar vast en liet haar uithuilen. Ze streelde Kimberly's haar, achter in de nek, wat ze Heidi zo vaak had zien doen, zoals die keer in de dierentuin, toen Kimberly was gevallen en haar knie had geschaafd, of toen die stomme Frank Velle van verderop in de straat zijn uitnodiging voor het schoolfeest had teruggetrokken omdat hij toch liever met Nicola Shindler ging.

Met de dochter van haar vriendin in haar armen kreeg Johanna het zelf ook weer te kwaad. Ze kneep haar ogen dicht en fluisterde geluidjes waarvan ze hoopte dat die geruststellend klonken. Ze zei niet: 'Het komt allemaal goed,' of andere dooddoeners die het meisje zouden moeten troosten. Ze hield haar gewoon vast en liet haar uithuilen. En toen begon Johanna zelf ook te huilen. Ja, waarom niet? Waarom mocht ze verdomme niet laten blijken dat zij er ook kapot van was?

Wat Johanna moest doen, kon nog wel even wachten. Tot het zover was, mochten ze allebei hun verdriet uiten.

Na een tijdje liet Kimberly haar los en deed een stap achteruit. 'Ik heb mijn koffer al gepakt,' zei ze. 'Hoe laat vertrekt het vliegtuig?'

'Laten we eerst even praten, oké?'

Ze zochten naar een plek waar ze konden gaan zitten, maar aangezien dit een studentenkamer was, moest Johanna genoegen nemen met de hoek van het bed, terwijl Kimberly neerplofte op iets wat eruitzag als een kruising tussen een stoel en een zitzak.

Het was waar dat Johanna op eigen initiatief met Adam Price was gaan praten, maar dat was niet de enige reden dat ze hier was. Ze had Marty beloofd dat ze Kimberly zou ophalen voor Heidi's begrafenis. 'Kimmy is zo van streek,' had Marty gezegd. 'Ik wil liever niet dat ze alleen reist, begrijp je?'

Johanna had het begrepen.

'Ik moet je iets vragen,' zei ze tegen Kimberly.

Het meisje droogde haar tranen en knikte. 'Oké.'

'De avond voordat je moeder werd vermoord, hebben jullie met elkaar gebeld, klopt dat?'

Kimberly begon weer te huilen.

'Kimberly?'

'Ik mis haar zo.'

'Dat weet ik, schat. We missen haar allemaal. Maar je moet je nu even concentreren, oké?'

Kimberly knikte en veegde haar tranen weg.

'Waar hebben jij en je moeder het over gehad toen jullie belden?'

'Wat maakt dat nou uit?'

'Ik ben op zoek naar degene die haar heeft vermoord.'

Opnieuw begon Kimberly te huilen.

'Kimberly?'

'Heeft mama dan geen inbreker betrapt?'

Dat was een van de hypotheses van de districtsjongens. Een

wanhopige drugsverslaafde die geld nodig had, die had ingebroken maar voordat hij iets van waarde had gevonden, had Heidi hem betrapt en had hij haar vermoord.

'Nee, schat, zo is het niet gegaan.'

'Hoe dan?'

'Daar probeer ik achter te komen. Luister, Kimberly, er is nog een vrouw vermoord door dezelfde persoon.'

Kimberly knipperde met haar ogen alsof iemand haar een lel met een eind hout had gegeven. 'Wat?'

'Daarom moet je me vertellen waar jij en je moeder over hebben gepraat.'

Kimberly's blik schoot door de kamer. 'Het had niks te betekenen.'

'Dat geloof ik niet, Kimberly.'

Het meisje begon weer te huilen.

'Ik heb jullie telefoongegevens gecheckt. Jij en je moeder hebben elkaar een heel stel sms'jes gestuurd, maar jullie hebben elkaar in dit semester maar drie keer gebeld. Het eerste gesprek duurde zes minuten. Het tweede maar vier. Maar de avond voordat ze werd vermoord, hebben jullie meer dan twee uur met elkaar gesproken. Waar ging dat over?'

'Alsjeblieft, tante Johanna, wat maakt het nog uit?'

'Voor mij een heleboel.' Johanna's stem had een scherpere klank gekregen. 'Dus vertel op.'

'Ik kan het niet...'

Johanna stond op van het bed en hurkte voor Kimberly neer. Ze nam het gezicht van het meisje in haar beide handen om haar te dwingen haar aan te kijken. 'Kijk me aan.'

Het duurde even, maar uiteindelijk deed Kimberly het.

'Wat jouw moeder is overkomen, is niet jouw schuld. Hoor je me? Ze hield van je en ze zou gewild hebben dat je doorgaat met je leven. Ik ben er om je te helpen. Altijd, wanneer je maar wilt. Omdat je moeder dat gewild zou hebben. Begrijp je dat?'

Het meisje knikte.

'Dan vraag ik het je nu nog eens,' zei Johanna. 'Waar hebben jullie het in dat laatste telefoongesprek over gehad?'

47

Adam keek toe van veilige afstand, tenminste, dat hoopte hij, terwijl Gabrielle Dunbar haastig naar haar auto liep en weer een koffer achterin legde. Een half uur daarvoor, toen Adam op weg was naar zijn werk, had hij besloten nog één keer bij Gabrielle langs te gaan. Maar toen hij haar straat in reed, zag hij Gabrielle Dunbar haar huis uit komen met een koffer, die ze achter in haar auto legde. Haar twee kinderen – ongeveer tien en twaalf jaar oud, schatte Adam – brachten een kleinere koffer naar de auto. Hij had onmiddellijk zijn auto aan de kant gezet en keek nu van een afstand toe.

Maar wat moest hij nu doen?

De avond daarvoor had hij gebeld met de drie andere personen die Andy Gribbel had kunnen identificeren en traceren van de foto op Gabrielles Facebook-pagina. Geen van drieën had hem iets bruikbaars over de vreemde kunnen vertellen. Geen verrassing. Hoe hij zijn vragen ook stelde, ze stonden alle drie argwanend tegenover een 'vreemde' – jawel, de ironie slaat weer toe – die informatie wilde over een mogelijke vriend of collega op een groepsfoto. En ze woonden alle drie te ver weg om naar ze toe te rijden voor een meer directe confrontatie, zoals Adam met Gabrielle had gedaan.

Dus concentreerde hij zich nu weer op Gabrielle Dunbar.

Ze hield iets voor hem verborgen. Dat was hem gisteren al duidelijk geweest... en nu kwam ze bijna rennend haar huis uit met haar derde koffer.

Toeval?

Dat geloofde hij niet. Hij bleef in de auto zitten en wachtte af. Gabrielle gooide de koffer achterin en moest kracht zetten om de klep dicht te krijgen. Ze liet de kinderen instappen, allebei achterin, en wachtte totdat ze hun gordel hadden vastgeklikt. Ze opende haar eigen portier, bleef even staan, en toen keek Gabrielle Dunbar de straat in, precies naar hem.

Verdomme.

Adam zakte snel onderuit. Had ze hem gezien? Hij dacht het niet. En zo wel, had ze hem dan herkend van die afstand? Maar wacht nou even, en wat dan nog, als ze hem had herkend? Hij was hiernaartoe gekomen om de confrontatie met haar aan te gaan, of niet soms? Dus ging hij weer rechtop zitten en zag dat Gabrielle allang niet meer naar hem keek. Ze was in de auto gestapt en reed de oprit al af.

Man, je bent hier niet goed in.

Gabrielles auto reed de straat uit. Adam dacht na over zijn volgende stap, maar niet lang. Wie A zegt, moet ook B zeggen. Hij schakelde en reed haar achterna.

Hij wist niet precies hoe ver hij achter haar moest blijven zodat zij hem niet zou zien en hij haar niet uit het oog verloor. Al zijn kennis over dit soort zaken kwam van een leven lang tv-films kijken. Zou iemand die nooit naar tv keek wel weten wat *tailen* betekende? Ze sloeg rechts af. Adam deed dat ook. Ze reden de Route 208 en daarna de Interstate 287 op. Adam keek op de benzinemeter. De tank was bijna vol. Goed zo. Hoe lang was hij trouwens van plan haar te volgen? En als ze stopte, wat moest hij dan precies doen?

Eén ding tegelijk.

Zijn telefoon ging. Hij keek op het schermpje en zag Johanna's naam.

Hij had haar nummer in zijn telefoon gezet na haar bezoek van de afgelopen avond. Vertrouwde hij haar volledig? Ja, eigenlijk wel. Haar doel was simpel en duidelijk: de moordenaar van haar vriendin vinden. Zolang dat Corinne niet was, zou Johanna een bondgenoot en een aanwinst voor zijn eigen speurtocht zijn, bedacht hij. En als Corinne wel de moordenaar was, had hij wel ernstiger problemen aan zijn hoofd dan het al dan niet in vertrouwen nemen van een smeris uit Ohio.

'Hallo?'

'Ik stap zo op het vliegtuig,' zei Johanna.

'Ga je terug naar huis?'

'Nee, ik ben al thuis.'

'In Ohio?'

'Ja, op het vliegveld van Cleveland. Ik moest Heidi's dochter ophalen en thuisbrengen, maar ik vlieg zo meteen terug naar Newark. Wat ben jij aan het doen?'

'Ik ben Gabrielle Dunbar aan het tailen.'

'Aan het wat?'

'Noemen jullie dat niet zo bij de politie?'

Hij legde haar in het kort uit dat hij naar haar huis was gereden en haar met haar koffers had zien vertrekken.

'En wat was je precies van plan te gaan doen, Adam?'

'Dat weet ik nog niet. Maar ik kan niet blijven zitten en niks doen.'

'Dat begrijp ik.'

'Waar bel je voor?'

'Ik ben gisteravond iets te weten gekomen.'

'Vertel.'

'Wat er ook gaande is,' zei ze, 'het gaat niet om één enkele website.'

'Ik kan je niet volgen.'

'Die vreemde. Hij vertelt zijn slachtoffers niet alleen dat hun vrouw heeft gedaan alsof ze zwanger was. Hij heeft ook toegang tot de gegevens van andere websites. Of in elk geval één andere website.'

'Hoe weet je dat?'

'Ik heb Heidi's dochter gesproken.'

'En wat was het geheim?'

'Ik heb haar beloofd dat ik dat voor mezelf zou houden... en je hoeft het ook niet te weten, geloof me maar. Waar het om gaat is dat die vreemde van jou een heel stel mensen om allerlei redenen chanteert, niet alleen om het faken van een zwangerschap.'

'Hoe moet ik dat precies zien?' vroeg Adam. 'Die vreemde en Ingrid chanteerden mensen met dingen die ze op internet hebben gedaan?'

'Ja, daar lijkt het op.'

'Maar waarom wordt mijn vrouw dan vermist?'
'Dat weet ik niet.'
'En wie heeft jouw vriendin vermoord? En Ingrid?'
'Twee keer: dat weet ik niet. Misschien is er met die chantage iets fout gegaan. Heidi was geen doetje. Misschien heeft ze zich verzet. En misschien hebben de vreemde en Ingrid heibel gehad.'
Even verderop nam Gabrielle de afslag naar de Route 23. Adam deed zijn richtingaanwijzer aan en ging haar achterna.
'Wat zou dan de connectie tussen jouw vriendin en mijn vrouw moeten zijn?'
'Afgezien van de vreemde zie ik geen connectie.'
'Wacht even,' zei Adam.
'Wat is er?'
'Gabrielle rijdt een oprit op.'
'Waar?'
'Lockwood Avenue in Pequannock.'
'In New Jersey?'
'Ja.'
Adam wist niet of hij op de rem moest gaan staan of moest doorrijden en een eindje voorbij het huis moest stoppen. Hij koos voor het laatste, nam gas terug en reed langzaam langs de gele split level met aluminium buitenpanelen en rode raamluiken. De voordeur van het huis ging open en er kwam een man naar buiten, die glimlachend naar de auto toe wandelde. Adam herkende de man niet. De achterportieren van de auto gingen open. Het meisje stapte als eerste uit. De man omhelsde haar, op een wat ongemakkelijke manier.
'Nou, wat gebeurt er?' vroeg Johanna.
'Vals alarm, volgens mij. Zo te zien zet ze haar kinderen af bij het huis van haar ex.'
'Oké. Hoor eens, mijn vlucht wordt omgeroepen. Ik bel je als ik geland ben. Doe geen domme dingen in de tussentijd.'
Johanna verbrak de verbinding. Nu stapte Gabrielles zoontje uit de auto. Weer die wat ongemakkelijke omhelzing. De vermeende ex zwaaide naar Gabrielle. Het was mogelijk dat Gabrielle terugzwaaide, maar dat kon Adam niet zien. Er verscheen een vrouw in de deuropening. Een jongere vrouw. Een veel jongere

vrouw. Het oude liedje, dacht Adam. Gabrielle bleef in de auto zitten terwijl de vermeende ex de klep van de kofferbak opende. Hij haalde een van de koffers uit de auto en deed de klep weer dicht. Met een verbaasd gezicht liep hij naar de voorkant van de auto.

Maar Gabrielle had de auto in de achteruit gezet en reed de oprit al af voordat hij bij haar was. Ze draaide de straat op en reed weg.

Met nog een flinke hoeveelheid bagage in haar auto.

Waar ging ze naartoe?

Wie A zegt...

Adam zag geen reden om haar níét te blijven volgen.

48

Gabrielles auto klom over Skyline Drive de Ramapo Mountains in. Het was maar drie kwartier rijden van Manhattan, maar je kwam er in een heel andere wereld terecht. Er gingen verhalen over inheemse stammen die nog altijd in dit gebied zouden leven. Sommigen noemden ze de Ramapough Mountain Indians, de Lenape Nation, of de Lunaape Delaware Nation. Sommigen geloofden dat deze mensen de oorspronkelijke bewoners van Amerika waren. Anderen beweerden dat het nazaten van de Nederlandse kolonisten waren. Weer anderen beweerden dat het afstammelingen waren van de Hessische huurlingen die tijdens de Amerikaanse Revolutie voor de Engelsen hadden gevochten, of bevrijde slaven die in de dichte bossen in het noorden van New Jersey een thuis hadden gevonden. Veel mensen – te veel – hadden ze de nogal minachtende bijnaam 'de Jackson Whites' gegeven. Waar deze naam vandaan kwam wist niemand, maar waarschijnlijk had die iets met hun multiraciale uiterlijk te maken.

Zoals het meestal gaat met zulke groepen, gingen er de wildste verhalen over deze mensen. Tieners reden naar Skyline Drive om elkaar bang te maken met verhalen over ontvoeringen, over de kans dat ze door wilden uit hun auto zouden worden getrokken en over geesten die schreeuwden om wraak. Allemaal fabels, natuurlijk, maar fabels konden soms heel hardnekkig zijn.

Waar ging Gabrielle verdomme naartoe?

Ze naderden het bosrijke gedeelte van het bergland. De weg liep zo steil omhoog dat Adams oren er dicht van gingen zitten. Gabrielle sloeg af naar de Route 23. Adam bleef haar nog een klein uur volgen, totdat ze over de smalle Dingman's Ferry

Bridge Pennsylvania in reed. Er was hier veel minder verkeer op de wegen. Opnieuw vroeg Adam zich af hoe ver hij achter haar moest blijven om niet gezien te worden. Maar hij wilde niet te voorzichtig zijn, want ze kon hem beter zien en hem ergens opwachten, dan dat hij haar kwijtraakte. Hij keek op het schermpje van zijn telefoon. De batterij was bijna leeg. Adam stak het toestel in de oplader in het dashboardkastje. Na ongeveer anderhalve kilometer sloeg Gabrielle rechts af. Het bos werd steeds dichter. Ze minderde vaart en sloeg een weggetje in dat eruitzag als een onverharde oprit. Op een grote kei stond in vervaagde, geschilderde letters: LAKE CHARMAINE - PRIVÉTERREIN. Adam stuurde abrupt naar rechts en stopte achter het groen. Hij kon niet zomaar de oprit op rijden, als het dat tenminste was.

Wat nu?

Hij opende het dashboardkastje en keek weer op het schermpje van zijn telefoon. De batterij had nauwelijks de kans gekregen om op te laden, maar het streepje gaf ongeveer tien procent aan. Dat kon genoeg zijn. Hij stak het toestel in zijn zak en stapte uit de auto. En nu? Moest hij gewoon naar Lake Charmaine lopen en aanbellen bij het huis?

Hij vond een overgroeid pad door het bos, dat parallel liep aan de oprit. Daar had hij iets aan. De hemel boven hem was prachtig azuurblauw. Hier en daar werd hem de weg versperd door uitstekende boomtakken, maar die kon hij opzijduwen. Het was stil in het bos, afgezien van de geluiden die Adam zelf maakte. Nu en dan bleef hij staan om te luisteren of hij iets hoorde, maar hier, dieper in het bos, hoorde hij de langsrijdende auto's op de snelweg niet eens meer.

Adam kwam op een open plek en zag een reebok aan wat boomblaadjes knabbelen. De reebok keek om naar Adam, zag dat hij geen kwaad in de zin had en ging door met eten. Adam liep door en even later strekte het meer zich voor hem uit. Als de omstandigheden anders waren geweest, zou hij het hier fantastisch hebben gevonden. Het wateroppervlak van het meer was zo glad als een spiegel, die het groen van de bomen en het zachte blauw van de lucht reflecteerde. De aanblik was beeldschoon, hypnotiserend en zo verdomde vredig dat hij liefst tegen een boom was gaan zitten om er een tijdje naar te kijken. Corinne hield van meren. De zee beangstigde haar een beetje. Golven, vond zij, waren vaak wild en onvoorspelbaar. Maar meren waren stille paradijsjes. Voordat de jongens waren geboren hadden Corinne en hij wel eens een huisje aan een meer in het noorden van Passaic County gehuurd. Hij herinnerde zich de lome dagen die ze daar hadden beleefd, samen in de grote hangmat, hij met de krant en zij met een boek. Hij dacht terug aan hoe hij stiekem naar Corinne had gekeken terwijl ze las, met haar ogen een stukje toegeknepen heen en weer bewegend over de bladzijde, een en al concentratie... en dan, om de zoveel tijd, keek ze op van haar boek. Dan glimlachte Corinne naar hem, en hij naar haar, en dwaalde hun blik weer af naar het water van het meer.

Zo'n meer als dit.

Rechts van hem zag Adam een huis. Het zag er onbewoond uit, afgezien van het feit dat er een auto voor de deur stond.

Gabrielles auto.

Het huis was gemaakt van echte boomstammen, of het was zo'n imitatie van kunststof. Moeilijk te zien vanaf de plek waar hij stond. Voorzichtig daalde Adam de heuvel af, waarbij hij zich zo veel mogelijk schuilhield achter de bomen en het andere groen. Hij voelde zich een beetje belachelijk, als een jongetje dat landjepik of paintball of zoiets aan het spelen was. Hij probeerde zich te herinneren wanneer hij dat voor het laatst had gedaan, dat hij werkelijk iemand had beslopen, en kwam ten slotte uit bij het zomerkamp van toen hij acht was.

Adam wist nog steeds niet goed wat hij moest doen als hij bij het huis kwam, maar even, heel even wou hij dat hij gewapend was. Hij had zelf geen pistool of ander vuurwapen. Misschien was dat niet zo slim. Zijn oom Greg had hem een paar keer meegenomen naar de schietbaan toen hij begin twintig was. Hij had het best leuk gevonden en wist dat hij met een vuurwapen kon omgaan. Achteraf gezien was het slimmer geweest als hij een wapen had meegebracht. Hij had met gevaarlijke mensen te maken. Met moordenaars zelfs. Hij stak zijn hand in zijn zak en voelde of zijn telefoon er nog in zat. Moest hij iemand bellen? Maar wie dan, en wat moest hij zeggen? Johanna zou nog in het vliegtuig zitten. Hij kon Andy Gribbel of de oude Rinsky bellen of sms'en, maar wat moest hij ze vertellen?

Waar je bent, bijvoorbeeld.

Hij wilde net zijn telefoon uit zijn zak halen om dat te doen toen hij iets zag wat hem deed verstijven.

Gabrielle Dunbar stond in haar eentje voor het huis en keek hem recht aan. Adam voelde de woede in zich oplaaien. Hij deed twee stappen vooruit, in de veronderstelling dat ze zou wegrennen of iets zou zeggen. Ze deed geen van beide.

Ze verroerde zich niet en keek hem recht aan.

'Waar is mijn vrouw?' riep hij.

Gabrielle bleef kijken en zei niets.

Adam liep het erf op. 'Ik vroeg...'

Iets raakte hem zo hard op zijn achterhoofd dat hij zijn hersens letterlijk in zijn schedel voelde klotsen. Hij viel voorover op zijn knieën en zag sterretjes. Puur op instinct functionerend slaagde Adam er op de een of andere manier in zich om te draaien en op te kijken. De honkbalknuppel kwam als een bijl op zijn schedel af. Hij probeerde weg te duiken, opzij te draaien of op zijn minst zijn arm omhoog te doen.

Maar daar was het veel te laat voor.

Het uiteinde van de knuppel raakte hem boven op zijn schedel en alles werd donker.

49

Johanna Griffin was iemand die zich aan de regels hield, dus zette ze haar telefoon pas aan toen het vliegtuig aan het eind van de landingsbaan tot stilstand kwam. Terwijl de gezagvoerder zijn gebruikelijke 'Welkom in Newark. De plaatselijke temperatuur is...' afraffelde, bekeek Johanna haar sms'jes en e-mails.

Niets van Adam Price.

De afgelopen vierentwintig uur waren slopend geweest. Kimberly was compleet ingestort. Het was pijnlijk en tijdrovend geweest om het hele horrorverhaal uit haar te trekken. Johanna had geprobeerd het te begrijpen, maar wat had het lieve kind zich in godsnaam in haar hoofd gehaald? Arme Heidi. Hoe had zij gereageerd op het nieuws over haar dochter en die afschuwelijke website? Johanna dacht terug aan de videobeelden van Heidi op het parkeerterrein van The Red Lobster. Heidi's lichaamstaal was nu volstrekt begrijpelijk. Waar Johanna naar had zitten kijken, was in feite een geval van geestelijke mishandeling. Die man, die verdomde vreemde, had haar vriendin afgeranseld met zijn woorden en haar hart gebroken met zijn onthullingen.

Had hij enig idee gehad van de schade die hij aanrichtte?

Daarna was Heidi dus naar huis gegaan. Ze had Kimberly gebeld en haar dochter gedwongen haar de waarheid te vertellen. Ze was rationeel en kalm gebleven, ook al had ze inwendig gekookt van woede. Alhoewel, misschien was dat laatste niet zo. Want Heidi, wist Johanna, was niet iemand die anderen veroordeelde, dus misschien had ze het slechte nieuws geïncasseerd en had ze besloten in de tegenaanval te gaan. Wie weet? Het was heel goed mogelijk dat Heidi haar dochter had getroost en vervolgens had geprobeerd een manier te bedenken om haar te redden uit die afschuwelijke puinhoop waarin ze zichzelf had gewerkt. En misschien had dat haar het leven gekost.

Johanna wist nog niet hoe Heidi precies aan haar eind was gekomen, maar het was duidelijk dat het op de èen of andere manier verband hield met de onthulling dat haar dochter de hoer had gespeeld – laten we de dingen gewoon bij de naam noemen, vond Johanna – met drie verschillende mannen. Johanna was al begonnen het allemaal uit te zoeken, maar dat zou tijd kosten. Kimberly had de echte namen van de mannen nooit te horen gekregen, maar ook dat was weinig verrassend. Toen Johanna de webmaster van VINDJESNOEPJE.COM had gebeld en had geluisterd naar wat die te zeggen had, had ze naderhand het liefst een lange, hete douche genomen. Zij – jawel, lang leve het feminisme, de website werd beheerd door een vrouw – stond pal achter de 'zakelijke overeenkomsten' en 'het recht op privacy' van haar cliënten en ze had gezegd dat ze zonder gerechtelijk bevel absoluut niet van plan was meer informatie te verstrekken.

Aangezien het bedrijf in Massachusetts was gevestigd, zou dat tijd kosten.

Nadat ze deze shit had afgehandeld, hadden de geërgerde districtsjongens van moordzaken alles willen weten over Johanna's eigenmachtige trip naar New Jersey. Die had voor Johanna niets met haar ego te maken gehad. Zij wilde dat de schoft werd gepakt die haar vriendin had vermoord. Meer niet. Dus had ze hun alles verteld, ook over Kimberly's bekentenis, met als resultaat dat de districtsjongens een gerechtelijk bevel zouden aanvragen en meer mensen op de zaak zouden zetten om te weten te komen wie de vreemde was en wat zijn aandeel in de moorden kon zijn.

Dat was allemaal leuk en aardig, maar het betekende nog niet dat Johanna zich niet meer met de zaak zou bemoeien.

Haar mobiele telefoon ging. Ze herkende het nummer niet, maar het netnummer was 216, wat betekende dat het iemand van dicht bij huis moest zijn. Ze drukte op het knopje en zei hallo.

'U spreekt met Darrow Fontera.'

'Wie?'

'Van The Red Lobster. Ik ben het hoofd van de beveiliging en u bent bij me geweest voor de beelden van de bewakingscamera.'

'O, juist. Wat kan ik voor je doen?'

'Ik had u gevraagd de dvd terug te brengen als u er klaar mee was.'

Maakte die gast een geintje? Johanna opende haar mond om te vragen of hij wel goed bij zijn hoofd was, maar ze bedacht zich.

'We zijn nog niet klaar met het onderzoek.'

'Kunt u dan een kopie van de dvd maken en het origineel bij ons terugbrengen?'

'Waarom is dat zo belangrijk?'

'Dat zijn bij ons de regels.' Ze had een echte bureaucraat aan de lijn. 'We verstrekken altijd maar één kopie op dvd aan de politie. Als er meer nodig zijn...'

'Ik heb er maar één.'

'Nee, nee, u was de tweede.'

'Pardon?'

'Er was nog iemand van de politie die een dvd heeft meegenomen.'

'Wat? Nog iemand van de politie?'

'Ja. We hebben een kopie van zijn legitimatie gemaakt. Een gepensioneerde politieman uit New York, maar hij zei... Wacht, hier heb ik het. Hij heet Kuntz. John Kuntz.'

50

Eerst kwam de pijn.
Minutenlang overheerste die al het andere. De pijn was zo intens dat Adam onmogelijk kon nadenken over waar hij was of wat hem was overkomen. Zijn schedel voelde alsof die alleen nog bestond uit botfragmenten met vlijmscherpe randen die zijn hersenweefsel aan stukjes sneden. Adam hield zijn ogen gesloten en probeerde bij kennis te blijven.

Als tweede kwamen de stemmen.

'Wanneer komt hij bij?' ... 'Je had hem toch niet zo hard hoeven slaan?' ... 'Ik kon het risico niet nemen.' ... 'Je hebt toch een pistool?' ... 'Stel dat hij niet meer bijkomt.' ... 'Hoezo, hij kwam ons vermoorden, weet je nog?' ... 'Wacht, volgens mij beweegt hij zich...'

Heel langzaam, met een slakkengang, keerde zijn bewustzijn terug, kwam het door de pijn en de gevoelloosheid heen kruipen. Hij lag op een koude vloer, met zijn rechterwang op een harde ondergrond. Het zou beton kunnen zijn. Adam probeerde zijn ogen te openen, maar het leek wel of er spinnenwebben voor zaten. Toen hij ermee knipperde, slaakte hij bijna een kreet door de pijnsteek in zijn hoofd.

Toen zijn ogen eindelijk open waren, zag hij een paar Adidas-sportschoenen. Hij probeerde zich te herinneren wat er was gebeurd. Hij had Gabrielle gevolgd. Dat wist hij nu weer. Hij was achter haar aan gereden tot bij een meer en toen...

'Adam?'

Hij kende die stem. Hij had hem één keer eerder gehoord en sindsdien was hij door zijn hoofd blijven spoken. Met zijn wang nog op de betonnen vloer probeerde hij op te kijken.

De vreemde.

'Waarom heb je het gedaan?' vroeg de vreemde hem. 'Waarom heb je Ingrid vermoord?'

Thomas Price zat midden in zijn proefwerk Engels toen de telefoon van het klaslokaal ging. Zijn leraar, meneer Ronkowitz, nam op, luisterde even en zei: 'Thomas Price, je moet bij de directeur komen.'

Zoals miljoenen scholieren over de hele wereld al miljoenen keren hadden gedaan, maakten zijn klasgenoten het bekende 'o-o, jij zit in de problemen'-geluid terwijl hij zijn boeken pakte, ze in zijn rugzak stopte en de klas uit liep. Er was niemand op de gang. Het gaf Thomas altijd een raar gevoel, zo'n verlaten schoolgang, die hem deed denken aan spookstadjes en behekste huizen. Zijn voetstappen echoden tussen de muren terwijl hij zich naar het kantoor van de directeur haastte. Hij had geen idee waarom hij bij de directeur moest komen, of het goed of slecht nieuws was, maar je werd nooit zomaar bij de directeur geroepen, en als je moeder ervandoor was en je vader langzaam gek werd, had je verbeelding de neiging de gruwelijkste scenario's te produceren.

Thomas wist nog steeds niet wat er precies was misgegaan tussen zijn ouders, maar hij wist wel dat het ernstig was. Heel ernstig. Hij wist ook dat zijn pa hem niet de volledige waarheid had verteld. Ouders denken altijd dat ze je moeten beschermen, ook al betekent dit dat ze tegen je moeten liegen. Zij denken dat ze er goed aan doen wanneer ze je voor de waarheid afschermen, maar uiteindelijk bereiken ze het tegendeel. Neem de Kerstman. Toen Thomas voor het eerst vernam dat die niet echt bestond, dacht hij niet: ik ben er te groot voor geworden, of: die onzin is voor de kleintjes. Nee, zijn eerste gedachte was: mijn ouders hebben tegen me gelogen. Mijn pa en ma hebben me jaar in jaar uit recht in de ogen gekeken en keihard tegen me gelogen.

Was dit de manier om je vertrouwen in mensen bij te brengen? Thomas vond het hele idee van de Kerstman trouwens niks. Waar sloeg het op? Waarom zou je je kinderen vertellen dat ze het hele jaar door in de gaten werden gehouden door een of andere maffe dikzak die op de Noordpool woonde? Sorry hoor, maar moest hij dat geloven? Al als kind, herinnerde Thomas zich, toen hij in het winkelcentrum op schoot zat bij een kerstman die een beetje naar pis stonk, had hij gedacht: is dit nou degene die me cadeautjes brengt? En waarom zou je kinderen zoiets wijsmaken? Was het niet leuker om te denken dat je hardwerkende ouders die voor je kochten, in plaats van een of andere oude engerd? Wat er nu ook gaande was, Thomas zou dolgraag willen dat zijn pa hem gewoon de waarheid vertelde. Die kon niet veel erger zijn dan wat hij en Ryan zich allemaal in hun hoofd hadden gehaald. Zijn broer en hij waren heus niet gek. Thomas had gemerkt dat zijn pa al gestrest was voordat hun moeder was verdwenen. Hij had geen idee waarom, maar vanaf het moment dat hun ma van dat lerarencongres was teruggekomen had er iets goed fout gezeten. Hun thuis was als een levend organisme, als zo'n kwetsbaar ecosysteem in de wetenschap, dat ernstig van streek was omdat er iets onbekends was binnengedrongen.

Toen Thomas de deur van het kantoor opende, stond die politievrouw, Johanna, naast het bureau van meneer Gorman.

'Thomas,' vroeg meneer Gorman, 'ken jij deze mevrouw?'

Hij knikte. 'Ze is een vriendin van mijn vader. En ze is van de politie.'

'Ja, ze heeft me haar legitimatie laten zien. Maar ik mag jullie niet alleen laten.'

'Dat is oké,' zei Johanna, en ze deed een stap naar hem toe. 'Thomas, heb jij enig idee waar je vader is?'

'Op zijn werk, neem ik aan.'

'Nee, hij is vandaag niet komen opdagen. Ik heb hem gebeld op zijn mobiel, maar die schakelt meteen door naar de voicemail.'

Het gevoel van paniek in zijn borstkas, dat relatief licht was geweest, begon sterker te worden. 'Dat gebeurt alleen als je je telefoon uitzet,' zei Thomas. 'Mijn pa zet die van hem nooit uit.'

Johanna Griffin kwam dichter bij hem staan. Thomas zag de bezorgde blik in haar ogen. Die maakte hem bang, maar was dit niet wat hij wilde? Eerlijkheid in plaats van in bescherming genomen worden?

'Thomas, je vader heeft me verteld over die Locator-app die je moeder op zijn telefoon heeft gezet.'

'Die werkt niet als zijn telefoon uit staat.'

'Maar die laat ons wel zien waar hij was op het moment dat hij hem uitzette, toch?'

Thomas begreep wat ze bedoelde. 'Ja.'

'Heb je daar een computer voor nodig?'

Hij schudde zijn hoofd en stak zijn hand in zijn broekzak. 'Ik kan het op mijn telefoon nagaan. Geef me een paar minuten.'

51

'Waarom heb je Ingrid vermoord?'
Toen Adam probeerde rechtop te gaan zitten, alleen al toen hij zijn wang wilde losmaken van de betonnen vloer – waar was hij trouwens, nog in dat zomerhuis bij het meer? – schreeuwde zijn hoofd het uit van de pijn. Hij wilde zijn handen naar zijn hoofd brengen, maar hij kon ze niet bewegen. Verbaasd probeerde Adam het opnieuw en toen hoorde hij iets rinkelen. Hij was geboeid.

Adam keek achter zich. Ze hadden een ketting om zijn polsen geknoopt en die achter een verticale ijzeren pijp langs geleid. Hij keek om zich heen en probeerde de situatie in te schatten. Hij bevond zich in een kelder. Recht voor hem, met dezelfde honkbalpet op zijn hoofd, stond de vreemde. Gabrielle stond rechts van hem. En links van hem stond een jongen die Adam niet veel ouder schatte dan Thomas. Hij had een kaalgeschoren hoofd, talloze tatoeages en veel te veel piercings.

En hij had een pistool in zijn hand.

Achter deze drie stond nog iemand, een man van in de dertig, met lang haar en een vlasbaardje.

'Wie zijn jullie?' vroeg Adam.

Het was de vreemde die antwoord gaf. 'Ik heb je al verteld wie ik ben, of niet soms?'

Adam probeerde rechtop te gaan zitten. De stekende pijn in zijn hoofd verlamde hem bijna, maar hij zette door. Opstaan was uitgesloten. De pijn in zijn hoofd en zijn geboeide polsen gaven hem daar ook niet de kans toe. Maar hij zat nu rechtop en leunde met zijn rug tegen de ijzeren pijp.

'Ja, jij bent de vreemde,' zei Adam.

'Precies.'

'Wat willen jullie van me?'

De jongen met het pistool deed een stap naar voren en richtte het wapen op Adam. Hij hield de loop dwars, wat hij waarschijnlijk in een slechte gangsterfilm had gezien, en zei: 'Als je niet onmiddellijk bekent, schiet ik je kop van je romp.'

De vreemde zei: 'Merton...'

'Luister, man, we hebben hier geen tijd voor. Hij moet praten en nu meteen.'

Adams blik ging van het pistool naar Mertons ogen. Hij is ertoe in staat, dacht Adam. Zo meteen haalt hij zonder na te denken de trekker over.

Nu was het Gabrielle die iets zei. 'Doe dat pistool weg.'

Merton negeerde haar. Hij keek neer op Adam. 'Ze was een vriendin van me.'

Hij richtte het pistool op Adams gezicht.

'Waarom heb je Ingrid vermoord?'

'Ik heb niemand vermoord.'

'Gelul!'

Mertons hand begon te trillen.

Gabrielle zei: 'Merton, niet doen.'

Met het pistool nog steeds op Adams gezicht gericht gaf Merton hem een trap alsof hij vanaf de middellijn een doelpunt wilde scoren. Hij droeg laarzen met stalen neuzen, waarvan er een op de kwetsbare plek net onder Adams ribbenkast terechtkwam. Adam maakte een geluid dat als *'Oemf!'* klonk en tuimelde om.

'Hou daarmee op,' zei de vreemde op scherpe toon.

'Hij moet ons vertellen wat hij weet!'

'Dat zal hij ook doen.'

'Maar hoe moet het nu verder met ons?' vroeg Gabrielle, met paniek in haar stem. 'Dit was toch bedoeld om gemakkelijk geld te verdienen?'

'Dat is het nog steeds. Er kan ons niks gebeuren. Dus kom tot jezelf.'

De man met het lange haar zei: 'Het bevalt me niet. Dit staat me helemaal niet aan.'

Gabrielle zei: 'Ik ben niet bij jullie komen werken om mensen te kidnappen.'

'Kunnen we allemaal even rustig blijven?' Maar zelfs de vreemde klonk nu gestrest. 'We moeten zien te achterhalen wat er met Ingrid is gebeurd.'

Adam kreunde en zei: 'Ik weet niet wat er met Ingrid is gebeurd.'

Alle blikken werden op hem gericht.

'Je liegt,' zei Merton.

'Luister nou even naar...'

Merton snoerde hem de mond met een tweede trap in zijn ribben. Adams hoofd sloeg weer tegen het harde beton. Hij maakte zich zo klein mogelijk en probeerde opnieuw zijn handen te bevrijden zodat hij naar zijn pijnlijke hoofd kon grijpen.

'Hou daarmee op, Merton!'

'Ik heb niemand vermoord,' kon Adam nog net uitbrengen.

'Nee, dat zal wel niet.' Het was Merton. Adam rolde zich op tot een bal voor het geval dat hij weer een trap zou krijgen. 'En je hebt Gabrielle zeker ook niet naar Chris gevraagd, hè?'

Chris. Nu kende hij de voornaam van de man.

'Achteruit,' zei Chris de vreemde. Hij kwam dichter bij Adam staan. 'Jij hebt geprobeerd Ingrid en mij op te sporen, waar of niet?'

Adam knikte.

'En je hebt Ingrid het eerst gevonden.'

'Alleen haar naam.'

'Wat?'

'Ik heb alleen haar naam gevonden.'

'Hoe heb je dat gedaan?'

'Waar is mijn vrouw?'

Chris fronste zijn wenkbrauwen. 'Pardon?'

'Ik zei...'

'Nee, ik heb je wel verstaan.' Hij keek om naar Gabrielle. 'Waarom zouden wij weten waar jouw vrouw is?'

'Jij bent dit begonnen,' zei Adam terwijl hij zichzelf moeizaam overeind manoeuvreerde. Hij wist dat hij diep in de problemen zat en dat zijn leven in gevaar was, maar hij wist ook dat deze mensen amateurs waren. De geur van hun angst hing in de lucht. Hij had de ketting al een stukje losgekregen. Hij begon weer te draaien en te wringen met zijn polsen. Misschien kon hij iets doen, als hij Merton en zijn pistool dicht in zijn buurt kon houden. 'Jij bent naar mij toe gekomen, weet je nog?'

'Ja, nou en? Ben je op wraak uit? Ben je daarom hier?'

'Nee,' zei Adam. 'Maar ik weet nu wat jullie doen.'

'O ja?'

'Jullie zoeken belastende informatie over iemand en dan chanteren jullie die persoon.'

'Je hebt het mis,' zei Chris.

'Jij hebt Suzanne Hope gechanteerd omdat ze had gedaan alsof ze zwanger was. En toen ze niet wilde betalen, heb je het aan haar man verteld, net zoals je het aan mij hebt verteld.'

'Hoe ben je dat te weten gekomen, van Suzanne Hope?'

Merton, die van het viertal het bangst en dus het gevaarlijkst was, riep: 'Hij heeft ons bespioneerd!'

'Ze was bevriend met mijn vrouw,' zei Adam.

'Ah, dat had ik moeten voorzien,' zei Chris met een hoofdknikje. 'Dus Suzanne Hope heeft Corinne op die website gewezen?'

'Ja.'

'Wat Suzanne heeft gedaan, en wat jouw vrouw heeft gedaan, is afschuwelijk, vind je niet? Want zie je, het internet maakt het zo gemakkelijk om mensen te bedriegen. Het maakt het doodsimpel om anoniem te blijven, om te liegen en om de meest afschuwelijke geheimen voor je dierbaren achter te houden. Wij...' Hij opende zijn hand en gebaarde naar de anderen. '... brengen dat weer een beetje in evenwicht.'

Adam schoot bijna in de lach. 'Is dat wat jullie jezelf wijsmaken?'

'Het is waar. Neem je vrouw, bijvoorbeeld. Die website van FAKE-EEN-ZWANGERSCHAP belooft zijn klanten discreet te zijn, net zoals al die websites doen, en jouw vrouw dacht waarschijnlijk: nou, als ze dat beloven, zal het wel zo zijn, dus niemand zal het ooit te weten komen. Maar geloof jij dat er ook maar iets op internet echt anoniem is? En dan heb ik het niet over dat enge NSA-gedoe van de overheid. Ik heb het over mensen. Denk je dat werkelijk alles geautomatiseerd is en dat er geen mensen zijn die bij je creditcardgegevens en je internetgedrag kunnen komen?' Hij glimlachte naar Adam. 'Denk je echt dat er ook nog maar iets is wat helemaal geheim is?'

'Chris? Zo heet je, hè?'

'Ja.'

'Al die dingen interesseren me niet,' zei Adam. 'Het gaat mij om mijn vrouw.'

'En ik heb je de waarheid over je vrouw verteld. Ik heb je de ogen geopend. Je zou me dankbaar moeten zijn. Maar in plaats daarvan ben je naar ons op zoek gegaan. En toen je Ingrid had gevonden...'

'Ik heb Ingrid niet gevonden, dat zei ik net. Ik heb naar jullie gezocht, dat is alles.'

'Waarom? Heb je de link gecheckt die ik je heb gegeven?'

'Ja.'

'En daarna heb je je Visa-rekening gecheckt en zag je dat het waar was wat ik je had verteld, hè?'

'Ja.'

'Dus...'

'Ze wordt vermist.'

'Wie?' Chris fronste zijn wenkbrauwen. 'Je vrouw?'

'Ja.'

'Wacht, als jij zegt dat ze wordt vermist... Had je haar al geconfronteerd met wat ik je had verteld voordat dat gebeurde?'

Adam zei niets.

'En is ze er toen – wat? – zomaar vandoor gegaan?'

'Corinne is er niet zomaar vandoor gegaan.'

Merton zei: 'We verdoen onze tijd. Hij probeert tijd te rekken.'

Chris keek om naar Merton. 'Heb je zijn auto uit het zicht geparkeerd?'

Merton knikte.

'En we hebben de batterij uit zijn telefoon gehaald. Dus relax. We hebben alle tijd van de wereld.' Hij wendde zich weer tot Adam. 'Begrijp je het dan niet, Adam? Je vrouw had je voorgelogen. Jij had het recht dat te weten.'

'Misschien wel,' zei Adam, 'maar niet van jou.' Hij voelde dat er meer ruimte kwam tussen zijn rechterpols en de ketting. 'Jullie vriendin Ingrid is dood door wat jullie hebben gedaan.'

'Dat heb jij gedaan,' riep Merton.

'Nee. Iemand heeft haar vermoord. En niet alleen haar.'

'Waar heb je het over?'

'Degene die Ingrid heeft vermoord, heeft ook Heidi Dann vermoord.'

Daar schrokken ze alle vier van op. Gabrielle zei: 'O mijn god.'

Chris kneep zijn ogen tot spleetjes. 'Wat zei je daar?'

'Dat wisten jullie niet, hè? Ingrid is niet het enige slachtoffer. Heidi Dann is ook doodgeschoten.'

Gabrielle zei: 'Chris?'

'Wacht, laat me even nadenken.'

'Heidi is als eerste vermoord,' vervolgde Adam. 'Daarna Ingrid. En alsof dat nog niet genoeg is, wordt mijn vrouw nu vermist. Allemaal vanwege die onthulde geheimen van jullie.'

'Hou even je mond,' zei Chris. 'We moeten dit uitzoeken.'

'Volgens mij spreekt hij de waarheid,' zei de man met het lange haar.

'Nee, hij liegt,' riep Merton, en hij richtte het pistool weer op Adam. 'Maar zelfs al is het waar wat hij zegt, dan vormt hij nog steeds een risico voor ons. We hebben geen andere keus dan hem dood te schieten. Hij heeft iedereen vragen over ons gesteld en heeft naar ons gezocht.'

Adam bleef op zo kalm mogelijke toon praten. 'Ik heb naar mijn vrouw gezocht.'

'We weten niet waar je vrouw is,' zei Gabrielle.

'Wat is er dan met haar gebeurd?'

Chris stond roerloos voor hem, was nog steeds verbijsterd. 'Is Heidi Dann dood?'

'Ja. En misschien is mijn vrouw de volgende. Je moet me vertellen wat jullie met haar hebben gedaan.'

'We hebben niks met haar gedaan,' zei Chris.

Adam had zijn rechterhand bijna los. 'Laten we dan bij het begin beginnen, net zoals jij net hebt gedaan,' zei hij. 'Toen jullie geld van mijn vrouw eisten, hoe reageerde ze daarop? Weigerde ze te betalen?'

Chris draaide zich om en keek de man met het lange haar aan. Daarna draaide hij zich terug naar Adam en hurkte naast hem neer. Adam was nog steeds in de weer met de ketting. Hij had zijn hand bijna los. De vraag was natuurlijk: en dan? Merton had een stap achteruit gedaan. Als hij Chris vastgreep, had Merton alle tijd en ruimte om het pistool op hem te richten.

'Adam?'

'Ja?'

'We hebben geen geld van je vrouw geëist. We hebben haar zelfs nooit gesproken.'

Adam begreep er niets van. 'Jullie hebben Suzanne gechanteerd.'

'Ja, haar wel.'

'En Heidi.'

'Haar ook. Maar jouw geval was anders.'

'Op welke manier?'

'We werkten in opdracht.'

Even was alle pijn uit zijn hoofd verdwenen, werd die overstemd door pure verbazing. 'Heeft iemand jullie opdracht gegeven me dat geheim te vertellen?'

'Nee, we hadden de opdracht naar leugens en geheimen van je vrouw te zoeken en die dan aan jou te onthullen.'

'De opdracht van wie?'

'Ik ken de naam van de cliënt niet,' zei Chris, 'maar de opdracht kwam van een onderzoeksbureau dat CBW heet.'

Er ontplofte iets in Adams borstkas.

'Wat is er?' vroeg Chris.

'Maak me los.'

Merton deed een stap naar voren. 'Weinig kans. We gaan jou niet...'

Een oorverdovende knal echode door de kelder. En Mertons hoofd spatte uiteen in een wolk van bloed.

52

Kuntz had het adres van Eduardo's garage van Ingrid losgekregen. Daarna had hij afgewacht. Maar lang had hij niet hoeven wachten. Eduardo was het bergland in gereden, over Dingman's Ferry Bridge, en Kuntz was hem gevolgd. Toen Eduardo bij het huis aankwam, was die zogenaamde skinhead er al. Dat moest Merton Sules zijn. Kort daarna kwam de vrouw. Dat moest die Gabrielle Dunbar zijn.

Er ontbrak er nog één.

Kuntz hield zich verscholen. Maar toen zag hij nog een man door het bos sluipen, en hij had geen idee wie dat was. Had Ingrid vergeten hem te vermelden? Dat leek hem sterk. Uiteindelijk had Ingrid hem alles verteld. Ze had hem alles verteld en daarna gesmeekt te mogen sterven.

Dus wie was die gast?

Kuntz verroerde zich niet en zag hoe de hinderlaag werd gelegd. Merton die met een honkbalknuppel achter een boom stond. Gabrielle die het erf op kwam en de man naar zich toe lokte. Kuntz had bijna een waarschuwing geroepen toen Merton de man besloop en de knuppel omhoogbracht. Maar hij had het niet gedaan. Hij moest afwachten. Hij moest er zeker van zijn dat ze er allemaal waren.

Dus deed hij niets toen Merton met de knuppel uithaalde en de man hard op zijn achterhoofd raakte. De man wankelde en viel voorover. Merton sloeg hem nog een keer, wat waarschijnlijk niet nodig was. Even dacht Kuntz dat Merton van plan was hem dood te slaan. Wat merkwaardig en interessant zou zijn. Want volgens Ingrid had de groep nog nooit geweld gebruikt.

Ze moesten deze man dus als een dreiging zien.

Of... of dachten ze misschien dat de man Kuntz was? Hij dacht erover na. Was het mogelijk dat ze al wisten dat hij ze op het spoor was? Ze moesten inmiddels weten dat Ingrid was vermoord, daar was hij redelijk zeker van. Hij had erop gerekend dat ze bij elkaar zouden komen als reactie op haar dood. Hij had gelijk gekregen. Hij wist inmiddels ook dat hij met amateurs te maken had, mensen die de wereld een dienst wilden bewijzen door geheimen te onthullen, en dat soort onzin.

Maar nu Ingrid dood was, zouden ze toch moeten weten dat er gevaar dreigde?

Hadden ze die man daarom neergeknuppeld?

Het maakte niet uit. Kuntz was nog steeds in het voordeel. Hij moest geduld hebben, dat was alles. Dus wachtte hij af. Hij zag hoe ze de man het huis in sleepten. Kuntz wachtte. Na vijf minuten kwam er een auto het erf op rijden.

Het was Chris Taylor. De leider.

Nu was de club compleet. Even overwoog hij Taylor buiten om te leggen, maar dan zouden de anderen gewaarschuwd zijn. Hij moest geduld hebben. En hij moest afwachten of er misschien nog iemand kwam. Hij moest te weten zien te komen waarom ze die andere man knock-out hadden geslagen en wat ze met hem van plan waren.

Geruisloos liep Kuntz een rondje om het huis en gluurde door de ramen naar binnen. Niemand te zien. Dat was vreemd. Er waren minstens vijf mensen in huis. Waren ze naar boven gegaan, of was er een...

Hij hurkte neer bij het kelderraam aan de achterkant en keek naar binnen.

Bingo.

De neergeslagen man was nog niet bij kennis. Hij lag roerloos op de betonnen vloer. Ze hadden een ketting om zijn ene pols geknoopt, die achter een ijzeren pijp langs gehaald en vastgeknoopt om zijn andere pols. De anderen – Eduardo, Gabrielle, Merton en nu ook Chris – ijsbeerden door de kelder als gekooide dieren die wachtten op de slacht, wat ze in zekere zin ook waren.

Er ging een uur voorbij. Daarna nog een uur. De man op de vloer had nog steeds niet bewogen. Kuntz vroeg zich af of de beste, brave Merton hem dood had geslagen, maar toen, eindelijk, verroerde de man zich. Kuntz controleerde zijn Sig Sauer P239. Hij gebruikte 9mm-munitie, dus er konden maar acht patronen in de clip. Maar dat zou genoeg moeten zijn. Hij had nog meer patronen in zijn broekzak, voor het geval dat.

Met het pistool in zijn hand sloop hij naar de voorkant van het huis. Hij legde zijn hand op de deurknop en probeerde die om te draaien. Niet op slot. Perfect. Hij opende de deur en liep op zijn tenen naar de kelderdeur.

Boven aan de trap bleef hij staan en spitste zijn oren.

Wat hij hoorde was voor het merendeel goed nieuws. Het kwam er in het kort op neer dat Chris Taylor en zijn mensen geen idee hadden wie hun vriendin Ingrid had vermoord. Het enige slechte nieuws, maar daar was niets aan te doen, was dat de neergeslagen man wist dat er een verband bestond tussen Ingrids dood en die van Heidi. Maar ook dat stelde niet zo veel voor. Kuntz was ervan uitgegaan dat iemand het verband uiteindelijk wel zou leggen, maar wat hem enigszins verontrustte was dat ze dat zo snel hadden gedaan.

Het maakte niet uit. Hij zou ze allemaal afmaken, ook de neergeslagen man. Hij sterkte zichzelf door aan Robby in dat ziekenhuisbed te denken. Dat was het enige wat telde. Moest hij deze mensen de ruimte geven om de wet te overtreden en anderen te chanteren? Of moest hij doen wat een vader hoorde te doen om het lijden van zijn gezin te verzachten?

Geen moeilijke keus, of wel soms?

Kuntz zat gehurkt op de bovenste traptrede, met zijn gedachten nog bij Barb en Robby, toen Eduardo zich omdraaide en hem zag.

Kuntz aarzelde geen moment.

Aangezien Merton degene met het pistool was, schakelde Kuntz hem als eerste uit met een kogel door het hoofd. Meteen daarna richtte hij het pistool op Eduardo. Eduardo stak zijn hand op, alsof hij de kogel zou kunnen tegenhouden.

Dat lukte hem niet.

Gabrielle gilde. Kuntz richtte het pistool op haar en loste een derde schot.

Het gillen hield op.

Drie neer, nog twee te gaan.

Kuntz haastte zich de trap af om zijn werk af te maken.

Met behulp van de Locator-app had Thomas uitgezocht dat zijn vader bij Lake Charmaine in Dingman, Pennsylvania was toen zijn telefoon uitviel. Johanna had er vervolgens op gestaan dat hij terugging naar zijn klas, een voorstel dat bijval kreeg van de directeur, die sowieso niet goedgevonden zou hebben dat ze hem meenam. Na een paar telefoontjes kwam Johanna uiteindelijk terecht bij de politie van het Shohola Township. Dingman viel onder hun jurisdictie. Ze gaf de gps-coördinaten door aan de agent van de meldkamer en probeerde uit te leggen wat er aan de hand was. Maar of de agent begreep haar niet, of hij zag de ernst van de situatie niet in.

'Wat moeten we eraan doen?'

'Stuur er een wagen naartoe.'

'Goed dan. Sheriff Lowell zegt dat hij erlangs zal rijden.'

Johanna sprong in haar auto, startte en zette haar voet op het gaspedaal. Als ze werd aangehouden, zou ze meewerken, netjes naar de kant van de weg sturen en haar legitimatie laten zien.

Een half uur later werd ze teruggebeld door dezelfde agent van de meldkamer in Shohola. Adams auto was niet gezien. De Locator-app was niet zo nauwkeurig dat die een specifiek huis aanwees – er stonden diverse huizen langs het meer – en wat wilde ze precies dat zij daaraan zouden doen?

'Ga bij al die huizen langs.'

'Sorry, maar op wiens autoriteit doen we dat dan?'

'De mijne, de jouwe, het kan me niet verdommen op wiens autoriteit. Er zijn al twee vrouwen vermoord. De vrouw van die man wordt vermist. Hij is naar haar op zoek.'

'Oké, we zullen ons best doen.'

53

Het was verbazingwekkend hoeveel dingen er op een en hetzelfde moment kunnen gebeuren. Toen het eerste schot werd gelost, leek het alsof Adams geest en lichaam wel tien verschillende kanten op wilden. Hij had zijn rechterhand inmiddels uit de lus van de ketting bevrijd. Die zat nu alleen nog vast aan zijn linkerpols, wat onvoldoende was om hem op zijn plaats te houden. Dus zodra hij het eerste schot hoorde, rolde hij om en om over de vloer, sloeg geen acht op de pijn in zijn hoofd en ribbenkast en zocht dekking.

Er spatte iets nats in zijn gezicht. In de roes van het moment besefte Adam dat het Mertons hersenen waren.

Tegelijkertijd stuiterden de diverse mogelijkheden van de herkomst van het schot als knikkers door zijn hoofd. Zijn eerste gedachte was een positieve: was de schutter een smeris die hiernaartoe was gekomen om hem te bevrijden?

Die mogelijkheid kreeg een flinke dreun toen de man met het lange haar als een blok tegen de grond sloeg. En de laatste restjes van de mogelijkheid werden definitief van tafel geveegd toen Gabrielle een seconde later ook neerging.

Dit was een afslachting.

Blijf in beweging...

Maar waar moest hij naartoe? Hij bevond zich verdomme in een kelder. Veel schuilplekken waren er niet. Hij tijgerde naar rechts. Vanuit zijn ooghoek zag hij Chris Taylor naar het kelderraam stormen. De schutter kwam de trap af en loste een schot. Met een verrassende lenigheid trok Chris zijn benen op, trapte het glas uit het raam en een fractie van een seconde later was hij door de opening verdwenen.

Tegelijkertijd hoorde Adam hem een kreet slaken.

Was Chris geraakt?

Misschien. Moeilijk te zeggen.

De man met het pistool kwam verder de trap af.

Adam zat in de val.

Even overwoog hij zich over te geven. Misschien stond de schutter op de een of andere manier aan zijn kant. Het was heel goed mogelijk dat ook hij een slachtoffer van Chris' groep was. Maar dat betekende nog niet dat hij bereid was getuigen in leven te laten. Dit was, naar alle waarschijnlijkheid, de man die Ingrid en Heidi had vermoord. Nu had hij Merton en de man met het lange haar ook doodgeschoten. Gabrielle, meende hij, leefde nog. Ze lag roerloos op de betonnen vloer, maar Adam hoorde haar kreunen.

De man had de onderste tree van de trap bereikt. Adam rolde zich weer om en lag nu onder dezelfde trap waar de man zonet vanaf was gekomen. De man liep in de richting van het kelderraam, vermoedelijk om Chris Taylor achterna te gaan, maar toen hoorde hij Gabrielle kreunen. Zonder te blijven staan keek de man op haar neer.

Gabrielle bracht haar bebloede hand omhoog en zei: 'Alstublieft.'

De man schoot haar door het hoofd.

Adam slaakte bijna een kreet van schrik. De schutter had geen moment geaarzeld. Hij liep door naar het raam waardoorheen Chris was ontsnapt.

Het was op dat moment dat Adam Mertons pistool op de vloer zag liggen.

Het lag aan de andere kant van de kelder, niet ver van het raam. Adam kon twee dingen doen. Eén: hij kon proberen de trap op te rennen. Maar nee, dan zou hij zich veel te lang blootgeven. Dan was hij een wandelende schietschijf. Dus twee: als hij snel onder de trap vandaan kwam en op tijd bij het pistool kon komen, op een moment dat de schutter afgeleid was...

Of wacht, er was nog een derde optie. Moest hij niet gewoon blijven waar hij was? Uit het zicht, onder de trap?

Ja. Dat was een goeie. Laat je niet zien. Misschien had de man hem niet gezien. Misschien wist hij niet dat Adam hier was.

Nee.

De man had eerst Merton doodgeschoten. Merton stond toen vlak voor Adam. Het was uitgesloten dat hij Merton wel en Adam niet had gezien. De schutter wilde gewoon dat er niemand ontsnapte. Ze moesten allemaal dood.

Adam moest proberen het pistool te pakken te krijgen.

Al deze afwegingen vergden nog geen seconde. Zelfs geen nanoseconde. Alles – de drie opties, de afwegingen, de risico's en de planning – vond op hetzelfde moment plaats, alsof de tijd stilstond om hem de kans te geven dit te overdenken.

Het pistool. Pak het pistool.

Het was zijn enige kans, wist hij. Dus toen de man met zijn rug naar hem toe stond, waagde Adam zijn sprong naar het wapen. Hij maakte zich klein en schoot snel vooruit. Zijn hand was nog maar een centimeter of tien van het wapen verwijderd toen er vanuit het niets een zwarte schoen verscheen en het wegschopte.

Met een doffe klap viel Adam op het beton. Hij moest hulpeloos toekijken toen het pistool over de vloer vloog en onder de kast in de hoek terechtkwam.

De schutter keek neer op Adam, net zoals hij bij Gabrielle had gedaan, en richtte zijn pistool.

Het was afgelopen.

Adam was daarvan overtuigd. Zijn brein nam nog een paar laatste opties door – wegrollen, de benen van de man vastgrijpen, in de tegenaanval gaan – maar hij wist dat het te laat was.

Hij zette zich schrap en wilde net zijn ogen sluiten toen er een voet door de opening van het kelderraam kwam, die de man hard tegen zijn hoofd trapte.

Chris Taylors voet.

De schutter viel opzij maar wist zijn evenwicht weer snel te hervinden. Hij richtte het pistool op het raam en loste twee schoten. Onmogelijk te zeggen of hij iets raakte. Daarna richtte hij zijn aandacht weer op Adam.

Maar nu was Adam er klaar voor.

Hij sprong overeind. De ketting hing nog steeds aan zijn linkerpols. Adam haalde ermee uit, gebruikte de ketting als zweep.

Het uiteinde raakte de man vol in het gezicht. De man schreeuwde het uit van de pijn.

Sirenes. Politiesirenes.

Maar Adam ging door. Hij trok zijn linkerhand terug en haalde tegelijkertijd uit met de rechter. Zijn vuist raakte de schutter midden in zijn gezicht. Het bloed spoot uit zijn neus. De schutter probeerde Adam weg te duwen, meer ruimte voor zichzelf te creëren.

Mooi niet, dacht Adam.

Hij stormde weer naar voren en sloeg zijn armen om de man heen, waardoor ze samen omtuimelden. Ze kwamen hard op de betonnen vloer terecht en Adam was gedwongen hem los te laten. De schutter maakte gebruik van het moment en gaf Adam een elleboogstoot tegen zijn slaap.

De sterretjes waren weer terug. En de bijna verlammende pijn ook.

Bijna verlammend, maar niet helemaal.

De schutter probeerde van hem weg te rollen, genoeg ruimte te creëren om zijn pistool op hem te kunnen richten...

Het pistool, dacht Adam. Concentreer je op het pistool.

Het geluid van de sirenes kwam dichterbij.

Als de man niet kon schieten, zou Adam het misschien overleven. Denk niet aan de pijn. Denk niet aan de klappen en trappen die je moet incasseren. Je hebt maar één missie: grijp de man bij zijn pols en maak het hem onmogelijk om op je te schieten.

De man probeerde hem van zich af te trappen, maar Adam wist zich nog aan hem vast te klemmen. En weer gaf de man hem een trap. Adams grip verslapte. De man had zich bijna bevrijd. Hij lag op zijn buik en probeerde onder Adam vandaan te kruipen.

Pak die pols vast.

Zonder waarschuwing liet Adam hem los. De man, die dacht dat hij van zijn last was bevrijd, begon weg te kruipen. Maar daar had Adam op gerekend. Hij dook naar de hand met het pistool. Hij greep de pols met beide handen vast en drukte die tegen het beton, waarbij hij wel zijn eigen dekking moest prijsgeven.

Daar maakte de man gebruik van.

Hij sloeg Adam hard in de nierstreek. De slag benam Adam de

adem. Zijn zenuwuiteinden gilden het uit van de pijn. Maar hij hield vol. De man sloeg hem nog een keer op dezelfde plek, nu nog harder. Adam kon het nog volhouden, maar hij voelde dat hij bijna aan het eind van zijn krachten was.

Nog één dreun en hij zou de pols moeten loslaten. Hij had geen keus. Hij moest zelf in de aanval gaan. Adam boog zich voorover en bracht zijn hoofd naar de hand met het pistool. Hij opende zijn mond zo wijd als hij kon, zette zijn tanden in de pols en beet toe. De schutter schreeuwde het uit. Maar Adam beet door, zwaaide als een dolle hond zijn hoofd heen en weer en scheurde de dunne huid aan flarden.

Het pistool viel uit de hand van de man.

Adam dook ernaar als een drenkeling naar een reddingsboei. Hij klemde zijn vingers om de loop van het pistool op het moment dat de man hem toch weer een dreun verkocht.

Maar dat kon Adam niet meer schelen, want hij had nu het pistool.

De schutter sprong Adam op zijn rug, maar Adam rolde zich om, naar hem toe, en haalde hard uit met het pistool. Zijn zwaaiende hand beschreef een grote boog door de lucht en de kolf van de Sig Sauer raakte de man boven op zijn gebroken neus.

Adam kwam overeind, richtte het pistool op de man en vroeg: 'Wat heb je met mijn vrouw gedaan?'

54

Een halve minuut later arriveerde de politie. Ze waren van het plaatselijke bureau, en kort daarna kwam ook Johanna het erf op rijden. Zij was degene die ze had gebeld, nadat Thomas voor haar had uitgezocht waar hij zich moest bevinden. Adam was trots op zijn zoon. Hij zou hem later bellen om alles uit te leggen.

Maar nu nog niet.

Eerst moest Adam de zaak met de politie afhandelen. Dat kostte enige tijd. Maar dat gaf niet. Hij kon nieuwe plannen maken terwijl hij zijn verhaal vertelde. Hij praatte op kalme, neutrale toon. Beantwoordde al hun vragen. Hij deed dat als de advocaat die hij was en volgde het advies dat hij altijd aan zijn cliënten gaf: geef alleen antwoord op wat je wordt gevraagd.

Niets meer en niets minder.

Johanna vertelde hem dat de schutter John Kuntz heette. Kuntz was een ex-smeris die ooit gedwongen was geweest ontslag te nemen. Ze had alle details nog niet boven water, maar ze wist inmiddels dat Kuntz de beveiliging deed van een internetbedrijfje dat op het punt stond zijn beursgang te maken. Zijn motieven schenen financieel te zijn en hadden te maken met zijn zieke kind.

Adam knikte terwijl ze aan het woord was. Hij was opgelapt door een ziekenbroeder van de ambulancedienst, maar had geweigerd zich naar het ziekenhuis te laten brengen. Dat vond de ziekenbroeder niet leuk, maar hij kon Adam niet dwingen. Toen alles afgehandeld was, legde Johanna haar hand op zijn schouder.

'Je moet een dokter naar je laten kijken.'

'Welnee. Ik voel me prima. Echt.'

'De politie zal je morgenochtend meer vragen willen stellen.'

'Dat weet ik.'

'En je kunt ook een heel leger persmensen verwachten,' zei Johanna. 'Drie lijken.'

'Ja, ook dat weet ik.' Adam keek op zijn horloge. 'Ik kan beter gaan. Ik heb de jongens gebeld, maar ze zullen pas gerust zijn als ik thuis ben.'

'Ik kan je wel thuisbrengen, tenzij je liever wilt dat de politie dat doet.'

'Niet nodig,' zei Adam. 'Ik heb mijn eigen auto hier.'

'Die moet hier blijven staan. Bewijsmateriaal.'

Daar had hij niet aan gedacht.

'Stap in,' zei Johanna. 'Ik breng je.'

Tijdens de rit zwegen ze enige tijd. Adam was een tijdje in de weer met zijn telefoon, typte een e-mail. Daarna leunde hij achterover. De ziekenbroeder had hem een pijnstiller gegeven, waardoor hij zich versuft en een beetje gammel voelde. Hij sloot zijn ogen.

'Rust maar uit,' zei Johanna.

Dat zou hij zeker doen, maar hij wist ook dat er van slapen geen sprake zou zijn. 'Wanneer vlieg je terug?' vroeg hij haar.

'Dat weet ik nog niet,' zei Johanna. 'Misschien blijf ik nog wel een paar dagen.'

'Waarvoor?' Hij opende zijn ogen, wat moeite kostte, en keek haar van opzij aan. 'Je hebt de man die je vriendin heeft vermoord toch te pakken?'

'Ja.'

'Maar dat vind je niet genoeg?'

'Misschien wel, maar...' Johanna hield haar hoofd schuin. '...we zijn nog niet helemaal klaar, is het wel, Adam?'

'Volgens mij wel.'

'Er moeten nog heel wat losse eindjes aan elkaar geknoopt worden.'

'Zoals je al zei zal het verhaal breed uitgemeten worden in de kranten. Ze pakken de vreemde heus wel.'

'Ik heb het niet over Chris Taylor.'

Dat vermoedde hij al. 'Je maakt je zorgen om Corinne.'

'Jij dan niet?'

323

'Niet meer zo erg,' zei Adam.

'Zou je me willen vertellen waarom niet?'

Adam nam de tijd en woog zijn woorden zorgvuldig af. 'We weten dat de pers zich massaal op het verhaal zal storten. Kortom, iedereen zal naar haar uitkijken, dus ik ga ervan uit dat ze gewoon naar huis zal komen. Maar hoe meer ik erover nadenk, hoe meer ik ervan overtuigd raak dat het antwoord vanaf het begin al duidelijk was.'

Johanna trok haar ene wenkbrauw op. 'Leg uit.'

'Ik wilde maar steeds dat het niet mijn schuld was, weet je nog? Dat er meer achter zou zitten dan dat ze alleen van huis was weggelopen. Dat het een of andere grote samenzwering moest zijn en dat Chris Taylor en zijn groep erachter moesten zitten.'

'Maar nu denk je dat niet meer?'

'Nee, dat klopt.'

'Wat denk je nu dan?'

'Kijk, Chris Taylor heeft het pijnlijkste, meest gênante geheim van mijn vrouw onthuld. We weten allemaal wat zoiets met een mens doet.'

'Daar raak je flink van in de war,' zei Johanna.

'Precies. Maar het doet meer dan dat, want een onthulling zo groot als die confronteert je keihard met jezelf. Die ontnuchtert je en verandert de manier waarop je tot dan toe in het leven hebt gestaan.' Adam sloot zijn ogen weer. 'Na zoiets ingrijpends heb je tijd nodig. Om je te herstellen en te bedenken hoe je nu moet doorgaan.'

'Dus jij denkt dat Corinne...'

'Ockhams scheermes,' zei Adam. 'Het simpelste antwoord is meestal het juiste. Corinne had me ge-sms't dat ze tijd voor zichzelf nodig had. Ze is pas een paar dagen weg. Ze komt wel terug als ze de tijd rijp acht.'

'Je lijkt nogal zeker van je zaak.'

Adam zei niets.

Johanna deed de richtingaanwijzer aan en sloeg af. 'Moeten we niet ergens stoppen om je een beetje te fatsoeneren voordat je thuiskomt? Je zit onder het bloed.'

'Dat geeft niet.'

'De jongens schrikken zich wezenloos.'

'Welnee,' zei Adam. 'Die kunnen meer hebben dan je denkt.'

Een paar minuten later zette Johanna hem bij zijn huis af. Adam zwaaide en wachtte tot ze was weggereden. Hij ging niet naar binnen. De jongens waren trouwens niet thuis. Toen hij een moment alleen was geweest bij het meer, had hij Kristin Hoy gebeld. Hij had haar gevraagd of zij de jongens van school wilde halen en of ze een nachtje bij haar mochten logeren.

'Natuurlijk,' had Kristin Hoy gezegd. 'Alles oké met je, Adam?'

'Ja, best. Bedankt voor je hulp.'

Corinnes Honda Odyssey, die was achtergelaten op het parkeerterrein van het hotel, was teruggebracht en stond op de oprit. Adam opende het portier en stapte in. In de auto rook het nog heerlijk naar Corinne. De pijnstiller was bijna uitgewerkt en de pijn kwam weer opzetten. Het kon hem niet schelen. De pijn kon hij wel verdragen. Maar hij moest scherp zijn. Hij had zijn iPhone in zijn hand. De politie had het goedgevonden dat hij die meenam van de plaats delict. Adam had ze verteld dat hij meende gezien te hebben dat Chris Taylor zijn telefoon onder de oude kast in de kelder schopte. Hij mocht gaan kijken, maar natuurlijk lag de telefoon daar niet.

Mertons pistool lag er wel.

Een andere agent had naar beneden geroepen dat ze Adams telefoon op de begane grond hadden gevonden. De batterij was eruit gehaald. Adam had hem er weer in gedaan en had de agent bedankt. Mertons pistool zat nu achter zijn broekband verstopt. De politie had hem niet gefouilleerd. Waarom zouden ze?

Gedurende de hele rit met Johanna had het pistool pijnlijk in zijn zij gedrukt, maar Adam had niet gedurfd het op een andere plek te verstoppen.

Hij had dat pistool nodig.

Hij verstuurde de e-mail die hij tijdens de rit met Johanna aan Andy Gribbel had geschreven. Het onderwerp luidde:

Pas morgenochtend openen

Als er iets misging – en die kans was zeker aanwezig – zou Gribbel 's morgens de e-mail lezen en de informatie doorgeven aan Johanna Griffin en de oude Rinsky. Adam had overwogen het hun nu te vertellen, voordat hij het ging doen, maar ze zouden zeker geprobeerd hebben hem tegen te houden. Dan zou de politie ingeschakeld worden, de verdachten zouden hun huifkarren in een cirkel zetten en niemand zou nog een mond opendoen. Ze zouden advocaten zoals hij in de arm nemen en de waarheid zou nooit boven water komen.

Nee, hij moest dit op zijn eigen manier afhandelen.

Hij reed naar de Beth Lutheran-kerk en parkeerde bij de ingang van de sportzaal. Hij meende nu te weten wat er was gebeurd, hoewel het hem nog steeds niet helemaal lekker zat. Iets klopte er gewoon niet en had vanaf het eerste begin niet geklopt.

Hij haalde zijn telefoon tevoorschijn, zocht Corinnes sms op en las die nog eens.

Ik heb even wat tijd voor mezelf nodig. Zorg jij voor de kinderen? Probeer geen contact met me op te nemen. Het komt wel weer goed.

Hij staarde naar de tekst toen Bob 'Gaston' Baime swingend naar buiten kwam lopen. Hij en de anderen namen afscheid van elkaar met high fives of door hun knokkels tegen elkaar te stoten. Bob had een te kort sportbroekje aan en een handdoek om zijn nek. Adam wachtte geduldig af totdat Bob bij zijn auto was en het portier had geopend. Toen stapte hij uit en zei: 'Hé, Bob.'

Bob draaide zich naar hem om. 'Hallo, Adam. Jezus, je laat me schrikken. Wat kan ik...'

Adam haalde uit, raakte hem hard op zijn mond, en de grote man viel achterover op de bestuurdersstoel van zijn auto. Bobs ogen waren groot en rond van de schrik. Adam deed een stap naar voren en hield de loop van het pistool voor zijn gezicht.

'Blijf zitten.'

Bob had zijn hand op zijn mond gedrukt om het bloeden te stelpen. Adam opende het achterportier, ging achter hem zitten en drukte de loop van het pistool tegen Bobs nek.

'Wat moet dit verdomme voorstellen, Adam?'

'Vertel me waar mijn vrouw is.'

'Wat?'

Adam drukte de loop harder tegen Bobs nek. 'Geef me een reden, Bob, één reden maar.'

'Ik weet niet waar je vrouw is.'

'CBW Inc., Bob.'

Stilte.

'Jij hebt ze die opdracht gegeven, hè?'

'Ik weet niet waar...'

Adam sloeg hem hard op zijn schoudergewricht met de kolf van het pistool.

'Au!'

'Vertel me over CBW, Bob.'

'Godverdomme, dat doet pijn... veel pijn.'

'CBW is het onderzoeksbureau van je neef Daz. Jij hebt ze de opdracht gegeven om belastende informatie over Corinne op te graven.'

Bob sloot zijn ogen en kreunde.

'Heb je dat gedaan of niet?'

Adam sloeg hem nog eens op zijn schouder.

'Vertel me de waarheid of ik schiet je door je hoofd, ik zweer het.'

Bob boog zijn hoofd. 'Het spijt me, Adam.'

'Vertel me wat er gebeurd is.'

'Het was niet de bedoeling dat het zo zou gaan. Het was alleen... Ik had iets nodig, begrijp je?'

Adam drukte de loop weer tegen zijn nek. 'Wat had je nodig?'

'Iets over Corinne.'

'Waarom?'

De grote man zweeg.

'Waarom had je iets over mijn vrouw nodig?'

'Doe het maar, Adam.'

'Wat?'

Bob draaide zich om en keek hem aan. 'Haal de trekker maar over. Het maakt me niet meer uit. Ik heb niks meer. Ik kan geen werk vinden, binnenkort wordt er beslag op het huis gelegd en

Melanie is van plan bij me weg te gaan. Dus doe het maar. Alsjeblieft. Ik heb een forse levensverzekering bij Cal afgesloten. De jongens zijn beter af als ik er niet meer ben.'
En op dat moment begon er weer iets te jeuken in Adams hersenen.
De jongens...
Adam kreeg het opeens koud en hij dacht weer aan Corinnes sms.
De jongens...
'Doe het, Adam. Haal de trekker maar over.'
Adam schudde zijn hoofd. 'Waarom had je het op mijn vrouw gemunt?'
'Omdat zij het op mij had gemunt.'
'Waar heb je het over?'
'Het gestolen geld, Adam.'
'Wat is daarmee?'
'Corinne. Zij wilde mij de schuld in de schoenen schuiven. En hoeveel kans zou ik dan tegen haar maken? Kom op, zeg nu zelf. Corinne is die leuke, aantrekkelijke lerares. Iedereen is dol op haar. En ik... ik zit zonder werk en ben binnenkort mijn huis kwijt. Wie zou mij eerder geloven dan haar?'
'Dus dacht je: ik pak haar voordat ze mij pakt?'
'Ik moest iets doen. Dus heb ik het aan Daz verteld. Ik heb hem gevraagd of hij Corinne eens goed wilde doorlichten, dat is alles. Daz heeft gedaan wat ik vroeg maar hij vond niks. Nee, natuurlijk niet. Corinne is de braafheid zelve, nietwaar? Dus toen zei Daz tegen me dat hij haar naam zou doorspelen aan een van zijn...' Hij maakte aanhalingstekens in de lucht met zijn vingers. '... "meer onorthodoxe bronnen". Een of andere maffe groep, die wel iets over haar wist te vinden. Maar ze hadden hun eigen regels. Zij waren degenen die de info zouden onthullen.'
'Had jij dat geld gestolen, Bob?'
'Nee. Maar wie zal me geloven? En toen vertelde Tripp me, in vertrouwen, waar Corinne mee bezig was... dat ze van plan was mij de schuld van die diefstal te geven.'
En op dat moment hield het jeukende gevoel in Adams hoofd op.

De jongens…
Adam kreeg een droge mond. 'Tripp?'
'Ja.'
'Tripp zei dat Corinne jou de schuld wilde geven?'
'Ja. En dat we daar iets aan moesten doen, dat is alles.'
Tripp Evans. Die vijf kinderen had. Drie jongens. Twee meisjes.
De kinderen…
De jongens…
Adam dacht weer aan Corinnes sms.

Ik heb even wat tijd voor mezelf nodig. Zorg jij voor de kinderen?

Corinne had Thomas en Ryan nog nooit 'de kinderen' genoemd.
Zij noemde ze altijd 'de jongens'.

329

55

De pijn in Adams hoofd had een monstrueuze, groteske intensiteit bereikt. Bij elke stap die hij deed ging er een nieuwe bliksemschicht van pijn door zijn hoofd. De ziekenbroeder had hem een paar pijnstillers extra meegegeven. Hij was geneigd er een in te nemen, of hij er nu suf van werd of niet. Maar nee, hij moest nog even volhouden. Net als twee dagen daarvoor reed hij langs het MetLife Stadium en stopte bij het complex met de goedkope kantoorruimten. Weer sloeg die smerige New Jersey-moerasstank hem in het gezicht. Weer piepte de rubber coating van het voetpad onder zijn schoenzolen. Hij klopte op de deur van hetzelfde kantoor op de begane grond.

Weer zei Tripp, toen hij de deur opende: 'Adam?'

En weer vroeg Adam: 'Waarom heeft mijn vrouw jou die ochtend gebeld?'

'Wat? Jezus, wat zie je eruit. Wat is er gebeurd?'

'Waarom heeft Corinne jou gebeld?'

'Dat heb ik je al verteld.' Tripp deed een stap achteruit. 'Kom binnen en ga zitten. Is dat bloed op je shirt?'

Adam ging het kantoor binnen. Hij was de vorige keer niet binnen geweest. Tripp had opeens naar een koffieshop gewild, zijn uiterste best gedaan om hem buiten de deur te houden. Wat te begrijpen was. Het kantoor was een gribus. Eén vertrek. De vloerbedekking was versleten. Het behang kwam van de muren. Een oude computer.

Het leven in een stadje als Cedarfield was duur. Hoe kon het dat Adam het niet eerder had ingezien?

'Ik weet het, Tripp.'

'Wat weet je?' Hij keek naar Adams gezicht. 'Je moet naar een dokter.'

'Jij hebt het geld van de lacrossebond gestolen, niet Corinne.'

'Jezus, je zit onder het bloed, man.'

'Alles is het tegenovergestelde van wat je me hebt verteld. Jij hebt Corinne om tijd gevraagd, niet andersom. En die tijd heb je gebruikt om een val voor haar te zetten. Ik weet niet precies hoe. Je hebt met de boeken geknoeid, neem ik aan. Je hebt het geld ergens verstopt en daarna heb je de rest van het bestuur tegen haar opgezet. Je hebt zelfs tegen Bob gezegd dat ze van plan was om hem de schuld van de diefstal te geven.'

'Luister naar me, Adam. Ga even zitten, oké? Laten we erover praten.'

'Ik bleef maar denken aan Corinnes reactie toen ik haar ervan beschuldigde dat zij haar zwangerschap had gefaket. Ze deed niet eens moeite het te ontkennen. Ze wilde alleen weten hoe ik erachter was gekomen. Waarschijnlijk vermoedde ze al dat jij erachter zat. Dat je haar een soort waarschuwing stuurde. Daarom heeft ze je gebeld. Om je te zeggen dat ze er genoeg van had. Wat heb jij toen tegen haar gezegd, Tripp?'

Hij nam niet de moeite Adams vraag te beantwoorden.

'Heb je haar gesmeekt om nog één laatste kans? Wilde je ergens met haar afspreken om het te bepraten?'

'Je hebt een wilde fantasie, Adam.'

Adam schudde zijn hoofd en probeerde zijn zelfbeheersing te bewaren. 'Al dat gefilosofeer van jou over lieve oude dametjes en bestuursleden van sportbonden die geld achteroverdrukken en dat voor zichzelf rechtvaardigen. Over hoe klein het meestal begint. Benzinegeld, zei je. Een kop koffie na het eten.' Adam deed een stap naar hem toe. 'Is het bij jou ook zo gegaan?'

'Ik heb echt geen idee waar je het over hebt.'

Adam slikte en voelde de tranen achter zijn ogen. 'Ze is dood, hè?'

Stilte.

'Jij hebt mijn vrouw vermoord.'

'Dat geloof je toch zelf niet?'

Maar Adam voelde hoe zijn lichaam begon te bezwijken onder de druk van de waarheid. 'We leven in een droom, hè? Zei je dat onlangs niet, Tripp? Dat we het allemaal zo goed hebben en dat we dankbaar zouden moeten zijn? Jij bent met Becky getrouwd, je liefje van de middelbare school. Je hebt vijf geweldige kinderen. Je bent tot alles bereid om die te beschermen, nietwaar? Wat zou er van die mooie droom van jou overblijven als uitkomt dat je niks meer dan een ordinaire dief bent?'

Tripp Evans rechtte zijn rug en wees naar de deur. 'Ga mijn kantoor uit.'

'Uiteindelijk was het jij of Corinne. Zo zag jij het. Het was jouw gezin of dat van mij. Voor iemand als jij was die keus niet moeilijk.'

Tripps stem had een kille klank gekregen. 'Eruit.'

'Die sms die je me stuurde, waarin je deed alsof je Corinne was. Ik had het meteen moeten zien.'

'Wat klets je nou?'

'Je hebt haar vermoord en daarna, om tijd te winnen, heb je me die sms gestuurd. Ik moest geloven dat ze tijd nodig had om stoom af te blazen, en als ik dat niet geloofde, als ik dacht dat haar iets was overkomen en ik naar de politie zou stappen, zou die er nauwelijks aandacht aan schenken. Ze zouden die sms willen zien. Ze zouden te weten komen dat we net een gigantische ruzie hadden gehad. Ze zouden niet eens de moeite nemen er een rapport van te schrijven. Dat wist jij allemaal.'

Tripp schudde zijn hoofd. 'Je hebt het mis.'

'Was het maar waar.'

'Je kunt het niet bewijzen. Je hebt geen enkel bewijs.'

'Bewijs? Nee, misschien niet. Maar ik weet dat het waar is.' Adam hield zijn iPhone voor hem op. '"Zorg jij voor de kinderen?"'

'Wat?'

'Dat staat in die sms. "Zorg jij voor de kinderen?"'

'Nou en?'

'Corinne had het nooit over Thomas en Ryan als "de kinderen".' Adam glimlachte, ook al had hij liever gehuild. 'Zij zei altijd "de jongens". Dat waren ze voor haar. Niet haar kinderen maar haar jongens. Corinne heeft die sms niet geschreven. Dat heb jij gedaan. Jij hebt haar vermoord en me die sms gestuurd zodat niemand meteen naar haar op zoek zou gaan.'

'Is dat je bewijs?' Tripp schoot bijna in de lach. 'En jij denkt dat iemand dat idiote verhaal zal geloven?'

'Nee, dat betwijfel ik.'

Adam haalde het pistool uit zijn zak en richtte het op Tripp. Tripps ogen werden groot. 'Ho, wacht, rustig aan, luister even naar me.'

'Ik heb geen zin om nog langer naar je leugens te luisteren, Tripp.'

'Maar... Becky is onderweg hiernaartoe. Binnen vijf minuten zal ze hier zijn.'

'Ah, mooi zo.' Adam bracht het pistool dichter bij Tripps gezicht. 'Hoe zou jij dat als filosoof van de koude grond omschrijven? "Oog om oog, tand om tand"?'

Voor het eerst liet Tripp Evans zijn masker zakken en zag Adam het kwaad dat erachter huisde. 'Jij doet haar niks.'

Adam keek hem alleen maar aan. Tripp keek terug. Even verroerden ze zich geen van beiden. Toen veranderde er iets in Tripp. Adam zag het. Tripp knikte alsof hij het tegen zichzelf had. Hij deed een stap achteruit en pakte zijn autosleutels.

'Kom op, we gaan,' zei Tripp.

'Wat?'

'Ik wil niet dat je hier bent als Becky komt. We gaan.'

'Waarnaartoe?'

'Je wilt de waarheid toch weten?'

'Als dit een of andere truc is...'

'Het is geen truc. Je zult de waarheid met eigen ogen zien, Adam. Daarna kun je doen wat je wilt. Dat is de deal, oké? Maar dan moeten we nu gaan. Ik wil niet dat Becky iets overkomt, begrepen?'

Ze liepen naar de deur, Adam één stap achter Tripp. Hij hield het pistool nog steeds op Tripp gericht, maar toen bedacht hij hoe dat eruit zou zien als ze buiten iemand tegenkwamen, dus deed hij het pistool in de zak van zijn jasje. Hij hield het nog wel op Tripps rug gericht, zoals je wel eens in slechte films zag, maar

dan met een gestrekte wijsvinger in plaats van een pistool.
Toen ze buitenkwamen, kwam een bekende Dodge Durango
het parkeerterrein op rijden. Beide mannen bleven abrupt staan.
Tripp fluisterde: 'Als je één haar op haar hoofd krenkt…'
'Scheep haar af,' zei Adam.
Becky Evans had een opgewekte glimlach om haar mond. Ze
zwaaide overdreven uitbundig en stopte naast de twee mannen.
'Hallo, Adam,' zei Becky door het open raampje.
Ze was altijd zo verdomde opgewekt.
'Hallo, Becky.'
'Wat zijn jullie aan het doen?'
Adam keek opzij naar Tripp. Tripp zei: 'Er zijn problemen
met de wedstrijd van groep acht.'
'Die is toch morgenavond?'
'Nou, daar gaat het juist om. Er is iets fout gegaan met de in-
schrijving, dus misschien worden we uit het toernooi geschopt.
Adam en ik rijden ernaartoe om te kijken of we het kunnen
rechtzetten.'
'Hè, wat jammer nou. We zouden uit eten gaan.'
'Dat gaan we ook, schat. Langer dan een uur of twee zal het
niet duren. Als ik straks thuiskom, gaan we naar Baumgart's,
oké? Wij met z'n tweetjes.'
Becky knikte, maar voor het eerst sinds mensenheugenis ver-
stilde haar glimlach. 'Oké.' Ze wendde zich tot Adam. 'Tot
gauw, Adam.'
'Tot gauw, Becky.'
'Doe Corinne de groeten van me. We moeten echt weer eens
met z'n vieren gaan eten.'
'Dat zou ik leuk vinden,' wist Adam nog net uit te brengen.
Na nog eens uitbundig gezwaaid te hebben reed Becky weg.
Tripp keek haar na. De tranen stonden in zijn ogen. Toen ze uit
het zicht was verdwenen, liep hij door. Adam liep mee. Tripp
haalde de afstandsbediening van zijn auto uit zijn zak en deed de
portieren van het slot. Hij stapte in aan de bestuurderskant.
Adam aan de andere kant. Zodra hij zat, haalde hij het pistool
weer uit zijn zak en richtte het op Tripp. Tripp maakte nu een
gelaten indruk. Hij startte, gaf gas en reed de Route 3 op.

'Waar gaan we naartoe?' vroeg Adam.

'Het Mahlon Dickerson-reservaat.'

'Bij Lake Hopatcong?'

'Ja.'

'Corinnes ouders hadden daar een huisje,' zei Adam. 'Toen ze klein was.'

'Dat weet ik. Becky is een keer met haar mee geweest toen ze in de derde zaten. Daarom heb ik die plek uitgekozen.'

Adams adrenaline begon weg te ebben. De doffe, bonzende pijn in zijn hoofd keerde met nieuwe energie terug. Hij werd opeens overvallen door vermoeidheid en duizeligheid. Tripp voegde in op de Interstate 80. Adam knipperde met zijn ogen en kneep hard in de kolf van het pistool. Hij kende de rit en wist dat het maar een half uur rijden naar het reservaat was. De zon ging langzaam onder, maar Adam schatte dat het nog minstens een uur licht zou blijven.

Zijn telefoon ging. Hij keek op het schermpje en zag dat het Johanna Griffin was. Hij nam het gesprek niet aan. Ze reden enige tijd door zonder iets te zeggen. Toen ze bij de afslag naar de Route 15 kwamen zei Tripp: 'Adam?'

'Ja?'

'Doe dat nooit meer.'

'Wat?'

'Iemand van mijn gezin bedreigen.'

'Grappig klinkt dat,' zei Adam, 'uit jouw mond.'

Tripp draaide zijn hoofd om, keek hem van opzij aan en zei weer: 'Waag het niet ooit nog iemand van mijn gezin te bedreigen.'

De ijskoude toon van zijn stem deed een rilling over Adams rug lopen.

Tripp Evans richtte zijn aandacht weer op de weg. Zijn beide handen lagen op het stuur. Hij reed Weldon Road op en sloeg af naar een onverharde weg die het bos in leidde. Hij parkeerde tussen de bomen en zette de motor af. Adam hield het pistool paraat.

'Kom,' zei Tripp, en hij opende het portier. 'Laten we dit af-handelen.'

Hij stapte uit de auto. Adam deed dat ook, en richtte het pistool meteen weer op Tripp. Als Tripp iets wilde proberen, had hij hier in het bos, zonder iemand erbij, de beste kans. Maar Tripp deed niets. Hij liep het bos in. Er was geen pad, maar de bodem was redelijk begaanbaar. Tripp liep stevig door, met doelbewuste tred. Adam probeerde hem bij te houden, maar in zijn huidige staat viel dat nog niet mee. Hij vroeg zich af of dit Tripps opzet was, om steeds verder van hem weg te lopen en het dan op een rennen te zetten, om hem later, als het donkerder was, te besluipen.

'Rustig aan,' zei Adam.

'Je wilde de waarheid toch weten?' Tripp zei het op bijna geamuseerde toon. 'Loop een beetje door.'

'Dat kantoor van jou,' zei Adam.

'Wat is daarmee? O, dat het een gribus is, bedoel je?'

'Ik dacht dat je het zo goed had gedaan bij een groot reclamebureau op Madison Avenue,' zei Adam.

'Ik heb daar amper vijf minuten gewerkt voordat ik op straat werd gezet. Want zie je, ik ben er altijd van uitgegaan dat ik de rest van mijn leven voor de sportwinkel van mijn pa zou werken. Daar had ik al mijn kaarten op gezet. Toen dat bergafwaarts ging, ben ik alles kwijtgeraakt. Ja, ik heb geprobeerd mijn eigen toko te beginnen, maar... Nou, daar heb je zonet het resultaat van gezien.'

'Je was blut.'

'Yep.'

'En op de rekening van de lacrossebond stond genoeg geld.'

'Meer dan genoeg. Ken je Sydney Gallonde? Die rijke gast met wie ik op Cedarfield High heb gezeten? Was gek van lacrosse en had geld zat. Hij had honderdduizend dollar aan de bond geschonken omdat ik hem had omgepraat. Ik. En er waren meer donateurs. Toen ik net bestuurslid werd, kon de club nog geen doelpaal betalen. Nu hebben we kunststof speelvelden en tenues en...' Tripp stopte met praten. 'Ik ben mezelf weer aan het rechtvaardigen, geloof ik.'

'Inderdaad.'

'Misschien wel, Adam, maar je bent ook niet zo naïef dat je

denkt dat alles zwart of wit is in het leven.'
'Nee.'
'Het is altijd wij tegen de rest. Zo is het leven nu eenmaal. Om die reden vechten we oorlogen uit. We nemen elke dag beslissingen om onze eigen dierbaren te beschermen, ook al betekent het dat we anderen daarmee benadelen. Jij koopt een paar nieuwe lacrosseschoenen voor je zoon. Misschien had je dat geld ook kunnen gebruiken om een kind in Afrika van de hongerdood te redden. Maar nee, jij laat dat kind sterven. Wij tegen de rest. We doen het allemaal.'
'Tripp?'
'Ja?'
'Het is nu niet het moment voor je filosofische gezwam.'
'Nee, je hebt gelijk.' Midden in het bos bleef Tripp staan en hurkte hij neer. Hij stak zijn hand uit en veegde de bladeren en twijgjes opzij. Adam deed twee stappen achteruit en richtte het pistool.
'Ik ben niet van plan je aan te vallen, Adam. Dat is niet meer nodig.'
'Wat ben je aan het doen?'
'Ik zoek iets... Ah, hier heb ik het.'
Hij richtte zich op.
Met een schop in zijn hand.
Adams knieën begaven het bijna. 'O nee...'
Tripp stond daar en keek hem aan. 'Je had gelijk. Uiteindelijk was het jouw gezin of dat van mij. Een van de twee kon het maar overleven. Zeg nu eens eerlijk, Adam, wat zou jij gedaan hebben?'
Adam schudde zijn hoofd. 'Nee...'
'Je had het voor het merendeel bij het rechte eind. Ik had dat geld gestolen, maar met de bedoeling het terug te betalen. Ik zal niet meer proberen mezelf te rechtvaardigen. Corinne kwam erachter. Ik heb haar gesmeekt het stil te houden, omdat het mijn leven zou ruïneren. Ik heb geprobeerd tijd te winnen, want natuurlijk kon ik dat geld niet terugbetalen. Nog niet. En ja, ik ben bedreven in boekhouden. Ik heb jarenlang de boeken van mijn vaders bedrijf gedaan. Dus ben ik de cijfers zo gaan veranderen

dat Corinne als schuldige werd aangewezen. Corinne wist dat natuurlijk niet. Ze heeft het zelfs stilgehouden, zoals ik haar had gevraagd. Ze heeft het jou ook niet verteld, hè?'

'Nee,' zei Adam.

'Vervolgens ben ik naar Bob en Cal gestapt, en later ook, veinzend alsof ik het vreselijk vond, naar Len. Ik heb ze alle drie verteld dat Corinne het lacrossegeld had gestolen. Vreemd genoeg was Bob de enige die het weigerde te geloven. Dus heb ik tegen Bob gezegd dat toen ik Corinne ermee confronteerde, zij had gezegd dat hij het had gedaan.'

'En toen is Bob naar zijn neef gestapt.'

'Ja, maar daar had ik niet op gerekend.'

'Waar is Corinne nu?'

'Je staat op de plek waar ik haar heb begraven.'

Zomaar.

Adam dwong zichzelf omlaag te kijken. Alles begon te draaien. Hij nam niet eens de moeite zijn evenwicht te hervinden. De aarde onder zijn voeten, zag hij, was onlangs omgewoeld. Hij viel opzij, greep zich vast aan een boomstam en hapte naar adem.

'Gaat het, Adam?'

Hij slikte en richtte het pistool op Tripp. Beheers je, zei hij tegen zichzelf. Hou je hoofd erbij...

'Graaf haar op,' zei hij tegen Tripp.

'Waar is dat voor nodig? Ik zeg je toch dat ze daar ligt?'

Adam, nog steeds duizelig, liep wankelend naar hem toe en hield de loop van het pistool onder zijn kin. 'Graven, zei ik. Nu.'

Tripp haalde zijn schouders op en liep langs hem heen. Adam draaide mee, hield het pistool op hem gericht en probeerde niet te knipperen met zijn ogen. Tripp stak het blad van de schop in de grond, begon te graven en gooide de aarde opzij.

'Vertel me de rest van het verhaal,' zei Adam.

'Ach, dat weet je al, of niet soms? Corinne was woedend nadat jij haar met die nepzwangerschap had geconfronteerd. Ze had er genoeg van. Ze ging de anderen vertellen wat ik had gedaan. Toen heb ik tegen haar gezegd: "Oké, ik begrijp het, ik zal het niet langer ontkennen. Maar laten we tijdens de lunch ergens afspreken," zei ik, "om te bepraten hoe we het aanpakken." Dat wilde ze liever niet, maar hé, ik kan soms heel overtuigend zijn.'

Het blad van de schop drong weer in de grond. En daarna nog eens.

'Waar spraken jullie af?' vroeg Adam.

Tripp wierp weer een schep aarde opzij. 'Bij jullie thuis. In de garage, om precies te zijn. Corinne wachtte me daar op. Ze wilde me blijkbaar niet in het huis zelf hebben. Alsof dat alleen voor haar en haar gezin was.'

'Wat heb je toen gedaan?'

'Wat denk je?'

Tripp keek omlaag en glimlachte. Toen deed hij een stap opzij, zodat Adam het kon zien.

'Ik heb haar doodgeschoten.'

Adam keek langs hem heen naar het gat in de grond. Zijn hart verkruimelde en verging tot stof. Daar, in de grond, lag Corinne.

'O nee...'

Zijn benen begaven het. Adam liet zich naast Corinne op zijn knieën vallen en begon de aarde uit haar gezicht te vegen. 'O nee...' Haar ogen waren gesloten en ze was nog altijd even mooi. 'Nee... Corinne... O god, alstublieft...'

Daarna stortte hij in. Hij drukte zijn wang tegen de hare, die koud en levenloos was, en begon te snikken.

Ergens ver weg was hij zich nog bewust van Tripp, die achter hem stond met de schop in zijn hand, en die hem zou kunnen neerslaan. Adam keek op, hield het pistool paraat.

Maar Tripp had zich niet verroerd.

Hij stond toe te kijken met een half glimlachje om zijn mond.

'Kunnen we nu gaan, Adam?'

'Wat?'

'Kunnen we nu gaan, zei ik.'

'Waar heb je het verdomme over?'

'Nou, ik moet terug naar kantoor, bijvoorbeeld. Je kent de waarheid nu. Het is voorbij. We moeten haar weer begraven.'

Het begon Adam weer te duizelen. 'Ben je gek geworden?'

'Ik niet, vriend, maar jij misschien wel.'

'Wat klets je nou?'

'Hoor eens, het spijt me dat ik haar heb moeten vermoorden. Echt waar. Maar ik zag geen andere uitweg. Geen enkele. En zoals ik al zei, we zijn tot alles in staat om de onzen te beschermen, nietwaar? Jouw vrouw bedreigde mijn gezin. Wat zou jij hebben gedaan?'

'Ik zou dat geld niet hebben gestolen.'

'Het is voorbij, Adam.' Zijn stem klonk volstrekt gevoelloos, als een plaatstalen deur die werd dichtgegooid. 'Nu moeten we allebei verder met ons leven.'

'Je bent gestoord.'

'En misschien ben je een paar dingen vergeten.' De glimlach verscheen weer om zijn mond. 'De boekhouding van de lacrossebond is een zooitje. Niemand zal er ooit wijs uit worden. En wat weet de politie? Jij had ontdekt dat Corinne haar zwangerschap had gefaket en jullie hebben daar een flinke ruzie over gehad. De volgende dag wordt ze doodgeschoten in jullie garage. Ik heb het bloed van de vloer geveegd, provisorisch, maar de politie zal er heus wel sporen van vinden. Ik heb het schoonmaakmiddel gebruikt dat onder jouw aanrecht stond. En ik heb de doeken met het bloed in jouw vuilnisbak gegooid. Begin je het te begrijpen, Adam?'

Adam keek weer naar Corinnes mooie gezicht.

'Ik heb haar lijk in de kofferbak van haar eigen auto gelegd. En de schop die ik hier heb... komt die je niet bekend voor? Dat zou wel moeten, want die heb ik uit jouw garage meegenomen.'

Adam zat nog steeds naar zijn beeldschone vrouw te staren.

'En alsof dat nog niet genoeg is, zal de beveiligingscamera op de galerij bij mijn kantoor laten zien dat jij me onder bedreiging van een pistool hebt gedwongen in mijn auto te stappen. Dus als er vezels of DNA van mij op haar lijk worden gevonden... Nou, dan zeg ik dat jij me hebt gedwongen haar op te graven. Jij hebt haar vermoord, haar hier begraven, je hebt haar auto bij het vliegveld geparkeerd, niet op het parkeerterrein van het vliegveld zelf, want iedereen weet dat daar massa's beveiligingscamera's hangen. Vervolgens heb je die sms aan jezelf gestuurd om tijd te winnen. En daarna heb je, om de verwarring nog groter te maken, haar telefoon – ach, wat zal ik zeggen? – achter in een bestelwagen van bijvoorbeeld een Best Buy-winkel gegooid. Om, als iemand ernaar op zoek zou gaan, de indruk te wekken dat ze ergens naartoe reed, in elk geval zolang de batterij nog stroom had. Om een zoveelste dwaalspoor te creëren.'

Adam schudde zijn hoofd. 'Dat gelooft niemand.'

'Natuurlijk wel. Want laten we eerlijk zijn, jij bent de echtgenoot. Wat klinkt er nou logischer? Dat ik haar heb vermoord, of jij?'

Adam keek weer naar zijn vrouw. Haar lippen hadden een lila tint. Corinne had geen vredige uitdrukking op haar gezicht gehad toen ze stierf. Ze zag er verloren, angstig en eenzaam uit. Hij streelde haar wang met zijn vingers. Wat één ding betreft had Tripp Evans gelijk. Het was afgelopen, ongeacht wat er nu nog gebeurde. Corinne was dood. Zijn levenspartner was hem voor altijd afgenomen. Zijn zoons, Thomas en Ryan, zouden nooit meer dezelfde zijn. Zijn jongens – nee, háár jongens – zouden nooit meer de troost en de liefde van hun moeder kunnen ervaren.

'Wat gebeurd is, is gebeurd, Adam. Het is voorbij. Maak het niet erger dan het al is.'

En op dat moment zag Adam iets wat zijn hart opnieuw in tweeën scheurde.

Haar oorlelletjes.

Hij zag niets op haar oorlelletjes. Adams gedachten vlogen terug naar die juwelierswinkel in 47th Street, naar het Chinese restaurant en de ober die ze op een bord voor haar neerzette, naar de glimlach op haar gezicht, naar Corinne, die ze 's avonds altijd uitdeed en zorgvuldig op het nachtkastje legde voordat ze ging slapen.

Tripp had haar niet alleen vermoord. Hij had ook nog de diamanten oorknopjes van haar ontzielde lichaam geroofd.

'Nog één ding,' zei Tripp.

Adam keek naar hem op.

'Als je ooit nog in de buurt van mijn gezin komt of iemand bedreigt,' zei hij, 'nou, ik heb je al laten zien waartoe ik in staat ben.'

'Ja, dat heb je zeker.'
En daarna bracht Adam het pistool omhoog, richtte op het midden van Tripps borstkas en haalde drie keer de trekker over.

56

Zes maanden later

De lacrossewedstrijd werd gespeeld in een sportcentrum dat ze heel optimistisch de SuperDome hadden gedoopt, een opblaasbare hal met een koepeldak dat soms een beetje doorzakte. Thomas speelde in de indoorcompetitie gedurende de wintermaanden. Ryan was er ook. Hij volgde zowel Thomas op het veld als Ryan in de hoek, waar hij balletjepik speelde met een stel jongens van zijn leeftijd. En om de zoveel tijd keek Ryan naar zijn vader. Dat deed hij de laatste tijd vaak, kijken of zijn vader er nog was, alsof Adam van het ene moment op het andere in rook kon opgaan. Adam begreep dat, natuurlijk. Hij wilde hem zo graag geruststellen, maar wat zou hij dan moeten zeggen?

Hij wilde niet liegen tegen de jongens. Maar hij wilde ook dat ze gelukkig waren en dat ze zich veilig voelden.

Als ouder moet je met dat evenwicht leren omgaan. Dat was niet veranderd sinds Corinnes dood, maar misschien leert het je wel dat geluk op basis van onwaarheden – in het meest gunstige geval – vluchtig en vergankelijk is.

Adam keek naar de glazen deuren en zag Johanna Griffin binnenkomen. Ze liep door naar de achterlijn, waar hij stond, kwam naast hem staan en keek naar het veld.

'Thomas is nummer 11, toch?'

'Ja,' zei Adam.

'Hoe speelt hij?'

'Heel goed. De coach van Bowdoin wil hem inlijven.'

'Wauw. Prima school. Gaat hij het doen?'

Adam haalde zijn schouders op. 'Het is zes uur rijden. Vóór

deze toestand zou hij zeker ja gezegd hebben. Maar nu...'

'Hij wil dichter bij huis blijven.'

'Ja. We zouden natuurlijk ook daar kunnen gaan wonen. Er is niks meer wat ons hier houdt.'

'Waarom blijf je dan?'

'Dat weet ik niet precies. De jongens zijn al zo veel kwijtgeraakt. Ze zijn hier opgegroeid. Ze hebben hier hun school en hun vrienden.' Op het veld pikte Thomas een vrije bal op en ging op weg naar het doel van de tegenpartij. 'Hun moeder is hier ook. In ons huis. In deze stad.'

Johanna knikte.

Adam draaide zich naar haar om. 'Ik ben blij je te zien.'

'Dito.'

'Wanneer ben je aangekomen?'

'Een paar uur geleden,' zei Johanna. 'Morgen wordt het vonnis over Kuntz uitgesproken.'

'Je weet toch al dat hij levenslang krijgt?'

'Ja,' zei ze. 'Maar ik wil erbij zijn. En ik wilde ook zeker weten dat jij officieel van strafvervolging wordt ontslagen.'

'Dat ben ik al. Dat bericht kwam vorige week.'

'Dat weet ik. Maar ook dat wilde ik met eigen ogen zien.'

Adam knikte. Johanna keek om naar de tribune waar Bob Baime en de andere ouders zaten.

'Sta je altijd alleen langs het veld?'

'Tegenwoordig wel,' zei Adam. 'Maar ik neem het ze niet kwalijk. Weet je nog dat ik je vertelde over dat zogenaamde leven in een droom?'

'Ja.'

'Nou, ik ben het levende bewijs dat die droom uiterst vergankelijk is. Dat weten ze zelf natuurlijk ook wel, maar ze vinden het ook niet nodig er voortdurend aan herinnerd te worden.'

Ze keken weer een tijdje naar de wedstrijd.

'Nog steeds geen nieuws over Chris Taylor,' zei Johanna. 'Hij is nog altijd voortvluchtig. Aan de andere kant is hij nu ook weer niet staatsvijand nummer één. Het enige wat hij feitelijk heeft gedaan is een stel mensen chanteren, en die willen geen aangifte tegen hem doen omdat ze dan hun geheimen moeten prijsgeven.

Als ze hem vinden, betwijfel ik of hij meer dan een voorwaardelijke straf zal krijgen. Kun jij daarmee leven?'

Adam haalde zijn schouders op. 'Ja en nee.'

'Hoe dat zo?'

'Als hij Corinnes geheim met rust had gelaten, zou dit misschien niet gebeurd zijn. Ik blijf mezelf maar afvragen: is de vreemde verantwoordelijk voor de dood van mijn vrouw? Of was zij het zelf, omdat ze heeft gedaan alsof ze zwanger was? Of was ik het, omdat ik haar zo onzeker had gemaakt? Je kunt jezelf stapelgek maken met dat soort gedachten. Steeds verder teruggaan in de tijd en zoeken naar waar en hoe het ooit is begonnen. Maar uiteindelijk is er maar één die echt schuld heeft, en diegene is dood. Die heb ik doodgeschoten.'

Thomas passte de bal en liep door naar het gebied achter het doel, dat in lacrosse de x wordt genoemd. Volgens de lijkschouwer was de eerste kogel al voldoende geweest. Die had Tripp Evans' hart doorboord en hem op slag gedood. Adam kon het gewicht van het pistool in zijn hand nog steeds voelen. En de terugslag van het pistool toen hij schoot. Hij zag voor zich hoe Tripp Evans in elkaar zakte en hoorde hoe de drie schoten eindeloos lang door het doodstille bos bleven echoën.

Nadat hij had geschoten, had Adam secondelang niets gedaan. Hij was als verdoofd op de grond blijven zitten. Hij had niet gedacht aan de consequenties van zijn daad. Het enige wat hij wilde, was bij zijn vrouw zijn. Hij had zich weer over haar heen gebogen. Hij had haar wang gekust, zijn ogen gesloten en zijn tranen de vrije loop gelaten.

Totdat hij een stem achter zich hoorde. 'Kom op, Adam, we moeten opschieten,' zei Johanna.

Ze was hem achternagereden. Voorzichtig maakte ze het pistool los uit Adams hand en stopte het in Tripp Evans hand. Ze kromde zijn wijsvinger om de trekker, legde de hare erop en loste drie schoten, zodat er kruitsporen op zijn hand zouden achterblijven. Daarna nam ze zijn andere hand en krabde Adam in zijn gezicht, zodat zijn DNA onder de nagels zou achterblijven. Als in een roes deed Adam alles wat ze zei. Ze sleutelden een verhaal over zelfverdediging in elkaar. Het was niet perfect. Er zaten leemten in en het bood ruimte voor scepsis, maar uiteindelijk zou het concrete bewijs, tezamen met Johanna's getuigenis over Tripp Evans' bekentenis die ze had gehoord, Adam ontslaan van strafvervolging.

Hij was vrij.

Nu moest hij nog leren leven met wat hij had gedaan. Hij had een man gedood. Als je zoiets doet, ben je nooit meer echt vrij. Het achtervolgde hem 's nachts, hield hem uit zijn slaap. Hij besefte dat hij geen keus had gehad. Zolang Tripp Evans in leven was, zou hij een bedreiging voor Adams gezin zijn. En op een bepaalde, primitieve manier putte Adam zelfs enige bevrediging uit wat hij had gedaan, dat hij zijn vrouw had gewroken en zijn jongens had beschermd.

'Mag ik je iets vragen?' vroeg Adam.

'Natuurlijk.'

'Slaap jij 's nachts goed?'

Johanna Griffin glimlachte. 'Nee, niet echt.'

'Dat spijt me.'

Ze haalde haar schouders op. 'Ik mag dan niet zo goed slapen, ik zou nog veel slechter slapen als jij voor de rest van je leven de gevangenis in was gegaan. Ik heb een keus gemaakt toen ik jou in dat bos zag. De keus die me tenminste nog wat slaap toestaat.'

'Bedankt daarvoor,' zei hij.

'Maak je om mij maar geen zorgen.'

Er was nog iets wat Adam nog steeds dwarszat, maar wat hij voor zichzelf had gehouden. Had Tripp Evans, na alles wat hij had gedaan, echt geloofd dat zijn plan zou werken? Had hij echt gedacht dat Adam hem zou laten gaan nadat hij zijn vrouw had vermoord? En dat hij het kon maken om Adam en zijn gezin te bedreigen terwijl Adam met een pistool in zijn hand bij het graf van zijn vermoorde vrouw zat?

Na zijn dood had Tripps gezin een enorm bedrag van zijn levensverzekering geïncasseerd. Becky en de kinderen waren in Cedarfield blijven wonen. Ze werden door iedereen gesteund. Alle inwoners van Cedarfield, zelfs degenen die geloofden dat Tripp een moordenaar was, hadden Becky en haar kinderen in de armen gesloten.

Had Tripp geweten dat dit zou gebeuren? Had Tripp uiteindelijk gewild dat Adam hem zou doodschieten? De wedstrijd stond gelijk, met nog maar een minuut op de klok.

Johanna Griffin zei: 'Ironisch, eigenlijk.'

'Wat?'

'Dit hele gebeuren draaide om geheimen. Dat was de missie van Chris Taylor en zijn groep. Zij wilden alle geheimen de wereld uit helpen. En nu zitten jij en ik opgescheept met het grootste geheim van allemaal.'

Ze keken naar de klok en zagen de tijd wegtikken. Met nog dertig seconden te gaan scoorde Thomas het winnende doelpunt. Het publiek sprong op en juichte. Adam maakte geen vreugdedansje. Maar hij glimlachte wel. Hij draaide zich om en keek naar Ryan. Ryan glimlachte ook. Net als Thomas, durfde Adam te wedden, achter de gezichtsbeschermer van zijn helm.

'Misschien ben ik daarvoor teruggekomen,' zei Johanna.

'Waarvoor?'

'Om jullie drieën te zien glimlachen.'

Adam knikte. 'Ja, misschien wel.'

'Geloof jij in het hiernamaals, Adam?'

'Nee, niet echt.'

'Het maakt niet uit. Je hoeft niet te geloven dat ze haar jongens echt ziet glimlachen.' Johanna gaf hem een kus op zijn wang en maakte aanstalten om weg te lopen. 'Geloof alleen dat ze het graag gewild zou hebben.'

DANKWOORD

De auteur wil graag de volgende mensen bedanken, in willekeurige volgorde, want hij kan zich niet herinneren wie hem waarmee heeft geholpen: Anthony Dellapelle, Tom Gorman, Kristi Szudlo, Joe en Nancy Scanlon, Ben Sevier, Brian Tart, Christine Ball, Jamie Knapp, Diane Discepolo, Lisa Erbach Vance en Rita Wilson. Zoals altijd zijn alle fouten voor hun rekening. Hé, zij zijn de deskundigen. Waarom zou ik overal voor moeten opdraaien?

Ook een kort 'dank je wel' voor de volgende personen: John Bonner, Freddie Friednash, Leonard Gilman, Andy Gribbel, Johanna Griffin, Rick Gusherowski, Heather en Charles Howell III, Kristin Hoy, John Kuntz, Norbert Pendergast, Sally Perryman en Paul Williams jr.

Deze mensen (of hun dierbaren) hebben genereuze donaties gedaan aan goede doelen van mijn keuze, en als dank daarvoor heb ik hun namen in dit boek gebruikt. Als je het leuk vindt om in een van mijn volgende boeken voor te komen, ga dan naar WWW.HARLANCOBEN.COM of stuur een e-mail aan giving@harlancoben.com voor meer informatie.